Des fiches avec des trucs incontournables pour

Réussir ses études

**Pour les étudiants
du secondaire,
du collégial,
de l'éducation des adultes
et de l'université**

**13 fiches,
13 thèmes
avec des idées,
des moyens
pratiques pour:**

Se préparer aux examens
- Étudier à l'aide de mots synthèses
- Étudier en formulant des questions
- Mémoriser des détails
- Étudier en créant des schémas

Prendre des notes
- Faire la mise en page
- Organiser l'information
- Utiliser des abréviations

Apprendre à apprendre
- Préparer son environnement d'étude
- Planifier ses périodes d'étude
- Appliquer une méthode d'étude

Gérer ses études
- Vaincre le stress des examens
- Identifier ses priorités
- Construire une grille horaire

D0549891

Palmarès

DES CARRIÈRES

2012

TÉMOIGNAGES

40 travailleurs racontent...
40 professionnels conseillent...

Le coffre à outils

- Comment se préparer à une première rencontre en orientation
- Ressources et références utiles
- Questionnaire d'autoévaluation

ÉDITORIAL
Investir dans sa carrière

SPÉCIAL Régions

150
MÉTIERS ET PROFESSIONS EN NOMINATION

40 **18**
LAURÉATS **PALMES**

Septembre éditeur

Palmarès DES CARRIÈRES 2012

Catalogage avant publication de Bibliothèque et Archives nationales du Québec et Bibliothèque et Archives Canada

Vedette principale au titre :

Palmarès des carrières

Comprend un index.

ISSN 1914-3370

ISBN 978-2-89471-428-7

1. Orientation professionnelle. 2. Organisation scolaire. 3. Descriptions d'emploi. 4. Orientation professionnelle – Québec (Province).

HF5381.P24   331.702   C2007-301090-1

Dépôt légal – Bibliothèque et Archives nationales du Québec, 2012
Dépôt légal – Bibliothèque et Archives Canada, 2012
1er trimestre 2012
ISBN 978-2-89471-428-7 (imprimé)
ISBN 978-2-89471-735-6 (pdf)

Imprimé et relié au Canada

Téléphone : 418 658-7272
Sans frais : 1 800 361-7755
Télécopieur : 418 652-0986
www.septembre.com

Septembre éditeur inc.

Président-directeur général et éditeur
Martin Rochette

Directrice de l'édition
Hélène Plourde

Coordonnatrice des journalistes et photographes
Hélène Belzile

Journalistes
Hélène Belzile
Didier Bert
Martine Frégeau
Claudine Hébert
Marlène Lebreux
Aurore Lehmann
Alina Pahoncia
Louise Potvin
David Savoie
Pierre Vallée
Nathalie Vallerand

Questionnaire d'autoévaluation
Yves Maurais, conseiller d'orientation

Réviseure linguistique
Odette Maheux

Collaboration spéciale
Isabelle Falardeau

Concepteur visuel
Ose Design

Infographistes
Francine Bélanger
Nathalie Perreault

Photos
Alarie Photos
Francine Chatigny
Stéphane Lemire
Stéphane Lessard
Nicole Morel

Gestionnaire de bases de données
Annie Pelletier

Directrice des ventes
Catherine Brochu

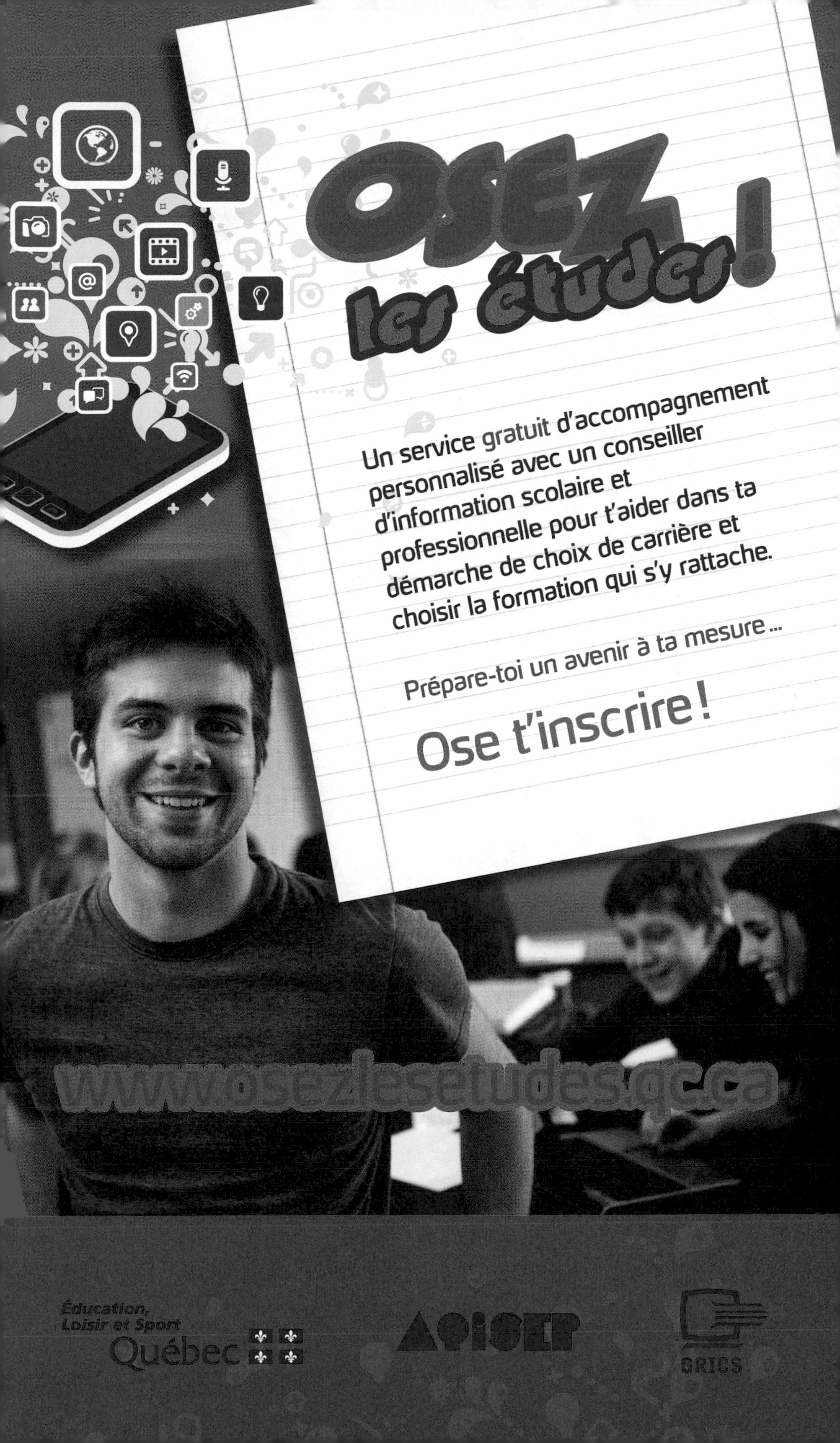
OSEZ les études !
Un service gratuit d'accompagnement personnalisé avec un conseiller d'information scolaire et professionnelle pour t'aider dans ta démarche de choix de carrière et choisir la formation qui s'y rattache.
Prépare-toi un avenir à ta mesure...
Ose t'inscrire !
www.osezlesetudes.qc.ca
Éducation, Loisir et Sport
Québec
AQISEP
GRICS

**COMMISSION SCOLAIRE
DES TROIS-LACS**

PGL
Centre de formation
professionnelle
Paul-Gérin-Lajoie

Tout un monde d'opportunités !

Parce que nous formons une main-d'œuvre hautement convoitée par les employeurs, les taux de placement et les salaires de départ obtenus par nos élèves sont parmi les plus élevés au Québec.

Nos étudiants évoluent dans un environne-ment privilégié grâce à nos usines-écoles dont l'usine de traitement des eaux ainsi qu'à nos nombreux ateliers et nos salles de cours spécialisés.

Vous pouvez déjà vous imaginer en emploi !

Équipement motorisé
- Mécanique de véhicules lourds routiers (DEP)
- Mécanique d'engins de chantier (DEP)
- Mécanique de moteurs diesels et de contrôles électroniques (ASP)

Traitement des eaux
- Conduite de procédés de traitement de l'eau (DEP)

Fabrication mécanique
- Techniques d'usinage (DEP)
- Matriçage (ASP)
- Usinage sur machines-outils à commande numérique (ASP)
  (en collaboration avec la Commission scolaire Marie-Victorin)

Électrotechnique
- Électromécanique de systèmes automatisés (DEP)

Administration, commerce et informatique
- Secrétariat (DEP)
- Comptabilité (DEP)
- Double diplomation-secrétariat et comptabilité (DEP)

POUR INSCRIPTION OU INFORMATION :
400, avenue Saint-Charles, Vaudreuil-Dorion (Québec) J7V 6B1
514 477-7020, poste 5325
Courriel : p.g.l@cstrois-lacs.qc.ca
www.pgl.cstrois-lacs.qc.ca
Inscription par Internet : www.srafp.com • Possibilité d'aide financière aux études : www.afe.gouv.qc.ca

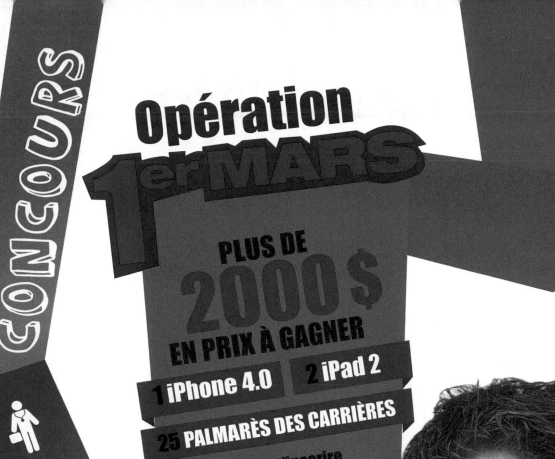

Table des matières

INTRODUCTION

Choisir une profession rentable!

À la question «Que veux-tu faire plus tard?», les jeunes en processus de choix répondent en nommant une ou deux professions qui les intéressent. Pour plusieurs, cette question en amène souvent une autre : «Est-ce que c'est payant?». La question salariale est une préoccupation réelle et bien légitime d'ailleurs.

Les jeunes qui ont à investir dans leur avenir souhaitent, et à juste titre, investir dans un choix non seulement intéressant mais rentable. S'ils misent uniquement sur les données concernant les salaires, ont-ils en main un indicateur fiable pour juger de la validité de leur choix?

Pour permettre d'y voir plus clair, Septembre éditeur présente un éditorial qui aborde la question financière en lien avec le choix d'une profession, deux sujets qui prennent une place importante dans les préoccupations actuelles des jeunes. Trois situations fictives mais tenant compte de données réelles permettent d'avoir une idée du salaire cumulé au cours de la vie de trois travailleurs arrivés à l'âge de 35 ans. Ces travailleurs sont issus de trois ordres d'enseignement : l'un a un DEP (diplôme d'études professionnelles), l'autre a un DEC (diplôme d'études collégiales de formation technique) et le dernier a un baccalauréat (diplôme universitaire de premier cycle).

Le but de l'exercice n'est pas d'indiquer s'il est plus rentable de choisir la formation professionnelle, technique ou universitaire. Il s'agit plutôt de briser certains mythes et d'éclairer les lecteurs sur tous les éléments qui, outre le salaire, interviennent dans ce que l'on pourrait appeler la «rentabilité» d'un choix de carrière. Par exemple, le taux d'endettement associé aux études, les avantages d'une entrée précoce sur le marché du travail, les coûts possibles de l'errance professionnelle, etc. Autant d'indicateurs utiles pour aider le lecteur à réfléchir et à discriminer les choix qui s'offrent à lui.

Bien sûr, tous ces aspects financiers ne sauraient faire l'économie de la nécessité de tenir compte de ses intérêts et de ses compétences professionnelles pour exercer le métier pour lequel on s'investit dans une formation, quel qu'en soit l'ordre d'enseignement. Des recherches ont démontré que le plus grand facteur de réussite ne réside pas dans l'intérêt que l'on a pour une profession, mais bien dans le sentiment de compétence que l'on a acquis. Non seulement ce sentiment de confiance est un indicateur de la réussite, mais il est également un indice fiable de persévérance.

Bonne lecture!

Hélène Plourde, c.o.
Directrice de l'édition

LES NOUVEAUTÉS 2012

Des entrevues avec 40 travailleurs

Cette année, les entrevues sont réalisées auprès de quarante travailleurs dont la profession offre de bonnes perspectives, sans toutefois être nécessairement parmi les lauréats ou les palmes. Pourquoi cela? Pour faire connaître des professions qui risqueraient de ne jamais se classer parmi les meilleurs et de demeurer peu connues des jeunes, et ce, bien qu'elles offrent de belles perspectives.

Ceci ne remet pas en question la présence du *Palmarès des carrières* qui présentera les renseignements et les statistiques habituels concernant les professions en nomination, les professions lauréates ou les palmes d'or, d'argent et de bronze. Tous ces renseignements seront présentés sous forme de tableaux au début de l'ouvrage, mais aussi, à la fin de chacun des six secteurs.

Que se passe-t-il dans nos régions?

Le Québec, c'est grand! Alors que Montréal atteint près de 3 700 000 habitants avec son agglomération, il en reste tout de même autour de 4,3 millions répartis dans les régions.

Cette année, nous avons donc décidé de faire le tour des réalités, des situations et des particularités régionales en ce qui concerne l'emploi, la main-d'œuvre, la relève, la formation, les innovations, les statistiques…

INVESTIR DANS SA CARRIÈRE

Par Marlène Lebreux

Un métier passionnant et payant! C'est le souhait de tous! Mais parmi le nombre phénoménal de possibilités, il peut paraître difficile d'y parvenir. Comment faire un choix gagnant? Une réflexion s'impose, car le choix de carrière est une démarche qui ne se fait pas à n'importe quel prix!

Une étude réalisée par Monster, l'été dernier, auprès de plus de 40 000 salariés d'Amérique du Nord, d'Europe et d'Asie, a révélé que le salaire constituait pour 27 % d'entre eux la principale motivation à conserver leur emploi, devançant de plusieurs points la reconnaissance au travail et l'intérêt pour le métier.

En effet, la paye est une récompense bien méritée au terme de plusieurs heures de boulot! Par exemple, pour une semaine de travail, un diplômé universitaire en pharmacie reçoit en moyenne près de 1 500 $. Au Québec, le salaire annuel moyen des pharmaciens est très alléchant; il dépasse les 100 000 $. Un ingénieur minier touche, pour sa part, quelque 92 000 $ par année. Et un professeur d'université? 88 000 $! De toute évidence, le salaire a quelque chose d'attrayant! Mais, est-il un critère appréciable pour orienter ses choix de carrière?

QUAND ON SE COMPARE, ON SE CONSOLE...

Québec	15 102 $
Manitoba	19 953 $
Alberta	24 305 $
Ontario	25 778 $
Colombie-Britannique	26 738 $
Nouveau-Brunswick	28 089 $
Nouvelle-Écosse	30 128 $

Montant moyen de la dette d'études des étudiants inscrits à la dernière année du baccalauréat

(Données de 2009)

Source :
http://www.mels.gouv.qc.ca/enseignementsuperieur/
droitsscolarite/index.asp?page=cout

Trois métiers, trois parcours

Il ne faut pas oublier qu'avant la vie professionnelle, il y a le parcours scolaire... Le programme d'études se veut généralement un passage obligé vers la pratique d'un métier ou d'une profession. Sa durée varie d'un domaine à l'autre, d'un ordre d'enseignement à l'autre. Celle-ci a une incidence sur le moment où une personne fera son entrée sur le marché du travail et touchera sa première paye!

Amusons-nous à comparer le parcours de trois étudiants (fictifs) qui s'orientent vers trois programmes d'études issus d'ordres d'enseignement différents. Cette année, en 2012, ces étudiants entameront leur formation postsecondaire. Considérons qu'ils effectueront un parcours sans faille et qu'ils obtiendront leur diplôme dans les temps prévus. Puis, projetons-nous dix ans plus tard, en 2022. Quelle sera leur situation respective?

PHILIPPE : DIPLÔMÉ DE LA FORMATION PROFESSIONNELLE

À la fin de sa 5e secondaire, Philippe désire faire carrière dans l'industrie de la construction. Il opte pour le DEP en Mécanique industrielle de construction et d'entretien. Il aura en main son diplôme après avoir fait deux années d'études au niveau secondaire professionnel.

Ce nouveau mécanicien de chantier fera son entrée au travail à titre d'apprenti, en 2014, et enrichira ses connaissances aux côtés d'un compagnon, c'est-à-dire d'un mécanicien de chantier d'expérience. Le salaire annuel moyen d'un apprenti est d'environ 24 000 $. Ainsi, en 2022, huit années plus tard, il aura gagné 192 000 $ ou plus.

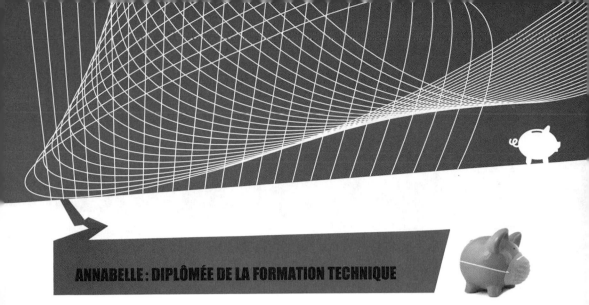

ANNABELLE : DIPLÔMÉE DE LA FORMATION TECHNIQUE

Attirée par les nombreux débouchés dans le domaine de la santé, Annabelle porte son choix sur le DEC en Soins infirmiers. Après les trois années requises pour l'obtention de son diplôme, elle se trouvera un emploi sans difficulté.

En tenant compte du salaire d'une infirmière à ses premières années sur le marché du travail, c'est quelque 40 000 $ par année qu'elle gagnera à partir de 2015. En 2022, c'est une somme de 280 000 $ qu'elle aura cumulée.

SOPHIE : DIPLÔMÉE DE LA FORMATION UNIVERSITAIRE

Les conditions de travail des enseignants (près de deux mois de congé pendant la période estivale!) sont très intéressantes! Sophie, qui commencera sa formation pour devenir enseignante au niveau primaire et préscolaire en 2012, devra effectuer deux années d'études collégiales générales avant d'atteindre les portes de l'université. Sur les bancs universitaires, elle y sera quatre ans. Elle effectuera donc son baccalauréat en éducation préscolaire et en enseignement primaire, de 2014 à 2018.

En 2022, elle aura enseigné quatre ans et amassé quelque 148 000 $, si l'on se fie au salaire annuel moyen des enseignants dans les commissions scolaires du Québec (37 000 $).

SAVAIS-TU QUE...?

- Au Québec, les diplômés universitaires de premier cycle sont les moins endettés au pays! Malgré tout, six sur dix prennent douze années pour rembourser l'intégralité de leur dette.

- Plus de 68 000 diplômés québécois ayant bénéficié d'un prêt de l'Aide financière aux études du MELS n'ont pas été en mesure de respecter, dans les délais prescrits, leurs obligations à l'égard du remboursement de leurs dettes d'études, en 2009-2010.

Pour refléter plus fidèlement la situation financière de Philippe, Annabelle et Sophie, l'exercice précédent doit également tenir compte des sommes qu'ils ont investies pour mener à bien leur projet d'études.

L'enquête sur les conditions de vie des étudiants de la formation professionnelle, du collégial et de l'université, menée en 2007 par le ministère de l'Éducation, du Loisir et du Sport (MELS), dresse un portrait de 5 387 étudiants, bénéficiaires ou non du Programme de prêts et bourses. L'échantillon d'étudiants utilisé pour l'étude ne couvre évidemment pas toute la masse étudiante, mais il permet néanmoins d'effectuer des comparaisons intéressantes.

Pour les besoins de notre exercice, on peut imaginer que nos trois étudiants soient bénéficiaires du Programme de prêts et bourses. Ainsi, conformément aux chiffres sur l'endettement moyen selon le groupe d'âge révélés par cette enquête, Philippe devra rembourser à la fin de ses études 5 179 $, Annabelle 9 321 $ et Sophie 15 006 $. Ces sommes doivent être acquittées au terme de leurs études et, inévitablement, être prises en considération dans leur budget, dès leurs premières années sur le marché du travail.

En effet, l'endettement des étudiants est un sujet qui fait couler beaucoup d'encre. Les données de la Fédération étudiante universitaire du Québec (FEUQ) sont particulièrement alarmantes : un étudiant sur quatre accumule une dette qui dépasse les 20 000 $.

QUELQUES DONNÉES SUR LES SALAIRES

Rémunération hebdomadaire moyenne :
- Au Québec : 796,53 $
- Au Canada : 853,19 $

Selon le recensement de 2006, le revenu annuel moyen après impôt médian :
- diplômés universitaires : 35 168 $
- diplômés de niveau collégial : 27 741 $
- diplômés de niveau secondaire : 19 744 $
- ceux qui n'ont pas terminé un programme de niveau secondaire : 15 523 $

Un investissement qui peut être rentable...

Il n'est pas catastrophique en soi d'avoir une dette à la fin de ses études. Si le diplôme ouvre la porte vers un emploi stimulant, le coût peut largement en valoir la chandelle. Il s'agit aujourd'hui d'un investissement qui contribuera à augmenter sa valeur sur le marché du travail.

Puis, si l'on exprime ses compétences et manifeste le désir d'avancer professionnellement, le salaire est une donne qui tend à augmenter au cours de sa carrière, au fur et à mesure que se développe son expertise dans le domaine.

- Tel que le consent sa convention collective, Philippe, notre mécanicien de chantier, aura l'occasion de gravir les échelons et d'obtenir le titre de compagnon, après trois périodes de 2 000 heures de travail. S'il travaille en moyenne 1 000 heures par année, il portera le chapeau de compagnon après six ou sept ans de travail. Le salaire annuel moyen d'un compagnon est d'environ 49 000 $, mais peut facilement aller jusqu'à plus de 70 000 $.

- Dévouée aux soins de ses patients, Annabelle pourra voir grimper son salaire jusqu'à plus de 60 000 $ par année. D'ailleurs, la pénurie de personnel s'avère très payante pour certaines infirmières. Au Centre de santé et de services sociaux de Gatineau (CSSSG), l'une d'entre elles a gagné plus de 64 700 $ en temps supplémentaire et a cumulé un salaire annuel de 163 695 $! Une exception qui confirme la règle? Tout compte fait, on peut affirmer sans trop se tromper que, dans le secteur de la santé, les heures supplémentaires peuvent agréablement faire mousser le chèque de paye!

- Notre jeune enseignante Sophie dispose, quant à elle, d'une échelle salariale régie par une convention collective qui lui donne la possibilité d'atteindre les 70 000 $ par année. Sans compter qu'avec les nombreux départs à la retraite, de belles perspectives s'offrent aux enseignants au cours de leur carrière, notamment vers des postes connexes et davantage rémunérés tels que ceux de conseillers pédagogiques et de directeurs d'école.

DES SALAIRES ANNUELS MOYENS

Avocat	110 00 $	Grutier	61 000 $
Dentiste	138 000 $	Monteur de lignes électriques	72 000 $
Infirmier en chef	61 000 $	Spécialiste du contrôle de la circulation aérienne	93 000 $
Journaliste	57 000 $	Technicien en génie électronique et électrique	54 000 $
Gestionnaire de systèmes informatiques	83 000 $	Source : Emploi-Québec	

Le prix d'un choix éclairé

Mais, pour bénéficier de tous les avantages de leur métier ou de leur profession (salaire, assurance, fonds de pension, congés payés, avancement professionnel, etc.), Philippe, Annabelle et Sophie doivent d'abord et avant tout décrocher leur diplôme avec tous les hauts et les bas que cela implique. L'attrait du salaire suffit-il à maintenir la motivation, du début à la fin du parcours scolaire? Ce critère permet-il à lui seul d'endosser tous les sacrifices (endettement, études plus longues, achat d'une maison reporté à plus tard, etc.)?

Il est important de mesurer l'impact d'axer son choix sur le rendement financier d'un métier ou d'une profession. En fermant les yeux sur ses motivations personnelles, les risques d'abandonner seront plus élevés pendant sa formation, mais également au cours de sa carrière. Il faut être motivé et intéressé par un secteur d'activité pour être en mesure de profiter pleinement de toutes les belles possibilités qu'il peut offrir.

Il ne faut pas oublier que la pratique d'un métier ou d'une profession signifie également vivre avec les exigences de l'emploi: l'horaire de travail, la nécessité d'effectuer du temps supplémentaire, le stress, les déplacements fréquents, etc. Ce sont autant de points importants à considérer. Ces exigences doivent s'accorder avec sa personnalité. Autrement, tôt ou tard, des choix seront à refaire.

Ainsi, est-il essentiel de se questionner sur ses intérêts, ses aptitudes et ses aspirations, tout comme sur ses limites et les sacrifices que l'on est prêt à faire. On ne le répètera jamais assez: la connaissance de soi est la clé d'une judicieuse démarche d'orientation. Elle s'avère généralement très payante. Car, le fait est que s'accomplir sur le plan professionnel ne va pas sans une bonne dose de motivation et d'inspiration... Et celles-ci ne s'achètent pas en argent sonnant et trébuchant!

MATIÈRE À RÉFLÉCHIR AVANT DE CHOISIR

- Est-ce que les objectifs du programme d'études concordent avec mes intérêts, mes aptitudes et mes aspirations?
- Quelle est la durée des études?
- Quelles sommes devront être consenties pour réussir mon projet d'études?
- Quels établissements d'enseignement offrent le programme d'études?
- Est-ce que le parcours scolaire me convient?
- Quel est l'horaire de travail d'un travailleur type?
- Quelles sont les perspectives d'emplois?
- Quels types d'entreprises embauchent?
- Quels sont les milieux dans lesquels s'exécute le travail?
- Est-ce que les perspectives d'avancement de carrière sont intéressantes?
- Est-ce que je me vois exercer ce métier ou cette profession pendant plusieurs années?

La retraite : autres temps, autres mœurs

Si, hier, les travailleurs enduraient leurs années de dur labeur en rêvassant de leur retraite, les perceptions sont bel et bien différentes aujourd'hui... Même que les nouvelles générations de travailleurs pourraient être de plus en plus nombreuses à quitter le marché du travail au-delà de 65 ans!

L'âge moyen du départ à la retraite est présentement de 62 ans au Québec. Le vieillissement de la population et le déclin de la population active entraîneront inévitablement des changements. L'Institut de la statistique du Québec signale que, d'ici à 2056, l'indice de remplacement de la main-d'œuvre ne parviendra pas à atteindre l'équilibre; soit un nouveau travailleur sur le marché du travail (20-29 ans) pour une personne en voie de prendre sa retraite (55-64 ans). Les difficultés de recrutement de personnel qualifié seront majeures pour les entreprises. Il est donc facile de penser qu'elles voudront retenir dans leurs rangs les employés d'expérience.

Les pressions se font également sentir sur les régimes de retraite. La Régie des rentes du Québec estime que le nombre de bénéficiaires augmentera de 90 % d'ici 2030. Pour remédier à ces problèmes, certains pays, tels que les États-Unis, la France et l'Australie, ont repoussé à 67 ans l'âge normal de la retraite. Le Canada emboîtera-t-il pas dans cette direction? La réflexion est amorcée...

Aujourd'hui, travailler plus longtemps (même au-delà de 65 ans!) est une option de plus en plus envisageable. C'est ce qu'ont affirmé la moitié des travailleurs, de 25 à 44 ans, interrogés par SOM, au cours de la dernière année. En contrepartie, la retraite anticipée connaît de moins en moins d'adeptes. De 2003 à 2011, la proportion des travailleurs prévoyant prendre leur retraite à 55 ans est passée de 24 % à 14 %.

Les travailleurs voient de moins en moins la retraite comme une fin en soi. Ils désirent rester actifs! Dans ce contexte, orienter ses choix de carrière en fonction de ses intérêts, ses valeurs et ses aspirations prend tout son sens. C'est la voie à privilégier pour être heureux et faire partie de ces travailleurs passionnés et d'expérience qui constitueront une richesse pour les entreprises de demain.

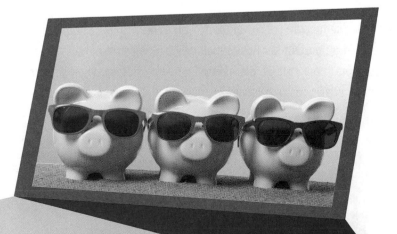

Comment est calculée la Valeur carrière Septembre

Les métiers et professions retenus dans le *Palmarès des carrières* sont sélectionnés sur la base de six critères qui facilitent la vie professionnelle et favorisent la progression de la carrière. Dans le but de rendre la plus objective possible l'évaluation des métiers et professions ou plutôt, des perspectives de carrière qui y sont associées, Septembre éditeur a créé la **Valeur carrière Septembre**. Cet indice d'évaluation additionne les valeurs attribuées à six critères, dont l'importance dans la valeur totale est variable. Le total est exprimé par une valeur rapportée sur 10. Voici les six critères pris en compte pour constituer le *Palmarès des carrières*, ainsi que la valeur accordée à chacun.

1 L'insertion sur le marché du travail (24 % de la Valeur carrière Septembre)

Après le choix et la formation vient la première étape de carrière qui est celle de l'insertion sur le marché du travail. Y a-t-il une demande pour le diplôme obtenu? La probabilité d'insertion est donc la première préoccupation associée à son choix. C'est notamment pourquoi nous avons choisi de lui accorder une pondération de 24 % dans la Valeur carrière totale.

La probabilité d'insertion se mesure par les enquêtes du ministère de l'Éducation, du Loisir et du Sport (MELS), portant sur la situation des diplômés neuf mois après l'obtention de leur diplôme : pour l'année d'enquête 2011 de *La Relance au secondaire en formation professionnelle* et de *La Relance au collégial en formation technique*, et en ce qui concerne *La Relance à l'université* pour l'année d'enquête de 2011.

Pour évaluer ce premier critère de la **Valeur carrière Septembre**, nous avons retenu des indicateurs statistiques, tirés des enquêtes précédemment mentionnées, particulièrement significatifs quant à l'insertion sur le marché du travail : taux en emploi, taux de poursuite des études[1], taux d'emploi à temps plein, taux d'emploi à temps plein en rapport avec la formation, taux de chômage, nombre de semaines de recherche pour l'obtention d'un emploi, salaire comparé à la moyenne du secteur d'activité, amélioration générale des statistiques d'insertion au cours des années.

Chaque donnée statistique retenue est ainsi évaluée selon des paramètres qui permettent de lui attribuer un certain nombre de points qui, une fois additionnés, donneront un total de points sur 24, sous-total pondéré de la valeur attribuée au critère insertion (24 % de la **Valeur carrière Septembre**). Par exemple, pour évaluer le taux de chômage, critère auquel on accorde un maximum de 5 points, on attribuera 5 points si le taux de chômage se situe en bas de 3 %, 4 points si le taux de chômage se situe entre 3 % et 5 %, 3 points s'il se situe entre 5 % et 7 %, 2 points s'il se situe entre 7 % et 9 % et 1 point s'il est de 10 %. Nous considérons donc qu'un taux de chômage supérieur à 10 % lors de l'insertion sur le marché du travail n'est pas suffisamment avantageux pour qu'on accorde des points à cette statistique.

L'ensemble des données statistiques est donc ainsi paramétré pour produire un total sur 24, qui, comme précédemment mentionné, compte pour 24 % de la **Valeur carrière Septembre** totale.

② Le maintien en emploi (20 % de la Valeur carrière Septembre)

Les études prévisionnelles d'Emploi-Québec 2011-2015 nous indiquent la possibilité de maintien dans la profession par ses tendances à moyen et à long terme. Elles se fondent sur l'activité économique (sa croissance) et sur le taux de remplacement attribuable au vieillissement de la population active. Cela se traduit pour chaque profession et métier par des perspectives très favorables, favorables, acceptables, restreintes, très restreintes et non publiées.

Pour mesurer ce deuxième critère de la **Valeur carrière Septembre**, nous avons choisi d'accorder un certain nombre de points (maximum de 20) selon l'évaluation des perspectives générales attribuées au regroupement professionnel par Emploi-Québec.

---

1. Il est à noter que lorsque le taux de personnes diplômées en emploi paraît faible et que le taux de chômage est plutôt bas, la différence est attribuable à la poursuite des études.

Par exemple, si les perspectives générales sont très favorables, 20 points seront accordés (sur une possibilité de 20). Il est à noter qu'aucun point n'est accordé dans les cas où les perspectives sont non publiées.

3 L'encadrement professionnel (10 % de la Valeur carrière Septembre)

La carrière est favorisée par des services de formation continue et la mise à niveau des compétences. Ainsi, un métier donné – disons celui d'infirmier – fournit de la crédibilité à ses membres quand il s'appuie sur une association professionnelle ou corporative. Cette association reconnaît les réalisations de ses membres, organise des ateliers de perfectionnement et livre des connaissances en rapport avec les plus récents progrès techniques. L'appartenance associative devient donc un facteur « carrière », une valeur ajoutée au choix professionnel et à la formation de base.

Pour évaluer ce troisième critère de la **Valeur carrière Septembre**, un maximum de 10 points ont donc été attribués aux métiers et professions dont la pratique est encadrée par un ordre professionnel ou une association et pour lesquels les possibilités de formation continue sont multiples.

4 La mobilité géographique (16 % de la Valeur carrière Septembre)

Avoir un métier qui peut être exercé dans plusieurs ou toutes les régions du Québec s'avère un avantage considérable. En plus d'augmenter le choix des milieux de vie, cela facilite beaucoup la prise de décision quand votre partenaire de vie vous annonce qu'il vient de décrocher l'emploi de ses rêves à l'autre bout de la 20!

Pour évaluer ce quatrième critère de la **Valeur carrière Septembre**, nous avons attribué un point (pour une possibilité maximale de 16) à chaque région pour laquelle Emploi-Québec a accordé des perspectives très favorables et favorables. Comme il y a 17 régions administratives au Québec et que les perspectives publiées regroupent les régions de la Côte-Nord et du Nord-du-Québec, cela donne donc un total possible de 16 points.

5 **La diversité des milieux de pratique
(10 % de la Valeur carrière Septembre)**

Qu'on ait le choix d'exercer un métier dans différents milieux de travail ou secteurs est une valeur ajoutée. Ainsi, l'assistant technique en pharmacie peut exercer sa profession à l'hôpital, dans l'industrie pharmaceutique, en laboratoire et en pharmacie communautaire. Ou encore le technologue en chimie peut travailler dans des laboratoires de recherche, de développement et de contrôle de la qualité, pour des firmes d'experts-conseils et d'ingénierie, dans des industries de fabrication et de transformation, dans des industries chimique, pétrochimique et pharmaceutique, en environnement, en santé, en agroalimentaire, etc.

Pour évaluer ce cinquième critère de la **Valeur carrière Septembre**, nous avons accordé un certain nombre de points (pour un maximum de 10 points) selon que la diversité des modalités et des milieux de pratique possibles soit considérée très variée, assez variée, peu variée ou très peu variée.

6 **La valeur ajoutée sous formes diverses
(20 % de la Valeur carrière Septembre)**

Il y a valeur ajoutée quand le métier ou la profession :

- peut fournir l'occasion de se lancer en affaires (entreprise ou travailleur autonome);
- peut conduire à de l'enseignement et à de la supervision (agir, par exemple, comme formateur dans l'entreprise);
- peut conduire à de la vente technique (ainsi, un diplôme en technologie du bâtiment peut faire vendre des matériaux de construction);
- permet de travailler à l'international ou dans le cadre de programmes de coopération;
- peut conduire à la gestion ou au statut de contremaître et de superviseur;
- est exercé par des hommes et des femmes, dans une proportion d'au moins 35 % / 65 %;
- peut conduire à des tâches d'inspection, de contrôle, de qualité ou d'enquête de conformité à l'éthique ou à des normes de sécurité, etc.;
- peut se traduire en cabinets-conseils ou en activités de recherche;
- peut favoriser la conciliation travail-famille et même s'exercer à domicile;
- peut être exercé après la poursuite de différents programmes de formation.

Pour évaluer ce sixième critère de la **Valeur carrière Septembre**, un certain nombre de points ont été attribués à chacun des critères, pour un total de 20 points.

Les points accordés à chacun des six critères ont ainsi été additionnés pour obtenir un total sur 100, qui a été rapporté sur 10 afin de donner la **Valeur carrière Septembre**. Chacun des 150 métiers ou professions du *Palmarès* a reçu une **Valeur carrière Septembre**. Dans le cas des 40 lauréats, un petit encadré présente le détail des six critères évalués dans une fiche d'évaluation. Les points accordés à chaque critère ont été convertis en ✦. Selon l'évaluation reçue, chaque critère obtient ainsi entre un et cinq ✦.

Sélection des métiers et professions retenus dans le *Palmarès des carrières*

Les critères de sélection étant établis, reste maintenant à préciser le processus de sélection du *Palmarès*:

1. une première liste de 150 métiers et professions est établie en favorisant une répartition relativement équitable des métiers entre les six secteurs d'activité du *Palmarès* et quand les statistiques le permettent entre les trois niveaux (professionnel, technique et universitaire);
2. de cette liste sont sélectionnés 40 lauréats, toujours considérant la répartition entre les secteurs et les niveaux;
3. trois palmes (or, argent, bronze) sont décernées à des métiers et professions pour chacun des six secteurs d'activité en essayant de représenter le niveau professionnel.

L'exercice du *Palmarès* vise essentiellement à proposer une grille d'analyse qui ajoute une vision d'avenir au choix.

Cette analyse permet de présenter des mises en nomination, des lauréats, des métiers et professions exemplaires sans rien vouloir exclure : toute profession mérite d'être considérée.

Le *Palmarès* suggère donc une stratégie que chacun peut utiliser pour évaluer son propre projet de carrière en mesurant l'importance qu'il accorde à chaque aspect de sa vie professionnelle.

Comment utiliser le Palmarès des carrières

Le coffre à outils

Une petite trousse pratique d'orientation est disponible en page 33. Elle aidera à se poser les bonnes questions, à mieux se préparer pour une entrevue avec un conseiller d'orientation, à mieux s'informer aussi pour faire son choix. Qui plus est, des ressources et des références utiles vous sont également offertes, de même qu'un petit questionnaire d'autoévaluation qui permet de faire une exploration plus ciblée des métiers et professions en indiquant les secteurs les plus susceptibles d'intéresser le lecteur. Il sera ainsi possible de poursuivre la recherche d'information sur les carrières et les programmes associés aux secteurs.

Le Palmarès des carrières 2012

Les métiers et professions qui méritent les grands honneurs du *Palmarès des carrières 2012* ont dû subir un rigoureux processus de sélection. Tout d'abord, ils ont été retenus parmi les 150 métiers mis en nomination, puis, ont été sélectionnés parmi les 40 lauréats, en raison des bonnes statistiques qui accompagnent leur candidature, mais également, à la lumière des quatre autres critères décrits aux pages 24 et 25.

De cette liste écrémée réduite à 40 lauréats, 18 ont mérité les grands honneurs. Pourquoi 18? Parce qu'il y a six secteurs d'activité et que trois palmes ont été décernées pour chacun des secteurs, soit une palme d'or, une palme d'argent et une palme de bronze. Ces grands gagnants sont révélés au lecteur aux pages 52 à 57.

Les six secteurs d'activité

La structure du *Palmarès des carrières 2012* repose sur six grands secteurs d'activité, soit: Administration, finances et commerce; Arts, culture et communications; Éducation et société; Industries: production, transformation et fabrication; Services: entretien, conseil et science; Santé humaine.

Les 150 métiers et professions mis en nomination, dont 40 lauréats et 18 palmes du *Palmarès*, ont été classés dans chacun de ces secteurs. Les lauréats et les palmes sont présentés sous forme de tableau à la fin des secteurs.

Pour chaque grand secteur, le lecteur trouvera:

- une courte présentation du secteur;
- un sommaire du secteur;
- des entrevues avec des travailleurs du secteur et les conseils des professionnels de la formation;
- un tableau des palmes, des lauréats et des mis en nomination du secteur.

Présentation du secteur

Brève présentation des champs d'activité regroupés dans le secteur visé.

Sommaire du secteur

Cette page présente la liste de quelques métiers et professions du secteur. Dans cette liste, les palmes d'or, d'argent et de bronze seront identifiées. Les métiers qui feront l'objet d'une entrevue seront identifiés également. La liste comprend également les métiers lauréats ou mis en nomination. Chaque titre de métier ou de profession est suivi du numéro de la page où il en est question.

Présentation des travailleurs du secteur

Deux pages sont consacrées à chacune des entrevues de travailleur. Vous trouverez d'abord les travailleurs de la formation professionnelle, de la formation technique et, enfin, ceux de la formation universitaire. Selon le cas, une indication sera faite pour signaler les palmes d'or, d'argent ou de bronze de même que les lauréats et le logo Academos cybermentorat indiquant que des mentors ou des vidéos du métier sont disponibles sur le sur le site academos.qc.ca.

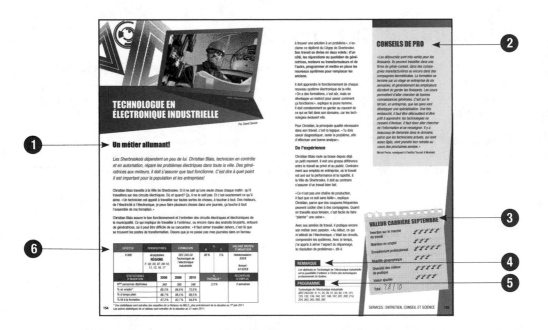

Dans chaque texte, le lecteur trouvera les renseignements suivants :

1. **Entrevue.** Entrevue réalisée par un journaliste qui présente un travailleur exerçant une profession offrant de bonnes perspectives. L'entrevue fait ressortir le quotidien et les défis de la personne interviewée et contextualise la carrière de celle-ci.

2. **Conseils de pro.** Ici, des professionnels de l'enseignement dans un programme menant à l'exercice de la profession ou du métier traité viennent préciser un ou des points particuliers tels que les aptitudes nécessaires à l'exercice du métier ou de la profession, les fausses attentes des gens en formation, les horaires de travail, les attentes des employeurs, etc.

3. **Fiche d'évaluation de la Valeur carrière Septembre.** Pour chaque métier ou profession retenu à titre de palme ou de lauréat, une petite fiche donne le détail de l'évaluation des six critères de la Valeur carrière Septembre. Chacun des critères obtient ainsi de un à cinq 🌟 selon l'évaluation qui a été faite. L'évaluation de ces critères a mené à l'obtention d'une valeur sur 10 qu'on appelle la Valeur carrière Septembre et qui permet d'évaluer et de comparer les métiers et professions en fonction du potentiel «carrière» de chacun. Il est à noter que l'importance de chacun des critères sur la Valeur carrière chiffrée varie entre 10 % et 24 % (voir pages 22 à 26 pour plus de détails sur la méthodologie).

4. **Remarque.** Des précisions sur les exigences pour exercer le métier ou la profession, par exemple, être membre d'un ordre professionnel; sur les formations particulières pour accéder à un titre donné et des recommandations pour faire valoir votre professionnalisme à sa juste mesure.

5. **Programmes.** Présentation du ou des programmes menant à l'exercice de la profession ou du métier traité. Les chiffres placés sous chaque titre correspondent aux établissements d'enseignement qui offrent le programme cité. Pour repérer les noms de ces organismes formateurs, le lecteur consulte l'index des établissements, à partir de la page 215 du *Palmarès* où l'on trouve l'ensemble des écoles, centres, cégeps, collèges et universités qui offrent un ou des programmes menant à l'exercice de l'un ou l'autre des mis en nomination, des lauréats ou des palmes du *Palmarès*. En repérant le numéro correspondant dans l'index, le lecteur obtiendra les coordonnées complètes de l'établissement qui offre le programme de son choix.

Il est à noter que dans les cas où plusieurs programmes de formation sont rattachés au lauréat, le premier énuméré est le principal programme associé au métier. C'est donc celui dont les statistiques reliées apparaissent au bas de la page de gauche, où le titre du programme est répété.

6. **Statistiques**. L'entrevue réalisée auprès de chaque travailleur est accompagnée d'un bandeau de statistiques placé en bas de page. Comme mentionné précédemment, il s'agit des statistiques correspondant, dans un premier temps, à la profession ou au métier et, dans un deuxième temps, au programme principal de formation qui y est associé. Chacun comprend les données suivantes :

EFFECTIF	PERSPECTIVES	FORMATION	% H	F	SALAIRE MOYEN D'INSERTION
9 000	Acceptables **RÉGIONS** F : 02, 03, 07, 09-10, 11, 12, 16, 17	DEC 243.C0 Technologie de l'électronique industrielle	95 %	5 %	Hebdomadaire : 839 $ Annuel : 43 628 $

STATISTIQUES D'INSERTION	2008	2009	2010	% CHÔMAGE*	RECHERCHE D'EMPLOI
Nbre personnes diplômées	348	390	348	2,5 %	3 semaines
% en emploi*		60,3 %	66,6 %	75,8 %	
% à temps plein		96,7 %	98,5 %	99,5 %	
% lié à la formation		87,2 %	82,7 %	84,8 %	

* Ces statistiques sont extraites des enquêtes de La Relance du MELS, plus précisément de la situation au 1er juin 2011. Les autres statistiques de ce tableau sont extraites de la situation au 31 mars 2011.

a) **L'effectif**, c'est-à-dire le volume d'emploi estimé par Emploi-Québec en 2010 à partir de l'Enquête sur la population active de Statistique Canada. L'effectif publié est celui du regroupement professionnel auquel appartient le métier ou la profession.

b) **Les perspectives professionnelles 2011-2015**, c'est-à-dire la capacité d'intégrer le marché du travail dans sa profession ou son métier. Elles se fondent sur l'activité économique (sa croissance) et sur le taux de remplacement de la population active. Cela se traduit par des perspectives très favorables (TF), favorables (F), acceptables (A), restreintes (R) ou très restreintes (TR). Elles sont d'abord présentées pour tout le Québec. Puis, les régions administratives du Québec pour lesquelles les perspectives sont les meilleures sont indiquées par les numéros correspondants.

Les régions administratives :

01– Bas-Saint-Laurent
02– Saguenay–Lac-Saint-Jean
03– Capitale-Nationale
04– Mauricie
05– Estrie
06– Montréal
07– Outaouais
08– Abitibi-Témiscamingue
09– Côte-Nord

10– Nord-du-Québec
11– Gaspésie–Îles-de-la-Madeleine
12– Chaudière-Appalaches
13– Laval
14– Lanaudière
15– Laurentides
16– Montérégie
17– Centre-du-Québec

(Source : Perspectives professionnelles 2011-2015, Emploi-Québec)

c) **Le principal programme de formation** qui mène à l'exercice de la profession ou du métier traité. Le nom du diplôme et le numéro du programme au ministère de l'Éducation, du Loisir et du Sport sont précisés : ASP (attestation de spécialisation professionnelle), DEP (diplôme d'études professionnelles), DEC (diplôme d'études collégiales), AEC (attestation d'études collégiales), BAC (baccalauréat – université), Maîtrise (université) ou Doctorat 1er cycle (université).

d) **Les pourcentages d'hommes et de femmes diplômés** du principal programme de formation associé au métier ou à la profession (voir le point précédent) selon les dernières enquêtes 2011 de *La Relance en formation professionnelle*, *La Relance en formation technique au collégial* et *La Relance à l'université*, produites par le ministère de l'Éducation, du Loisir et du Sport du Québec (MELS).

e) **Le salaire moyen d'insertion** correspond au salaire brut moyen gagné par les travailleurs qui occupaient un poste à temps plein au cours de l'année suivant l'obtention de leur diplôme, lors de la collecte de données des enquêtes du MELS. Ce salaire hebdomadaire a été multiplié par 52 afin de donner un aperçu du salaire annuel.

f) **Les statistiques d'insertion** basées sur les résultats des enquêtes du MELS. Nombre de personnes diplômées : personnes titulaires d'un diplôme qui ont reçu leur diplôme dans l'année scolaire précédant l'enquête ; % en emploi : personnes diplômées qui ont déclaré travailler à temps plein à leur compte ou pour autrui, sans étudier à temps plein ; % à temps plein : personnes diplômées en emploi qui travaillent, de façon générale, 30 heures ou plus par semaine ; % lié à la formation : personnes diplômées qui travaillent à temps plein dans un domaine directement lié au diplôme obtenu.

g) **Le pourcentage de chômage**, c'est-à-dire le rapport, exprimé en pourcentage, entre le nombre de personnes diplômées à la recherche d'un emploi et l'ensemble de la population active (constituée uniquement des personnes en emploi et de celles à la recherche d'un emploi) (pourcentage fourni dans les enquêtes du MELS).

h) **Le temps passé à la recherche d'emploi**, plus précisément le nombre moyen de semaines de recherche d'emploi pour obtenir un emploi (chiffre fourni dans les enquêtes du MELS).

Le tableau comparatif des mises en nomination, des lauréats et des palmes du secteur

Le lecteur obtient dans les pages placées à la fin de chacun des secteurs un portrait global des performances atteintes par les professions et métiers mis en nomination, lauréats ou palmes. Les métiers et professions y sont présentés par ordre d'enseignement (secondaire, collégial, universitaire) et selon l'ordre alphabétique.

Le lecteur reconnaîtra rapidement les professions et métiers faisant l'objet d'une entrevue grâce à une trame colorée dans le tableau. Les métiers ayant reçu des palmes, quant à eux, sont identifiés par de petits symboles de couleurs différentes, selon la palme attribuée. De plus, nous avons ajouté cette année le logo Academos cybermentorat pour indiquer aux lecteurs que des mentors ou des vidéos sont disponibles sur le site academos.qc.ca. Les statistiques correspondant sont les mêmes que l'on retrouve dans les entrevues avec les travailleurs. Pour les mis en nomination, les statistiques présentées sont celles reliées au principal programme de formation.

Dans tous les cas, on trouve, entre parenthèses, le code CNP (classification nationale des professions) associé à chaque métier ou profession. Puis, on retrouve, avec le programme de formation, la liste des établissements d'enseignement où il est offert. Chaque numéro réfère à un établissement répertorié dans l'index des établissements situé aux pages 215 à 246. Ce tableau comparatif permet au lecteur d'obtenir en un seul coup d'œil un portrait d'ensemble des différentes caractéristiques se rapportant aux palmes, aux lauréats et aux mis en nomination du secteur. Il peut ainsi très rapidement savoir lesquels, parmi eux, présentent les meilleures performances du côté salarial, du côté du chômage, du nombre de semaines de recherche d'emploi, etc. Il s'agit d'une excellente occasion de comparer des facteurs de réalité entre des carrières qui, par ailleurs, représentent toutes des choix intéressants. Le lecteur pourra également poursuivre ses recherches sur les différents métiers et professions sur le Web, notamment aux adresses suivantes : www.monemploi.com, http://dico.monemploi.com, http://ch.monemploi.com, www.toutpourreussir.com, http://imt.emploiquebec.net et www.inforoutefpt.org.

Les mini-palmarès

Vingt-deux mini-palmarès sont présentés au lecteur dans cette section de la page 210 à 213. Statistiques en mains, Septembre éditeur a élaboré une série de *Top 10* parmi tous les mis en nomination, les lauréats et les palmes selon des critères bien précis.

Index des établissements de formation

Le lecteur trouvera dans cette section l'ensemble des établissements de formation offrant les programmes rattachés à l'un ou l'autre des mis en nomination, des lauréats et des palmes du *Palmarès des carrières 2012*. Les établissements sont présentés par régions administratives puis par ordres d'enseignement (à l'intérieur desquels l'ordre alphabétique a été utilisé).

Chaque établissement est numéroté dans un ordre séquentiel de présentation. Les centres de formation sont regroupés par commissions scolaires (inscrites en couleur). Le lecteur obtient les coordonnées les plus complètes possible pour chacun des établissements (adresse, numéro de téléphone, numéro de télécopieur, adresse de courriel et adresses de sites Web quand disponibles). Sous chacun apparaît la liste des programmes de formation offerts à l'établissement en rapport avec un mis en nomination, un lauréat ou une palme.

Certains des établissements listés sont annonceurs dans le *Palmarès des carrières 2012*. Lorsque c'est le cas, la page où est placée l'annonce est indiquée à la fin des coordonnées de l'établissement.

Que voulez-vous faire plus tard?

Trop d'idées en tête? Deux idées égales? Pas d'idées?
Parlez-en avec un conseiller d'orientation, il peut vous aider!

Le conseiller d'orientation : un coach, un conseiller, un spécialiste
en développement de carrière auprès des jeunes et des adultes.

En optant pour une carrière en assurance de dommages

J'AI CHOISI D'OCCUPER UN DES 2000 POSTES DISPONIBLES.

Mon avenir est assuré, **et le tien ?**
Explore tous les avantages sur **prosdelassurance.ca**

Coalition pour la promotion des professions en assurance de dommages

Pros delassurance .ca

CHAMBRE DE L'ASSURANCE DE DOMMAGES

Le GPS

Questionnaires en ligne

Auteurs :
Denis Pelletier, Ph.D., c.o.
Danielle L'Heureux, Ph.D.

DES OUTILS DE CHOIX !

BILAN EXPLORATOIRE

Faire l'expérience de la réussite à l'aide du *GPS bilan exploratoire*, ce questionnaire en ligne de 238 énoncés, c'est apprendre à connaître tes forces, à utiliser efficacement les ressources autour de toi et à savoir où trouver les outils essentiels pour préparer **ton projet d'avenir**.

Renseigne-toi auprès du service d'information et d'orientation de ton école.

BILAN DÉCISIONNEL

L'expérience du *GPS bilan décisionnel* débute par le questionnaire en ligne et son compte-rendu. Les choix de professions te permettront d'explorer et de te situer sur la carte *Ma place dans le monde du travail*. Tu seras alors accompagné dans une démarche structurée qui te permettra de comparer et d'évaluer tes choix, d'en retenir un, d'entreprendre les actions nécessaires et de trouver les meilleures stratégies **pour réussir ton projet d'avenir**.

Septembre éditeur

Consulte **www.septembre.com**
ou **1 800 361-7755**

Comment se préparer à
une première rencontre
en orientation

Le coffre
à outils

Ressources et
références utiles

Questionnaire
d'autoévaluation

COMMENT SE PRÉPARER À UNE PREMIÈRE RENCONTRE
EN ORIENTATION

Par Isabelle Falardeau, conseillère d'orientation au Collège de Maisonneuve

Photos : iStockphoto

Vous vous apprêtez à rencontrer un conseiller d'orientation ou vous souhaitez le faire? Vous vous demandez ce que vous pourriez faire en attendant ce premier rendez-vous? Il est important de vous préparer à cette rencontre, car le conseiller d'orientation pourra vous aider dans la mesure où vous lui fournirez des informations qui lui permettront de vous accompagner dans votre démarche de choix de carrière. Voici quelques conseils.

Connaissez-vous vous-même

Cette première étape permet de préciser votre identité (QUI je suis). Tout ce qui vous distingue des autres crée votre identité propre; le conseiller d'orientation vous aidera à mettre de la couleur et des nuances dans ce portrait exclusif. Pour bien s'orienter, il importe de connaître sa personnalité, ses intérêts professionnels, ses aptitudes et ses valeurs. Si vous avez déjà réfléchi à certains de ces éléments, inscrivez-les sur une feuille[1]. Si vous avez de la difficulté, questionnez vos parents, vos amis, vos enseignants, ils sauront peut-être mieux que vous ce qui vous caractérise! Vous pouvez vous inspirer de ce que vous faites pendant vos temps libres, de votre manière de travailler en classe, en équipe ou d'étudier. Pensez à ce que vous trouvez important dans la vie, à vos valeurs, vos préférences, vos forces, etc.

Si vous avez un CV, assurez-vous qu'il soit à jour. Dressez un bilan des compétences acquises dans chacun de vos emplois, si vous avez une expérience sur le marché du travail. Même si ces emplois vous semblent simples, en y réfléchissant, vous constaterez que vous avez dû démontrer des compétences, faire des apprentissages, que certaines tâches vous plaisent et que vous les exécutez avec aisance, que telle tâche vous déplaît et qu'une autre vous demanderait de développer certaines connaissances ou savoir-faire plus importants. Vous pourriez également être attiré par le travail d'un collègue ou encore être rebuté par celui-ci. Tous ces éléments sont importants et ils peuvent vous éclairer dans votre choix de carrière.

De plus, si vous déjà passé des tests d'orientation il y a moins de cinq ans, apportez-les lors de votre rencontre avec le conseiller. Vous avez peut-être changé depuis, mais ce sera l'occasion pour vous et pour le conseiller d'orientation de constater votre évolution.

Informez-vous des programmes d'études et du monde du travail

En fonction de votre profil, élaborez une liste des parcours possibles pour votre avenir professionnel (OÙ pourrais-je me diriger?). Servez-vous d'outils d'exploration scolaire et professionnelle. Ils en existent d'excellents[2]. Avant de vous lancer dans une recherche dans toutes les directions, demandez-vous lequel ou lesquels des cinq domaines d'études ou de travail vous privilégierez dans votre recherche d'information : le monde du Vivant, de la Matière, de l'Humain, de la Gestion ou de la Culture[3]. Les programmes d'études collégiales et universitaires se regroupent souvent selon cette classification.

---

1. Il existe des questionnaires pour soutenir votre réflexion dans ce domaine. Voir Ressources et références utiles à la fin de cet article.

2. Voir Ressources et références utiles à la fin de cet article.

3. *Cursus – L'expérience de s'orienter à partir de soi.*

Pour les programmes d'études professionnelles (DEP), la classification s'élabore autour des secteurs économiques (Administration, Commerce et informatique, Agriculture et pêche, Alimentation et tourisme, etc.)[4].

Avez-vous déjà songé à exercer tel métier ou telle profession? Savez-vous quels programmes de formation permettent d'y arriver? Y a-t-il des cours préalables à cette formation? Avez-vous une idée du contenu des cours que vous aurez à suivre pendant cette formation et des tâches que vous aurez à accomplir sur le marché du travail? Les informations que vous aurez déjà amassées sur ces questions vous permettront de demander des précisions au besoin, de vous faire éclairer sur certains points qui suscitent votre appréhension ou d'aller plus loin, si c'est nécessaire, dans votre recherche.

Prenez des décisions

Si vous avez déjà en tête quelques professions ou programmes d'études, mais qu'il vous est impossible de leur donner un ordre de priorité, inscrivez vos choix sur une feuille et tentez d'associer à chacun les avantages et les inconvénients. Après ce travail plutôt rationnel, écoutez votre cœur et attribuez une note sur 10 à chaque option, ou des + et des −, ou encore, des petits et gros cœurs, des flèches vers le haut et vers le bas, bref trouvez un symbole qui témoignera de votre évaluation affective pour chacune des trajectoires possibles. Décider de sa carrière est un dialogue constant entre sa tête et son cœur.

Si vous n'avez aucune idée de ce que vous souhaiteriez faire, demandez-vous pourquoi il en est ainsi. Le stress que vous ressentez embrouille-t-il tout? Sentez-vous de la pression de votre entourage ou de vos proches pour vous diriger vers une profession, alors que vous êtes plus ou moins certain de ce choix? Vous croyez-vous incapable de réussir une formation qui vous intéresse? Êtes-vous attiré par tellement d'options que vous êtes incapable d'en choisir une? Les raisons qui expliquent le brouillard peuvent être très variées. Y réfléchir est difficile et stressant, mais ce l'est plus encore lorsqu'on le fait seul. Être ouvert à cette réflexion est le premier pas pour vous permettre de clarifier la situation. Le conseiller d'orientation saura vous accompagner et vous éclairer si vous explorez avec lui les questions qui vous préoccupent.

Engagez-vous dans votre projet scolaire et professionnel

Pour s'orienter, il ne s'agit pas seulement de réfléchir ou de visualiser de possibles choix de carrière, il faut agir. Le bénévolat, le travail rémunéré en dehors des cours, les loisirs, les visites d'entreprises, les entretiens avec des professionnels ou des cybermentors sont autant d'occasions d'obtenir des réponses à vos questions et de vous faire avancer dans votre processus de décision. Devenir étudiant d'un jour ou profiter des journées portes ouvertes de certains établissements scolaires vous permettra également de rassembler des informations cruciales sur les programmes d'études. Plus vous vous engagerez activement dans votre projet et vous rapprocherez du monde qui vous intéresse, plus vous serez en mesure d'évaluer la justesse de votre choix. Si vous visez un programme contingenté, vous devrez assister à tous vos cours, étudier suffisamment et gérer vos priorités. S'engager activement dans son projet, c'est préparer maintenant le terrain sur lequel vous tracerez votre avenir professionnel. Avec de bons résultats scolaires en poche, vous verrez de nombreuses portes s'ouvrir : il faut y penser bien avant de rencontrer un conseiller d'orientation.

---

4. *Le guide Choisir – Secondaire Collégial*, de Septembre éditeur, ainsi que le site **www.inforouteFPT.org** peuvent vous aider.

Ouvrez-vous au hasard

Le tracé d'une carrière n'est plus rectiligne. Autrefois, on choisissait un métier ou une profession en envisageant de passer sa vie professionnelle au même endroit, puisque la stabilité du monde du travail rendait cela possible. Aujourd'hui, l'instabilité et l'imprédictibilité du marché de l'emploi obligent les futurs travailleurs à envisager une carrière en zigzag. Comme on navigue sur le Net en choisissant ses sites d'intérêt, on doit considérer sa carrière comme un long voyage dans lequel les escales ne sont pas toutes connues à l'avance. On peut planifier dans quelle région on a le goût d'explorer le monde du travail, mais il est impossible de déterminer où l'on posera finalement le pied. S'orienter, c'est naviguer entre le prévisible et l'imprévisible. Les hasards, les occasions uniques, les événements fortuits et les croisements de parcours modèlent la trajectoire de nos vies personnelles et professionnelles. Pour s'orienter, il faut rester à l'affût, s'ouvrir aux possibilités de rencontres uniques, qui donnent parfois une nouvelle tangente à notre parcours. Accepter de vous laisser surprendre par la vie est une attitude à développer avant, pendant et après votre rendez-vous avec un conseiller d'orientation, et même au cours de votre vie d'étudiant et de professionnel.

En conclusion

Les besoins d'orientation varient d'une personne à l'autre et ils évoluent tout au long d'une vie professionnelle. Pour s'orienter, il ne faut pas seulement être bien informé, il faut découvrir et considérer la personne que l'on est. Un conseiller d'orientation vous aidera à clarifier votre profil et vous amènera à prendre conscience de ce qui vous distingue des autres. Vous préciserez votre personnalité, vos intérêts, vos aptitudes et vos valeurs. Au besoin, il vous suggérera une visite en entreprise ou dans un établissement scolaire, des échanges avec des mentors, certains tests, etc. Il vous donnera des outils pour comparer toutes les options qui s'offrent à vous, en plus de vous indiquer comment établir des priorités.

N'oubliez pas que le conseiller d'orientation ne donne jamais LA bonne réponse : il n'a ni boule de cristal, ni aptitude à lire dans les lignes de la main. Il vous donne des outils pour vous aider à décider et vous propose des lectures et des exercices de réflexion personnelle. Il vous accompagne dans la décision à prendre et vous fournit des pistes d'action pour atteindre vos buts.

Vous orienter, ce n'est pas trouver LA profession qui vous est destinée. En effet, plusieurs professions pourraient vous permettre de vous accomplir. En ce sens, vous orienter, c'est plutôt dresser la liste des parcours professionnels qui correspondent à votre profil et réussir à leur donner un ordre de priorité.

Bonne rencontre!

RESSOURCES ET RÉFÉRENCES
UTILES

Il existe plusieurs ressources pour vous aider dans votre démarche d'orientation : plusieurs endroits, plusieurs sites Web d'information scolaire et professionnelle et plusieurs lieux de consultation en information scolaire. Nous vous en présentons quelques-uns.

Information scolaire et professionnelle

Où trouver de l'information sur les professions, les programmes, les établissements, etc.?

- Le centre d'information scolaire et professionnelle de votre école

- La bibliothèque de votre école ou la bibliothèque municipale

- Le centre d'information scolaire et professionnelle du Carrefour jeunesse-emploi le plus près de chez vous

Ressources en ligne :

- www.monemploi.com

- www.academos.qc.ca

- www.reperes.qc.ca

- www.toutpourreussir.com

- imt.emploiquebec.net

- inforoutefpt.org

- Le site Web des centres de formation professionnelle, des cégeps et des universités

- Le site Web des commissions scolaires

- Le site Web des divers comités sectoriels de main-d'œuvre, dont la liste complète se trouve à l'adresse : **emploiquebec.net/organisation/intervention-sectorielle/comsectoriels.asp**

Autres ressources :

- Les conseillers en information scolaire et professionnelle de votre établissement scolaire

- Les enseignants, les professeurs ou les étudiants des divers programmes de formation professionnelle, technique ou universitaire

- Les travailleurs exerçant un métier ou une profession que vous retenez possiblement

Démarche d'orientation : quelques ouvrages

Livres

* *Cursus – L'expérience de s'orienter à partir de soi, 3ᵉ édition*,
Yves Maurais et Marius Cyr, Septembre éditeur, 2010, 256 p.

  Cet ouvrage vous offre une démarche d'orientation fort utile
avant de rencontrer un conseiller d'orientation.

* *S'orienter malgré l'indécision*, Isabelle Falardeau et Roland Roy,
Septembre éditeur, 2009, 156 p.

  Cet ouvrage permet aux jeunes indécis et à leurs parents de trouver
des réponses à leurs questions et de s'ajuster de manière à faciliter
leur démarche d'orientation.

* *Sortir de l'indécision*, Isabelle Falardeau, Septembre éditeur, 2008,
160 p.

  Cet ouvrage vous offre des outils pour sortir de l'impasse en analysant
la situation et vos propres réactions.

Services d'orientation ou de mentorat

* Le service d'orientation de votre établissement scolaire

* Le conseiller d'orientation du Carrefour jeunesse-emploi le plus près de chez vous

* Les conseillers d'orientation en pratique privée dont la liste se trouve sur le site de
l'Ordre des conseillers et des conseillères d'orientation du Québec : **www.orientation.qc.ca/
RepertoireConsultantsConseillers.aspx**

* La Clinique de counseling et d'orientation de l'Université Laval : **www.fse.ulaval.ca/counseling/**

* Academos, un service de mentorat en ligne : **www.academos.qc.ca**

* Les centres locaux d'emploi (CLE), services offerts à certaines clientèles, souvent par le biais des
Carrefours jeunesse-emploi ou des centres d'aide à l'emploi, dont la liste se trouve sur
le site des Centres de recherche d'emploi : **www.cre.qc.ca**

> **N'oubliez pas que toute personne sur le marché du travail peut être une
> source précieuse d'information quant à la pratique de sa profession. Si vous
> questionnez un travailleur, vous obtiendrez un témoignage sur son travail
> quotidien. Il est précieux, pendant une démarche de choix de carrière, d'avoir
> accès à des exemples concrets de tâches, fournis par des personnes avec qui
> vous pouvez échanger.**

Vous vous apprêtez à explorer des carrières prometteuses présentées dans le *Palmarès des carrières 2012* et vous aimeriez découvrir celles pouvant le mieux satisfaire vos aspirations professionnelles?

Nous vous proposons de faire une exploration personnalisée en essayant de découvrir d'abord les secteurs d'activité regroupant les métiers et professions qui correspondent le mieux à vos intérêts en matière de tâches professionnelles.

Pour ce faire, voici un simple exercice à compléter en trois étapes. Suivez attentivement les instructions accompagnant chacune d'elles.

Étape 1

Prenez connaissance des énoncés ci-après. Cochez ceux qui correspondent aux fonctions que vous aimeriez exercer dans le cadre d'un futur travail.

1	Aider des personnes éprouvant des difficultés psychologiques, physiques ou mentales, à vivre et à s'organiser dans la vie quotidienne.	●
2	Assumer la direction de personnes, d'activités ou de projets.	●
3	Aménager des espaces physiques ou agencer des formes et des objets dans un but pratique et esthétique.	●
4	Jouer un rôle de conseiller ou de critique dans un domaine culturel.	●
5	Accompagner des groupes de personnes pour aider celles-ci à se développer sur les plans personnel et social.	●
6	Exécuter des tâches impliquant le classement d'objets ou de données.	●
7	S'exprimer devant un petit groupe ou devant un large public.	●
8	Travailler avec des données comptables et administratives.	●
9	Agir à titre de consultant auprès de travailleurs pour les aider à exercer leurs fonctions dans divers domaines d'activité.	●
10	Offrir des services personnalisés.	●

11	Travailler en équipe et interagir avec d'autres personnes.	●
12	Coordonner ou superviser une équipe de travail.	●
13	Créer des objets, des formes, des textures ou des concepts.	●
14	Concevoir et produire quelque chose qui soit beau, esthétique et harmonieux.	●
15	Proposer des activités d'apprentissage individuelles ou collectives.	●
16	Vérifier le profil, l'opinion ou la situation de groupes sociaux ou politiques, de manière à jeter un éclairage nouveau sur différentes situations.	●
17	Travailler sur le terrain à des activités d'exploitation des richesses naturelles telles que le bois, l'eau, la végétation, les métaux et les minéraux.	●
18	Exploiter une entreprise agricole.	●
19	Fabriquer des objets et assembler des matériaux.	●
20	Gérer un projet commercial ou industriel.	●
21	Avoir la responsabilité de transmettre des renseignements.	●
22	Manipuler des appareils, des outils ou des instruments.	●
23	Organiser des services administratifs ou techniques de nature commerciale.	●
24	Participer à des activités de prévention et de dépistage en rapport avec la santé humaine.	●
25	S'occuper de la production, de l'entretien ou de la commercialisation des végétaux.	●
26	Participer à la conservation ou à la mise en valeur du milieu naturel.	●
27	Appliquer ses connaissances scientifiques à des réalisations concrètes (produits, objets, appareils, etc.).	●
28	S'interroger, explorer, expérimenter, afin d'innover et de faire progresser son domaine d'activité.	●
29	Aider des personnes aux prises avec des problèmes d'ordre psychologique, affectif ou social.	●
30	Analyser des problèmes de gestion et proposer des solutions.	●
31	Prendre soin d'animaux domestiques.	●
32	Prodiguer des soins à des personnes éprouvant des problèmes de santé physique ou mentale.	●
33	Travailler dans une entreprise qui transforme des produits agroalimentaires ou forestiers en biens de consommation.	●
34	Accomplir des tâches nécessitant de la force ou des capacités physiques.	●
35	Persuader les gens d'adopter une idée ou un produit.	●
36	S'impliquer dans des activités de mesure, de vérification, de contrôle ou d'inspection de produits ou de services.	●

Étape 2

Voici la grille d'interprétation de vos résultats. Chacune des lignes de cette grille présente une aspiration professionnelle qui correspond à l'énoncé portant le même numéro dans le tableau des pages précédentes. Vous devez donc surligner, dans la grille ci-dessous, les lignes correspondant aux énoncés que vous avez cochés précédemment. Faites ensuite le total des nombres surlignés pour chacune des colonnes (dont les titres sont ceux des six secteurs d'activité du *Palmarès*[1]).

	LES ASPIRATIONS PROFESSIONNELLES	ADMINISTRATION	ARTS ET COMMUNICATIONS	ÉDUCATION ET SOCIÉTÉ	INDUSTRIES	SERVICES	SANTÉ HUMAINE
1	Accompagnement	0	0	3	0	0	3
2	Administration	3	1	2	2	2	2
3	Aménagement/design	0	3	0	0	2	0
4	Analyse culturelle	0	3	1	0	0	0
5	Animation de groupe	0	1	3	0	2	0
6	Classification	3	1	1	0	0	1
7	Communication	2	2	3	0	1	0
8	Comptabilité/finance	3	0	0	2	2	0
9	Conseil	3	1	2	2	3	2
10	Consultation	1	0	3	0	3	3
11	Coopération	2	3	3	2	3	3
12	Coordination	2	0	1	2	2	2
13	Création	0	3	0	0	1	0
14	Création/fabrication	0	3	0	1	2	0
15	Éducation/enseignement	0	1	3	0	0	1
16	Enquête	0	2	2	0	1	0
17	Exploitation/extraction	0	0	0	3	0	0
18	Exploitation/gestion	0	0	0	3	0	0
19	Fabrication industrielle	0	1	0	3	0	0
20	Gestion des affaires	3	0	0	2	0	0
21	Information	1	3	3	0	1	1
22	Manipulation	0	2	0	3	3	2
23	Organisation	3	1	0	1	3	0
24	Prévention	0	0	2	0	0	3
25	Production horticole	0	0	0	3	2	0
26	Protection	0	0	0	3	1	0
27	Réalisations scientifiques	0	0	0	3	0	2
28	Recherche	3	3	3	3	3	3
29	Relation d'aide	0	0	3	0	0	3
30	Résolution de problèmes	3	0	1	2	0	0
31	Soins des animaux	0	0	0	3	2	0
32	Traitement	0	0	3	0	0	3
33	Transformation	0	0	0	3	0	0
34	Travail physique	0	0	1	2	0	2
35	Vente/marketing	3	2	0	0	2	0
36	Vérification/contrôle	2	0	0	3	2	2
	TOTAUX	37	36	43	51	43	38

1. Nous avons évalué dans quelle mesure chacune des fonctions de travail énumérées a de l'importance dans chacun des secteurs d'activité identifiés dans le *Palmarès* en utilisant le barème suivant:
   « 1 » moindre importance
   « 2 » moyenne importance
   « 3 » grande importance

Étape 3

Encerclez les trois résultats qui **se rapprochent le plus des totaux indiqués au bas de chacune des colonnes**.

Ces trois secteurs d'activité sont les plus susceptibles de vous intéresser, puisqu'ils concernent davantage les tâches professionnelles que vous souhaiteriez exercer. Nous vous suggérons donc de commencer votre exploration du *Palmarès des carrières 2012* en consultant d'abord les métiers et professions mis en nomination et lauréats dans ces trois secteurs d'activité.

Il est bien avantageux pour vous d'orienter vos futures recherches d'information en tenant compte de vos propres aspirations! C'est donc à vous de déterminer quelles seront les palmes d'or, d'argent et de bronze de votre avenir!!!

Bonnes découvertes!

Cette activité est largement inspirée de l'approche Cursus. Pour en savoir plus, consultez *Le guide Cursus, l'expérience de s'orienter à partir de soi,* écrit par Yves Maurais et Marius Cyr, publié chez Septembre éditeur.

LA RÉUSSITE AU BOUT DE VOS DOIGTS

LES GRANDS HONNEURS

Lauréats, palmes d'or, palmes d'argent, palmes de bronze

Les métiers et professions qui se méritent les grands honneurs du *Palmarès des carrières 2012* ont dû passer à travers un rigoureux processus de sélection.

Tout d'abord, après s'être vu attribuer une Valeur carrière Septembre (voir la méthodologie aux pages 22 à 26), ils ont été retenus parmi les 150 métiers et professions mis en nomination, répartis entre les six secteurs d'activité et la formation professionnelle, technique et universitaire.

Puis, de ces 150 métiers et professions mis en nomination, 40 ont été sacrés lauréats, toujours selon la Valeur carrière Septembre qui leur a été attribuée. Ces 40 métiers et professions sont présentés dans les pages suivantes dans un tableau comparatif. Ils y sont regroupés selon l'ordre d'enseignement et dans l'ordre alphabétique.

De cette liste écrémée de 40 lauréats, 18 métiers et professions se méritent une palme d'or, d'argent ou de bronze, lesquels sont répartis (un trio d'or, d'argent et de bronze) dans chacun des six secteurs d'activités. Ils vous sont présentés dans les tableaux des pages qui suivent.

Nouveauté cette année, le logo ✺@ ACADEMOS CYBERMENTORAT a été ajouté aux divers tableaux, de même que dans certaines entrevues. Il signifie qu'il est possible de dialoguer avec une personne exerçant ce métier ou encore regarder des vidéos sur cette profession en allant sur le site Academos.qc.ca. Plus de 2 650 bénévoles sont prêts à t'aider dans ton choix de carrière.

Évidemment, il n'existe pas de recette miracle en orientation! Ces 40 ou 18 excellents choix ne peuvent pas correspondre aux aspirations personnelles de tous. Il revient ainsi à chacun de déterminer quels métiers arrivent en tête de sa propre liste!

TABLEAU COMPARATIF

LAURÉATS	EFFECTIF	PERSPEC-TIVES	DEMANDE DANS LES RÉGIONS	FORMATION ET ÉTABLISSEMENTS
SECONDAIRE				
★ Auxiliaire familial et social (6471)	17 000	F	F : 01, 03, 06, 08, 11, 12, 13, 14, 15, 16, 17	Assistance à la personne à domicile (DEP 5317)
★ Mécanicien d'engins de chantier (7312)	7 000	F	F : 01, 02, 03, 04, 05, 06, 07, 08, 09-10, 12, 13, 14, 15, 16, 17	Mécanique d'engins de chantier (DEP 5055)
★ Mécanicien de moteurs diesels (7312)	7 000	F	F : 01, 02, 03, 04, 05, 06, 07, 08, 09-10, 12, 13, 14, 15, 16, 17	Mécanique de moteurs diesels et de contrôles électroniques (ASP 5259)
★ Conseiller-vendeur en décoration intérieure (6421)	162 000	F	F : 03, 12, 13, 14, 15, 17	Décoration intérieure et présentation visuelle (DEP 5327)
★ Représentant de commerce (6411)	41 000	F	F : 01, 02, 03, 04, 05, 06, 07, 08, 09-10, 12, 13, 14, 15, 16, 17	Représentation (ASP 5323)
★ Infirmier auxiliaire (3233)	15 000	F	F : Ensemble du Québec	Santé, assistance et soins infirmiers (DEP 5325)
✦ Assistant technique en pharmacie (3414)	18 000	F	F : Ensemble du Québec	Assistance technique en pharmacie (DEP 5302)
Dessinateur en construction mécanique (2253)	12 000	F	F : 01, 02, 05, 07, 08, 09-10, 13, 14, 15, 16, 17	Dessin industriel (DEP 5225)
Mécanicien d'équipement lourd (7312)	7 000	F	F : 01, 02, 03, 04, 05, 06, 07, 08, 09-10, 12, 13, 14, 15, 16, 17	Mécanique de véhicules routiers lourds (DEP 5330)
Responsable du soutien technique en micro-informatique (2282)	16 000	F	F : 01, 02, 05, 06, 08, 13, 14, 15, 16, 17	Soutien informatique (DEP 5229)

☆ PALME **D'OR**

☆ PALME **D'ARGENT**

☆ PALME **DE BRONZE**

✦ Academos
CYBERMENTORAT

Tous secteurs confondus

Nbre DE PERSONNES DIPLÔMÉES	% H	F	% EN EMPLOI	% À TEMPS PLEIN	% LIÉ À LA FORMATION	% CHÔMAGE	SALAIRE MOYEN (HEBDOMADAIRE)	RECHERCHE D'EMPLOI (SEMAINES)	VALEUR CARRIÈRE SEPTEMBRE
694	11 %	89 %	84,4 %	73,8 %	91,5 %	6,4 %	566 $	4	7,6/10
295	—	—	86 %	98 %	85,8 %	4,4 %	828 $	3	8,8/10
61	—	—	84,4 %	100 %	90 %	5 %	739 $	1	8,8/10
286	2 %	98 %	76,3 %	84,3 %	73,7 %	7,2 %	467 $	3	7/10
601	58 %	42 %	80,8 %	87 %	74 %	4,9 %	712 $	4	8/10
1 883	11 %	89 %	87,8 %	69,5 %	92,9 %	4,6 %	673 $	3	8,6/10
440	7 %	93 %	85,9 %	89,3 %	94,2 %	1,7 %	550 $	1	8,2/10
190	74 %	26 %	85 %	98,8 %	72,5 %	9,6 %	606 $	5	7,9/10
388	98 %	2 %	76,1 %	95,8 %	92,5 %	5,1 %	768 $	3	8/10
478	91 %	9 %	64,2 %	86,6 %	75,6 %	14,5 %	590 $	4	7,5/10

TABLEAU COMPARATIF

LAURÉATS	EFFECTIF	PERSPEC-TIVES	DEMANDE DANS LES RÉGIONS	FORMATION ET ÉTABLISSEMENTS
COLLÉGIAL				
★ Conseiller en sécurité financière (6231)	17 000	F	F : Ensemble du Québec	Conseil en assurances et en services financiers (DEC 410.C0)
★ Intégrateur multimédia (2174)	30 000	F	F : 02, 03, 04, 06, 07, 12, 13, 14, 15, 16, 17	Techniques d'intégration multimédia (DEC 582.A1)
★ Éducateur en service de garde (4214)	69 000	F	F : 01, 02, 03, 05, 06, 07, 08, 09-10, 11, 12, 13, 14, 15, 16, 17	Techniques d'éducation à l'enfance (DEC 322.A0)
★ Infirmier (3152)	66 000	F	F : 01, 02, 03, 04, 05, 06, 07, 08, 09-10, 12, 13, 14, 15, 16, 17	Soins infirmiers (DEC 180.A0)
★ Gestionnaire de réseaux informatiques (2281)	18 000	F	F : 01, 02, 03, 04, 05, 06, 07, 08, 09-10, 12, 13, 14, 15, 16, 17	Techniques de l'informatique, spécialisation Gestion de réseaux informatiques (DEC 420.AC)
★ Technologue en génie civil (2231)	4 500	F	F : 02, 03, 04, 06, 07, 08, 09-10, 12, 13, 14, 15, 16, 17	Technologie du génie civil (DEC 221.B0)
Adjoint administratif (1222)	14 000	F	F : 01, 02, 03, 04, 05, 06, 08, 09-10, 11, 12, 13, 14, 15, 16, 17	Techniques de bureautique, spécialisation Coordination du travail de bureau (DEC 412.AA)
Graphiste (5241)	12 000	A	F : 01, 02, 03, 05, 11, 12, 13, 14, 15, 17	Graphisme (DEC 570.A0)
Inhalothérapeute (3214)	3 000	F	F : 01, 02, 03, 04, 05, 06, 07, 12, 13, 14, 15, 16, 17	Techniques d'inhalothérapie (DEC 141.A0)
Technicien de laboratoire médical (3212)	6 000	F	F : 01, 02, 03, 04, 05, 07, 08, 11, 12, 13, 14, 15, 16, 17	Technologie d'analyses biomédicales (DEC 140.B0)
Technicien en architecture (2251)	3 500	F	F : 01, 02, 03, 04, 06, 07, 08, 12, 13, 14, 15, 16, 17	Technologie de l'architecture (DEC 221.A0)
Technicien en santé animale (3213)	3 000	F	F : 02, 03, 04, 05, 06, 12, 13, 14, 15, 16, 17	Techniques de santé animale (DEC 145.A0)
Technologue en génie mécanique (2232)	3 500	F	F : 02, 03, 04, 05, 07, 09-10, 12, 13, 14, 15, 16, 17	Techniques de génie mécanique (DEC 241.A0)
Technologue en mécanique du bâtiment (2231)	4 500	F	F : 02, 03, 04, 06, 07, 08, 09-10, 12, 13, 14, 15, 16, 17	Technologie de la mécanique du bâtiment (DEC 221.C0)

Tous secteurs confondus

N^{bre} DE PERSONNES DIPLÔMÉES	% H	% F	% EN EMPLOI	% À TEMPS PLEIN	% LIÉ À LA FORMATION	% CHÔMAGE	SALAIRE MOYEN (HEBDOMADAIRE)	RECHERCHE D'EMPLOI (SEMAINES)	VALEUR CARRIÈRE SEPTEMBRE
114	39 %	61 %	71,4 %	95,1 %	91,4 %	0 %	700 $	1	9/10
195	78 %	22 %	67,1 %	91,3 %	97,6 %	1 %	619 $	3	7,8/10
740	2 %	98 %	76,9 %	80,2 %	96 %	1,7 %	569 $	1	8/10
1 963	11 %	89 %	62,4 %	85,8 %	98,2 %	1 %	786 $	1	8,6/10
123	—	—	63,6 %	98,2 %	92,9 %	9,7 %	749 $	3	9/10
356	89 %	11 %	52,5 %	97,8 %	90,2 %	2,2 %	871 $	2	8,9/10
149	—	—	92,2 %	93,7 %	94,4 %	1 %	676 $	1	8,3/10
272	30 %	70 %	50,5 %	83,6 %	73,9 %	7 %	535 $	6	7,5/10
187	20 %	80 %	94,8 %	82,9 %	98,1 %	1,5 %	773 $	1	8,4/10
231	21 %	79 %	89,4 %	92,3 %	98,5 %	0 %	747 $	1	8,4/10
338	50 %	50 %	60,2 %	96,6 %	90,9 %	0 %	600 $	4	8,9/10
237	5 %	95 %	85,1 %	93,2 %	92,7 %	1,5 %	504 $	2	8,7/10
318	96 %	4 %	47,5 %	95,6 %	87 %	2,6 %	785 $	4	8,6/10
119	—	—	63,2 %	88,9 %	91,7 %	0 %	755 $	1	8,8/10

TABLEAU COMPARATIF

LAURÉATS	EFFECTIF	PERSPEC-TIVES	DEMANDE DANS LES RÉGIONS	FORMATION ET ÉTABLISSEMENTS
UNIVERSITAIRE				
★ Pharmacien (3131)	7 000	F	F: Ensemble du Québec	Pharmacie et sciences pharmaceutiques (BAC 15112)
★ Consultant en informatique (2171)	39 000	F	F: 03, 04, 05, 06, 07, 08, 12, 13, 14, 15, 16, 17	Informatique (BAC 15340)
★ Ingénieur en génie civil (2131)	11 000	F	F: 01, 02, 03, 04, 05, 06, 07, 08, 09-10, 12, 13, 14, 15, 16, 17	Génie civil (BAC 15358)
★ Comptable (1111)	46 000	F	F: 01, 02, 03, 04, 06, 07, 08, 09-10, 12, 13, 14, 15, 16, 17	Comptabilité et sciences comptables (BAC 15802)
★ Traducteur (5125)	11 000	F	F: 03, 05, 06, 07, 08, 09-10, 12, 13, 14, 15, 16, 17	Traduction (BAC 15571)
★ Travailleur social (4152)	14 000	F	F: Ensemble du Québec	Service social (BAC 15477)
Administrateur de serveur (2281)	18 000	F	F: 01, 02, 03, 04, 05, 06, 07, 08, 09-10, 12, 13, 14, 15, 16, 17	Informatique (BAC 15340)
Analyste en informatique (2171)	39 000	F	F: 03, 04, 05, 06, 07, 08, 12, 13, 14, 15, 16, 17	Informatique (BAC 15340)
@ Directeur du marketing (0611)	30 000	F	F: 01, 02, 03, 04, 06, 08, 09-10, 11, 12, 13, 14, 15, 16, 17	Marketing et relations publiques (BAC 15809)
Ingénieur électricien (2133)	8 000	F	F: 01, 02, 04, 05, 07, 08, 09-10, 13, 14, 15, 16, 17	Génie électrique (BAC 15359)
Ingénieur en génie mécanique (2132)	7 000	F	F: 01, 02, 03, 04, 05, 06, 08, 12, 13, 14, 15, 16, 17	Génie mécanique (BAC 15360)
@ Notaire (4112)*	22 000	F	F: 01, 03, 05, 06, 07, 08, 09-10, 12, 13, 14, 15, 17	Droit (BAC 15600)
Omnipraticien (médecin de famille) (3112)*	12 000	F	F: 01, 02, 03, 04, 05, 06, 07, 08, 09-10, 12, 13, 14, 15, 16, 17	Médecine (Doctorat 1er cycle 15106)
Programmeur (multimédia et jeux vidéo) (2174)	30 000	F	F: 02, 03, 04, 06, 07, 12, 13, 14, 15, 16, 17	Sciences de l'image et médias numériques (BAC 15340)
Psychoéducateur (4153)	7 000	F	F: 01, 03, 04, 06, 08, 09-10, 12, 13, 14, 15, 16, 17	Psychoéducation (Maîtrise 25473)
Thérapeute sportif (3142)	6 000	F	F: Ensemble du Québec	Physiothérapie (BAC 15121)

* Les données statistiques proviennent des diplômés du 1er cycle.

Tous secteurs confondus

Nbre DE PERSONNES DIPLÔMÉES	% H	% F	% EN EMPLOI	% À TEMPS PLEIN	% LIÉ À LA FORMATION	% CHÔMAGE	SALAIRE MOYEN (HEBDOMADAIRE)	RECHERCHE D'EMPLOI (SEMAINES)	VALEUR CARRIÈRE SEPTEMBRE
368	30 %	70 %	81 %	94,6 %	97,9 %	0,5 %	1 701 $	2	8,8/10
552	91 %	9 %	86,8 %	97 %	92,9 %	2,3 %	937 $	7	9/10
473	73 %	27 %	88,4 %	98,9 %	92,8 %	0,7 %	1 008 $	5	8,9/10
1 236	44 %	56 %	86,5 %	96,7 %	92,8 %	3,7 %	857 $	7	8,6/10
261	27 %	73 %	88,5 %	87 %	77,1 %	1,8 %	852 $	10	8,4/10
633	12 %	88 %	87,3 %	88,4 %	95,4 %	1,8 %	831 $	5	8,6/10
552	91 %	9 %	86,8 %	97 %	92,9 %	2,3 %	937 $	7	8,7/10
552	91 %	9 %	86,8 %	97 %	92,9 %	2,3 %	937 $	7	8,7/10
406	37 %	63 %	84,9 %	96,6 %	72 %	5,9 %	851 $	10	8,5/10
529	91 %	9 %	79,6 %	97,8 %	81,9 %	3,5 %	1 005 $	13	8,4/10
747	89 %	11 %	78 %	97,8 %	86,4 %	4,4 %	1 008 $	13	8,3/10
1 096	37 %	63 %	56,5 %	94,8 %	90,4 %	8,8 %	885 $	6	8,1/10
728	37 %	63 %	—	100 %	100 %	0 %	889 $	3	8,7/10
552	91 %	9 %	86,8 %	97 %	92,9 %	2,3 %	937 $	7	8,2/10
117	9 %	91 %	91,5 %	90,7 %	98,5 %	0 %	896 $	4	8,4/10
119	24 %	76 %	82,9 %	95,2 %	98,3 %	0 %	837 $	1	8,7/10

ADMINISTRATION, FINANCES ET COMMERCE

PALME **D'OR**

Conseiller en sécurité financière

Valeur carrière Septembre : 9/10

Page : 74

PALME **D'ARGENT**

Représentant de commerce

Valeur carrière Septembre : 8/10

Page : 74

PALME **DE BRONZE**

Comptable

Valeur carrière Septembre : 8,6/10

Page : 76

ARTS, CULTURE ET COMMUNICATIONS

PALME D'OR

Intégrateur multimédia

Valeur carrière Septembre: 8,4 / 10

Page : 92

PALME D'ARGENT

Conseillère vendeuse en décoration intérieure

Valeur carrière Septembre: 7 / 10

Conseiller, guider et écouter

« Il arrive effectivement que des gens soient tellement satisfaits qu'après avoir donné un nouveau look à une pièce, ils choisissent de continuer avec le reste de la maison. J'adore ce genre de situation! »

Justine Mercier

Page : 84

PALME DE BRONZE

Traducteur

Valeur carrière Septembre: 8,4 / 10

Page : 92

PALME **D'OR**

Auxiliaire familial et social

Valeur carrière Septembre: 7,6 / 10

Page : 110

PALME **D'ARGENT**

Éducateur en service de garde

Valeur carrière Septembre: 8 / 10

Page : 110

PALME **DE BRONZE**

Travailleur social

Valeur carrière Septembre: 8,6 / 10

Page : 110

INDUSTRIES :
PRODUCTION, TRANSFORMATION ET FABRICATION

PALME **D'OR**

Mécanicien de moteurs diesels

Valeur carrière Septembre : 8,8 / 10

Réparer des mastodontes de métal

« Ce n'est pas juste de remplacer une pièce! Tout le monde peut remplacer une pièce! »

Régis Lévesque   Page : 120

PALME **D'ARGENT**

Ingénieur en génie civil

Valeur carrière Septembre : 8,9 / 10

Page : 136

PALME **DE BRONZE**

Technologue en génie civil

Valeur carrière Septembre : 8,9 / 10

Page : 134

SERVICES : ENTRETIEN, CONSEIL ET SCIENCE

PALME **D'OR**

Mécanicien d'engins de chantier

Valeur carrière Septembre : 8,8/10

Page : 160

PALME **D'ARGENT**

Consultant en informatique

Valeur carrière Septembre : 9/10

Page : 162

PALME **DE BRONZE**

Gestionnaire de réseaux informatiques

Valeur carrière Septembre : 9/10

Page : 160

SANTÉ HUMAINE

PALME **D'OR**

Pharmacien

Valeur carrière Septembre : 8,8 / 10

Page : 186

PALME **D'ARGENT**

Infirmier

Valeur carrière Septembre : 8,6 / 10

Page : 184

PALME **DE BRONZE**

Infirmier auxiliaire

Valeur carrière Septembre : 8,6 / 10

Page : 184

DEVIENS
un **pro** de la gestion des ressources humaines!

Savais-tu que, selon un sondage indépendant, l'emploi de professionnel en ressources humaines est le **3ᵉ** dans le **top 20** au Canada, notamment en ce qui concerne la satisfaction au travail et la rémunération?

La job la plus cool en gestion, quoi!

Conseiller en ressources humaines agréé

Cette profession est-elle excitante?
Le salaire est-il intéressant?
Y a-t-il des possibilités d'avancement?
Quels sont les projets les plus intéressants?
Est-ce valorisant?
Y a-t-il des défis stimulants?

Trouve des réponses à toutes ces questions et même plus sur
www.lajoblapluscoolengestion.com

CRHA
Ordre des conseillers en ressources humaines agréés

ADMINISTRATION, FiNANCES ET COMMERCE

ADMINISTRATION, FINANCES ET COMMERCE

Ce secteur regroupe les services de gestion financière, de gestion comptable, de gestion des ressources humaines, de secrétariat, de soutien administratif et d'assistance à la direction dans les PME ou dans les organisations gouvernementales. On y retrouve les professions en lien avec les banques, les assurances et les institutions financières mais également, celles dont les tâches sont liées à la commercialisation, au marketing, à la vente et au service à la clientèle.

Cette année, les entrevues sont réalisées auprès de quarante travailleurs dont la profession offre de bonnes perspectives, sans toutefois être nécessairement parmi les lauréats ou les palmes. Pourquoi cela? Pour faire connaître des professions qui risqueraient de ne jamais se classer parmi les meilleurs et de demeurer peu connues des jeunes, et ce, bien qu'elles offrent de belles perspectives.

Soulignons également que dans certaines entrevues de même que dans le tableau comparatif à la fin du secteur, le logo ☼ ACADEMOS CYBERMENTORAT indique que des mentors ou des vidéos du métier sont présentés sur le site academos.qc.ca.

Palmarès du secteur

Photo : Alarie Photos

COMMIS À LA COMPTABILITÉ

Par Martine Frégeau

Jongler avec les chiffres

Karine Cazeault a toujours été passionnée par les chiffres. Technicienne comptes-clients, Finance chez Dale Parizeau Morris Mackensie, elle jongle avec eux avec assurance. « Les chiffres, j'en mange! Quand je dois me demander pourquoi ça ne balance pas, chaque fois, c'est un défi pour moi d'en trouver la raison. J'aime aussi quand d'autres membres du bureau font appel à moi pour résoudre ce type de problème », affirme-t-elle.

À son embauche, il y a neuf ans, Karine a débuté à titre de commis aux comptes recevables. Parmi ses tâches, on y retrouve l'entrée de données, les dépôts de chèques, ceux-ci étant les paiements des polices d'assurances, ou encore, la préparation de chèques dans le cas de paiements de crédit. Quant au classement, « ce n'est pas ce qui est le plus agréable à faire, mais c'est super efficace pour suivre les dossiers et répondre rapidement aux clients », concède-t-elle. Le classement, c'est un travail minutieux, fait-elle valoir : « Tout doit être classé, ordonné : Les documents, les lettres, les chèques post-datés pour les plans budgétaires, les copies de chèques, etc. »

EFFECTIF	PERSPECTIVES	FORMATION	% H	% F	SALAIRE MOYEN D'INSERTION
60 000	*Favorables* **RÉGIONS** F : 03, 05, 08, 09-10, 11, 12, 15, 16	*DEP 5231 Comptabilité*	*15 %*	*85 %*	*Hebdomadaire : 552 $* *Annuel : 28 704 $*

STATISTIQUES D'INSERTION	2009	2010	2011	% CHÔMAGE *	RECHERCHE D'EMPLOI
N^bre personnes diplômées	*1 279*	*1 219*	*1 346*	*10,2 %*	*6 semaines*
% en emploi *	*73,7 %*	*75 %*	*78,5 %*		
% à temps plein	*87,3 %*	*85,4 %*	*86,8 %*		
% lié à la formation	*71,8 %*	*72,2 %*	*76,9 %*		

* Ces statistiques sont extraites des enquêtes de La Relance du MELS *plus précisément de la situation au 1er juin 2011. Les autres statistiques de ce tableau sont extraites de la situation au 31 mars 2011.*

Une bonne gestion des priorités

La gestion des priorités doit être manœuvrée au quart de tour. La gestion du stress est importante tout comme la gestion de son temps : « Il ne faut pas accumuler. Il me faut être à jour dans les affaires courantes et prendre connaissance de tous mes courriels à mon arrivée au bureau afin d'y répondre le plus rapidement possible. Pour le reste, j'ai tout le mois pour le faire », relate-t-elle. **Avec l'expérience, Karine s'est vu confier plus de responsabilités. Depuis cinq ans, elle gère tout le processus de prélèvements bancaires, y compris le recouvrement et la gestion des annulations de polices d'assurances pour non-paiement.** « J'ai un peu plus de pouvoir décisionnel », précise-t-elle. Par ailleurs, elle reçoit beaucoup d'appels de clients, soucieux d'obtenir des réponses à leurs questions; d'autres demandent un délai pour qu'il y ait virement dans leur compte. Bien que cela demande d'avoir de l'entregent, ça implique également de savoir comment agir dans le cas où des clients mécontents élèvent un peu trop la voix.

« J'ai étudié un an au cégep en Techniques administratives, mais la partie des cours de la formation générale comme le français et la philosophie, par exemple, ne m'accrochait pas et j'ai laissé tomber, raconte Karine. Par contre, j'aimais refaire tous les exercices en comptabilité. Je me suis donc inscrite au DEP en comptabilité dont je suis diplômée. J'y ai trouvé une formation concentrée sur le pratico-pratique, axée sur le marché du travail. Même les cours de français et d'anglais étaient reliés à leur utilisation pratique au bureau. Ça me rejoignait! Et ça me plaît toujours!»

CONSEILS DE PRO

« La principale qualité qu'un commis à la comptabilité doit posséder, c'est d'être organisé : Il doit savoir où il va pour effectuer le suivi des dossiers, d'où l'importance de tenir un excellent classement. Ironiquement, c'est ce que les élèves aiment le moins! Savoir respecter les délais s'avère essentiel, en plus d'être à l'aise avec l'informatique. De plus, l'anglais est de plus en plus exigé. À la fin de la formation, les élèves auront touché à tous les modules et auront effectué un stage de quatre semaines en entreprise. Pour certains, ce métier est sécurisant; l'horaire est régulier. On effectue de la tenue de livres et de l'entrée de données. Il faut faire le lien avec l'argent qui entre et l'argent qui sort : C'est de la logique. Le commis ne sera pas appelé à faire des analyses. Par contre, avec l'expérience, il pourra obtenir plus de responsabilités. »

Marie-Josée Jean, directrice du programme en comptabilité à l'École des métiers de l'informatique, du commerce et de l'administration (ÉMICA) à Montréal

REMARQUE

Profession ayant un roulement élevé de main-d'œuvre.

PROGRAMME

Comptabilité (DEP 5231) : 1, 2, 3, 4, 5, 6, 17, 20, 22, 23, 24, 32, 33, 35, 36, 41, 43, 45, 60, 61, 68, 69, 70, 73, 74, 76, 79, 80, 81, 89, 92, 96, 101, 104, 106, 107, 109, 114, 142, 143, 144, 146, 147, 149, 150, 151, 152, 157, 164, 165, 166, 169, 170, 171, 172, 177, 178, 181, 183, 184, 191, 192, 194, 195, 199, 206, 213, 215, 216, 218, 220, 226, 227, 229, 231, 232, 235, 241, 242, 243, 245, 246, 247, 248, 250, 252, 253, 254, 255, 258, 259, 260, 261, 272, 274, 277, 280, 283

VALEUR CARRIÈRE SEPTEMBRE

Insertion sur le marché du travail	✈✈✈
Maintien en emploi	✈✈✈✈
Encadrement professionnel	✈✈✈✈
Mobilité géographique	✈✈
Diversité des milieux de pratique	✈✈✈✈✈
Valeur ajoutée	✈✈✈✈

Total : 7 | 10

Photo : Stéphane Lemire

SECRÉTAIRE MÉDICALE

Par Hélène Belzile

À sa façon, faire une différence

Plus jeune, elle rêvait à une carrière de massothérapeute. Devant l'insécurité de ce métier, Marie-Jo Lapointe a décidé de bifurquer du côté du secrétariat médical et, après avoir complété son ASP au Collège de comptabilité et secrétariat du Québec, elle a décroché un emploi au Centre hospitalier universitaire de Sherbrooke (CHUS). La jeune femme de 26 ans profite maintenant d'une belle carrière qu'elle adore.

« Le fait de travailler dans la fonction publique apporte une belle sécurité, affirme Marie-Jo Lapointe. J'ai travaillé fort durant mes études, et j'ai choisi de les faire au privé parce que je travaillais en même temps. Mais ça en valait la peine ! »

Travaillant présentement au département de pédopsychiatrie du CHUS, la jeune secrétaire médicale apporte un grand sérieux à son travail lorsque, par exemple, elle retranscrit des documents tels que des rapports qui s'adressent aux parents ou encore qui sont destinés aux dossiers des patients. « Il est réellement important de bien maîtriser la langue française pour exercer le métier de secrétaire

EFFECTIF	PERSPECTIVES	FORMATION	% H	F	SALAIRE MOYEN D'INSERTION
7 000	Favorables **RÉGIONS** F: 01, 03, 04, 06, 08, 09-10, 13, 14, 15, 17	ASP 5227 Secrétariat médical	0 %	100 %	Hebdomadaire : 585 $ Annuel : 30 420 $

STATISTIQUES D'INSERTION	2009	2010	2011	% CHÔMAGE *	RECHERCHE D'EMPLOI
N^{bre} personnes diplômées	215	226	296	9,4 %	4 semaines
% en emploi *	86,8 %	89,1 %	87,4 %		
% à temps plein	85,6 %	84,5 %	81,3 %		
% lié à la formation	80,2 %	80,6 %	84,6 %		

* Ces statistiques sont extraites des enquêtes de La Relance du MELS, plus précisément de la situation au 1er juin 2011. Les autres statistiques de ce tableau sont extraites de la situation au 31 mars 2011.

médicale, dit-elle. J'ai déjà vu des médecins qui ont refusé certains rapports parce qu'ils n'étaient pas rédigés dans un français correct. Bien sûr, pour évoluer dans ce domaine, il faut bien maîtriser la terminologie médicale. »

En plus de la passion pour le français, Marie-Jo Lapointe aime aussi le monde médical. Elle est heureuse de pouvoir évoluer dans ce milieu et, à sa façon, de faire une différence. « Je me souviens d'un événement qui m'a marquée, raconte-t-elle. Un jour, alors que je travaillais à la réception, une dame avait absolument besoin d'un document qui avait une grande importance pour la suite de ses démarches pour son enfant. Dans les circonstances, c'était urgent, mais personne dans l'équipe n'était disponible pour répondre suite à sa demande. C'est moi qui ai pris le dossier en mains et, très rapidement, j'ai pu transmettre le fameux document à la dame. Elle était tellement heureuse qu'elle est venue me remercier directement. Ce n'était qu'un document, mais pour elle, c'était la clé de toutes ses démarches administratives. »

Travail d'équipe

Ce qui motive beaucoup Marie-Jo dans son emploi au CHUS, c'est le travail d'équipe autant avec les médecins, les résidents, les externes et les autres secrétaires. « **Nous ne sommes pas parfaits personne et c'est rassurant de savoir qu'on peut compter sur la collaboration de nos collègues de travail pour être le plus efficace possible**, explique-t-elle. La synergie au sein d'une équipe de travail est très stimulante. »

Enfin, Marie-Jo souligne l'importance de pratiquer un métier qui nous fait vibrer pour être heureux dans la vie. « Je suis heureuse d'avoir suivi ma petite voix intérieure et je conseille à tout le monde d'en faire autant. Se lever le matin et être content de se rendre au travail fait partie des plus beaux cadeaux de la vie. »

REMARQUE

Un stage pratique chez un employeur complète la formation théorique.

PROGRAMME

Secrétariat médical (ASP 5227) : 1, 4, 6, 20, 46, 61, 68, 69, 70, 92, 96, 106, 144, 156, 165, 183, 192, 206, 213, 218, 241, 247, 258, 272, 277

CONSEILS DE PRO

« La première qualité que doit posséder une personne voulant se diriger dans le domaine du secrétariat médical est la maîtrise du français écrit. C'est simple, son français doit être le plus impeccable possible. Il faut aussi aimer les gens et être empathique, tout comme il faut faire preuve d'une bonne gestion du temps. La rigueur est une autre qualité fort importante. Pour être efficace dans la transcription des documents, il est essentiel de bien connaître la terminologie médicale. La formation compte des stages en milieu de travail que ce soit dans les hôpitaux ou encore les cliniques. Les départs massifs à la retraite des gens actuellement en poste ouvriront, dans les prochaines années, les portes aux jeunes qui choisissent une carrière en secrétariat médical. Il est évident que l'avenir est prometteur dans notre domaine. »

Marie-Andrée Savoie, responsable pédagogique du secrétariat médical, Collège de comptabilité et de secrétariat du Québec à Sherbrooke

VALEUR CARRIÈRE SEPTEMBRE

Insertion sur le marché du travail	✈✈✈
Maintien en emploi	✈✈✈
Encadrement professionnel	✈✈✈✈
Mobilité géographique	✈✈
Diversité des milieux de pratique	✈✈✈✈
Valeur ajoutée	✈✈✈

Total : 7 / 10

ACHETEUSE DE COMMERCE DE DÉTAIL

Par Claudine Hébert

Flairer et négocier les bonnes affaires

Peu de gens connaissent Maria-Christina Limberis. Pourtant, cette jeune femme de 28 ans permet à des milliers de Québécois de réaliser des économies chaque semaine. Chef de mise en marché chez les épiceries Métro, cette acheteuse négocie les rabais et les promotions des produits laitiers que l'on trouve dans les pages de la circulaire du supermarché.

« J'adore mon travail », indique d'emblée Maria-Christina Limberis, qui a toujours adoré réaliser de bonnes affaires. Partout où elle passe, cette diplômée de gestion de commerces du collège Marianapolis applique ses techniques de fine négociatrice.

C'est en complétant son DEC qu'elle a eu la piqûre pour le secteur de l'alimentation. « Je travaillais au bureau-chef de Van Houtte à titre de préposée aux ententes commerciales. Déjà, mon employeur me confiait des responsabilités avant même que je gradue en 2004 », rapporte Maria-Christina. Remarquez, les chiffres et l'alimentation font partie du quotidien de Maria-Christina depuis son jeune âge. Ses parents étaient restaurateurs.

EFFECTIF	PERSPECTIVES	FORMATION	% H	F	SALAIRE MOYEN D'INSERTION
5 000	*Favorables* **RÉGIONS** *F : 02, 03, 04, 05, 06, 07, 08, 12, 13, 14, 15, 17*	*DEC 410.D0 Gestion de commerces*	*49 %*	*51 %*	*Hebdomadaire : 652 $* *Annuel : 33 904 $*

STATISTIQUES D'INSERTION	2009	2010	2011	% CHÔMAGE*	RECHERCHE D'EMPLOI
N^bre personnes diplômées	*505*	*551*	*621*	*2,8 %*	*3 semaines*
% en emploi*	*43,8 %*	*42,8 %*	*41,2 %*		
% à temps plein	*89,5 %*	*88,1 %*	*87,2 %*		
% lié à la formation	*73,8 %*	*62,8 %*	*66,2 %*		

* Ces statistiques sont extraites des enquêtes de La Relance du MELS plus précisément de la situation au 1er juin 2011. Les autres statistiques de ce tableau sont extraites de la situation au 31 mars 2011.

En 2006, le bureau-chef de Métro l'a recrutée. D'abord à titre d'adjointe à la négociation, achats nationaux. «Je devais négocier les frais de mise en liste des produits de pharmacie pour les quatre bannières de l'entreprise. En quelques mois, j'ai doublé le chiffre d'affaires de mon département», raconte-t-elle fièrement. Ce bon coup lui a permis de décrocher, deux ans plus tard, son poste actuel. «Un poste qui exigeait pourtant le bac en administration», souligne notre acheteuse qui complète actuellement ce baccalauréat à temps partiel.

Marchander et goûter

À quoi ressemble sa semaine de travail? Les lundis et mardis, place aux négociations avec les fournisseurs dont les produits se retrouveront dans la circulaire promotionnelle… six semaines plus tard. **Ce travail, qui demande du flair, se traduit par d'intenses journées à discuter, à marchander au téléphone afin de trouver les bons produits, les meilleures promotions.**

Le mercredi, réunion d'équipe pour l'approbation de tous les articles qui figureront dans la circulaire. «Il arrive que je doive recontacter mes fournisseurs pour renégocier à la baisse», explique Maria-Christina qui, sous la pression, relève chaque fois le défi.

Enfin, les jeudis et vendredis sont dédiés au montage de la circulaire, aux changements de dernières minutes, à la visite d'épicerie et aux rencontres avec les fournisseurs. Ces derniers, équipés de glacières remplies de yogourts, de crème glacée, de jus réfrigérés, de fromages viennent faire goûter leurs nouveaux produits afin de convaincre Maria-Christina et sa gérante de catégorie de les intégrer sur les tablettes des supermarchés Métro.

Un petit moment de répit qu'apprécie Maria-Christina avant d'entamer ses prochaines négociations.

PROGRAMMES

Gestion de commerces (DEC 410.D0) : 10, 26, 49, 50, 51, 54, 55, 63, 64, 82, 119, 121, 123, 125, 126, 128, 130, 134, 153, 202, 214, 222, 238, 239, 240, 263, 264, 266, 268, 269, 273, 284

Techniques de comptabilité et de gestion (DEC 410.B0) : 8, 9, 10, 11, 12, 25, 26, 27, 28, 49, 50, 51, 52, 53, 54, 55, 63, 66, 82, 83, 118, 119, 121, 123, 125, 126, 127, 128, 130, 133, 134, 153, 154, 160, 161, 162, 167, 168, 175, 186, 187, 188, 200, 201, 202, 203, 214, 222, 223, 224, 238, 239, 240, 263, 264, 265, 266, 267, 268, 269, 284, 285

CONSEILS DE PRO

«Voilà une carrière très stimulante pour un jeune qui aime brasser des affaires. Imaginez, cette personne organisée, visionnaire et au sens de la négociation bien aiguisée doit dénicher et marchander au meilleur prix des produits tels que vêtements, nourriture, mobilier, fourrure, quincaillerie, etc… L'acheteur doit anticiper et reconnaître les tendances à venir puisqu'il doit commander les produits plusieurs mois d'avance. Cette personne doit pouvoir supporter la pression et vivre avec les conséquences de ses décisions, comme pour toutes les autres professions du monde des affaires d'ailleurs d'où l'importance de développer hâtivement un sens d'analyse qui permet de bien saisir les besoins futurs des consommateurs ciblés. Remarquez, la plupart des étudiants vont percer sur le marché du travail dès l'obtention de leur DEC. Le taux de placement est excellent. Chez nous, plusieurs étudiants vont néanmoins profiter du DEC-BAC pour approfondir leurs connaissances et pouvoir ainsi accéder à des postes clés au sein des entreprises plus rapidement.»

Marie-France Belzile, coordonnatrice et professeur au programme de gestion de commerces au Cégep de Saint-Hyacinthe

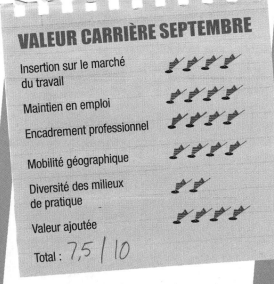

VALEUR CARRIÈRE SEPTEMBRE

Insertion sur le marché du travail	✈✈✈✈
Maintien en emploi	✈✈✈✈
Encadrement professionnel	✈✈✈✈
Mobilité géographique	✈✈✈
Diversité des milieux de pratique	✈✈
Valeur ajoutée	✈✈✈✈

Total : 7,5 / 10

Photo : Francine Chatigny

EXPERTE EN SINISTRE

Par Didier Bert

Enquêter pour aider

Quand un client d'Intact Assurance subit un dommage, Louise Fréchette est la première à l'aider. Cette experte en sinistre de 35 ans est chargée de déterminer les responsabilités et le montant du préjudice subi. Louise Fréchette a choisi cette voie quand elle a pris conscience qu'elle pouvait aider les gens à un des moments les plus difficiles de leur vie.

C'est au cours d'un stage chez un courtier d'assurance que Louise a pris goût à traiter les réclamations. Elle est arrivée sur le marché du travail en 1998, au moment de la crise du verglas. Les assureurs embauchaient de nombreuses recrues pour faire face au nombre inégal de réclamations. Louise en a profité pour faire sa place dans le monde de l'assurance de biens.

Détentrice d'une AEC de Conseil en assurances et services financiers, Louise s'est récemment spécialisée dans la responsabilité civile. «Quand quelqu'un tombe et se fracture un bras dans un stationnement, j'enquête pour savoir qui est responsable de cette blessure. Cela peut être le propriétaire de l'immeuble, ou encore le déneigeur...»

EFFECTIF	PERSPECTIVES	FORMATION	H	%	F	SALAIRE MOYEN D'INSERTION
6 000	*Favorables* **RÉGIONS** *F : 03, 04, 05, 06, 12, 13, 14, 15, 17*	*DEC 410.CO Conseil en assurances et en services financiers*	*39 %*		*61 %*	*700 $* *Annuel : 36 400 $*

STATISTIQUES D'INSERTION	2008	2009	2010	% CHÔMAGE*		RECHERCHE D'EMPLOI
N<bre personnes diplômées	*81*	*77*	*114*	*0 %*		*1 semaine*
% en emploi*		*56,9 %*	*63,2 %*	*71,4 %*		
% à temps plein		*88,2 %*	*97,4 %*	*95,1 %*		
% lié à la formation		*93,3 %*	*94,6 %*	*91,4 %*		

* Ces statistiques sont extraites des enquêtes de La Relance du MELS, plus précisément de la situation au 1er juin 2011. Les autres statistiques de ce tableau sont extraites de la situation au 31 mars 2011.

Le premier contact

Louise passe 60 % de son temps de travail chez elle, à traiter ses dossiers, et 40 % sur la route, pour rencontrer les clients. Les dossiers de réclamations arrivent par internet sur son ordinateur. Elle appelle le client pour l'informer qu'elle prend en charge son dossier. Elle en profite pour mesurer l'urgence de la situation. « Le premier contact est important. Le degré d'urgence n'est pas le même pour tout le monde. » Puis elle se rend chez le client pour recueillir sa déclaration et vérifier les faits.

Dernièrement, l'assureur d'un commerçant a mis en cause un électricien, client d'Intact, en affirmant qu'un incendie avait été causé par ses travaux... réalisés quatre ans auparavant. Louise a rencontré toutes les parties pour déterminer les responsabilités. Elle a même dû faire appel à des spécialistes. « J'ai mandaté un ingénieur, avec qui j'ai fait le tour de l'affaire, tout en informant notre client au fur et à mesure. » Ensemble, ils sont arrivés à la conclusion que le client n'était pas responsable du sinistre.

Louise adore cette partie de son travail, consacrée à la recherche d'informations. **« Les gens ne possèdent pas tous la même information. C'est important d'être juste en allant chercher la documentation nécessaire. »**

La curiosité et l'empathie sont des qualités essentielles pour exercer ce métier, affirme-t-elle. « On doit poser les bonnes questions tout en s'intéressant au client. Il achète un service d'assurance qu'il n'utilise pas pendant plusieurs années. Mais quand il l'utilise, il a le droit de comprendre comment on agit. »

REMARQUE

Pour exercer la profession et porter le titre d'expert en sinistres, il faut être membre de la Chambre de l'assurance de dommages et réussir les examens de certification de l'Autorité des marchés financiers.

PROGRAMMES

Conseil en assurances et en services financiers (DEC 410.C0) : 49, 121, 128, 201, 214, 223

Assurance de dommages (AEC LCA.6A) : 10, 49, 57, 121, 129, 153, 201, 214, 222, 223, 224, 238, 265

CONSEILS DE PRO

« L'expert en sinistre ne connaît pas la routine. Il peut travailler au bureau comme se déplacer chez le client pour effectuer des vérifications. Chaque mission l'amène à rencontrer de nouveaux interlocuteurs.

Il est impératif d'être une personne intègre, aimant le travail bien fait. À la fin d'une mission, quand les responsabilités et l'estimation du sinistre sont fixées, tout le monde ne sera pas content. Il faut pouvoir le supporter.

Après le DEC, le diplômé doit obtenir une certification d'expert en sinistre auprès de l'Autorité des marchés financiers. Puis le professionnel devra effectuer une période de probation de trois mois. Les perspectives sont très bonnes, en raison des nombreux départs à la retraite des baby-boomers. Aussi, les besoins en assurance se spécialisent, ce qui augmente le nombre de litiges potentiels. »

Pierre Bilodeau, enseignant et coordonnateur du programme de Conseil en assurances et services financiers au Cégep régional de Lanaudière

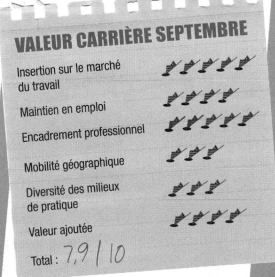

VALEUR CARRIÈRE SEPTEMBRE

Insertion sur le marché du travail ✔✔✔✔✔

Maintien en emploi ✔✔✔✔

Encadrement professionnel ✔✔✔✔✔

Mobilité géographique ✔✔✔

Diversité des milieux de pratique ✔✔✔

Valeur ajoutée ✔✔✔✔

Total : 7,9 / 10

Photo : Alarie Photos

CONSEILLÈRE EN GESTION

Par Martine Frégeau

Mousser la culture entrepreneuriale

Conseillère en gestion en appui aux entreprises à la Corporation de développement économique communautaire (CDEC) Ahuntsic-Cartierville depuis cinq ans, Josette Garraud carbure à l'initiative. Mais encore, elle cumule les responsabilités avec l'énergie d'une leader. « J'aime écouter les gens et les aider », confie-t-elle. Ayant moi-même été entrepreneure, je comprends leur réalité ! »

Auparavant employée au SAJE Montréal-Métro, Josette est responsable des relations avec le SAJE et responsable du programme Jeunes Promoteurs en collaboration avec ce même organisme d'aide aux entrepreneurs. L'expérience qu'elle y a acquise alors qu'elle y travaillait à titre de conseillère lui est utile. Elle est également coordonnatrice du service de mentorat d'affaires et membre du comité de soutien aux travailleurs autonomes de la CDEC, en plus de siéger sur le comité entrepreneuriat de la Jeune chambre de commerce haïtienne. « Exercer un certain jugement, se faire confiance, avoir du flair, ça s'acquiert au fur et à mesure », relate-t-elle. Ses tâches comportent une partie de travail individuel et beaucoup de travail d'équipe. « Je fais partie d'une équipe, le service aux entreprises, dans une équipe, celle de la CDEC. Il faut être capable de s'appuyer sur l'équipe pour s'aider, corroborer nos actions. »

EFFECTIF	PERSPECTIVES	FORMATION	% H	% F	SALAIRE MOYEN D'INSERTION
13 000	*Favorables* **RÉGIONS** *F : 01, 02, 03, 04, 05, 06, 07, 09-10, 11, 12, 13, 14, 15, 16, 17*	*BAC 15800 Administration*	*49 %*	*51 %*	*Hebdomadaire : 881 $* *Annuel : 45 812 $*

STATISTIQUES D'INSERTION	2007	2009	2011	% CHÔMAGE	RECHERCHE D'EMPLOI
N[bre] personnes diplômées	*2 206*	*2 209*	*2 316*	*4,4 %*	*9 semaines*
% en emploi	*83,6 %*	*83,8 %*	*81,8 %*		
% à temps plein	*97 %*	*96,8 %*	*96,6 %*		
% lié à la formation	*85 %*	*87,3 %*	*85,3 %*		

Diplômée du B.A.A. de HEC Montréal, options finances et gestion internationale, l'expérience sur le terrain lui démontre qu'elle a un penchant pour le marketing, domaine où elle peut également exceller, puisqu'elle est formée pour pouvoir évoluer dans diverses sphères d'activités.

Un feu roulant d'interventions

Le travail est loin d'être routinier. Il exige de la rigueur et de la facilité avec les relations interpersonnelles. Elle rencontre une centaine d'entreprises par année, de toutes les catégories. C'est sans compter les sessions de démarrage qu'elle anime chaque mois et l'écriture du blogue sur le site Internet de la CDEC, en alternance avec ses collègues : Présence sur les médias sociaux oblige!

« Je passe 90 % de mon temps au bureau. Par contre, j'aime bien les activités de réseautage et participer à certains événements locaux et régionaux pertinents à l'entrepreneuriat, souligne-t-elle. Au début de la semaine, je dois transmettre à la direction une feuille de route afin d'indiquer quels sont mes mandats et sur quels projets d'affaires j'aurai à travailler. En démarrage d'entreprises, je rencontre les entrepreneurs. Je les écoute. Je peux les guider dans l'élaboration et la réalisation de leur plan d'affaires, vérifier avec eux s'il est complet et valider si ce dernier peut aller à la deuxième étape, le financement. Si tel est le cas, je transmets les dossiers à mon collègue, analyste financier. » Lorsqu'un financement est accordé à la suite de son travail préparatoire, Josette en retire beaucoup de fierté : « Nous faisons une différence! »

CONSEILS DE PRO

« Pour être admis au Baccalauréat en administration des affaires (B.A.A) de HEC Montréal, nous n'exigeons pas de compétences en particulier; nous demandons que les étudiants aient complété un DEC, quel qu'il soit, et qu'ils aient réussi les trois cours de mathématiques de base. En revanche, ils doivent démontrer un intérêt marqué envers la gestion. Au cours des trois années du B.A.A., ils reçoivent une solide formation générale en gestion, puis choisissent parmi dix spécialisations : aucune d'entre elles n'est contingentée, puisque leur accès n'est pas basé sur leurs résultats scolaires, mais bien sur leurs intérêts personnels. Cette formation permet de travailler dans bien des sphères d'activités. Avec la mondialisation des marchés, il est essentiel de maîtriser deux et même trois langues. C'est pourquoi nous offrons les programmes standard, bilingue et trilingue. Les deux stages crédités sont optionnels; plus d'un tiers des étudiants les font à l'étranger. »

Gilbert Babin, professeur titulaire, directeur au programme de B.A.A. Technologies de l'information à l'École des hautes études commerciales (HEC) de Montréal

PROGRAMME

Administration (BAC 15800) : 14, 29, 58, 59, 67, 85, 86, 137, 138, 140, 141, 155, 163

VALEUR CARRIÈRE SEPTEMBRE

Insertion sur le marché du travail	✈✈✈✈
Maintien en emploi	✈✈✈✈
Encadrement professionnel	✈✈✈✈
Mobilité géographique	✈✈✈✈✈
Diversité des milieux de pratique	✈✈✈✈
Valeur ajoutée	✈✈✈✈

Total : 8,3 / 10

Photo : Alarie Photos

DIRECTEUR DU MARKETING

LAURÉAT

Par Aurore Lehmann

Un travail qui réclame de l'expérience

« Rêve, travaille et ne t'arrêtes pas », c'est le leïtmotiv de Matyas Gabor, qui a été directeur du marketing pour plusieurs entreprises avant d'être promu, récemment, Vice-Président chez w.ili.am/, dans le domaine du multimédia. Une passion pour laquelle il s'est battu sans relâche.

« Les gens confondent souvent communication et marketing. C'est une erreur, prévient d'emblée Matyas Gabor. Le marketing est un tout à l'intérieur duquel on trouve un volet communication comme un volet mise en marché. Le travail diffère considérablement selon que l'on travaille pour une petite entreprise ou une grosse organisation. »

Le vice-président de w.ili.am/ sait de quoi il en retourne. Après avoir obtenu un BAC aux HEC de Montréal, avec spécialisation en marketing international et technologies de l'information, le jeune Français, alors fraîchement immigré sur le territoire québécois, a du se battre bec et ongle pour débuter une carrière qu'on lui promettait pourtant fulgurante : « Je manquais de l'essentiel, le réseau de contacts. On ne dit pas assez à quel point dans ce milieu, il est primordial de le bâtir très tôt. C'est pourquoi les stages dans différents types d'environnements sont tellement essentiels! »

EFFECTIF	PERSPECTIVES	FORMATION		H	%	F	SALAIRE MOYEN D'INSERTION
30 000	Favorables **RÉGIONS** F : 01, 02, 03, 04, 06, 08, 09-10, 11, 12, 13, 14, 15, 16, 17	BAC 15809 Marketing et relations publiques		37 %		63 %	Hebdomadaire : 851 $ Annuel : 44 252 $

STATISTIQUES D'INSERTION	2007	2009	2011	% CHÔMAGE		RECHERCHE D'EMPLOI
N^bre personnes diplômées	374	380	406	5,9 %		10 semaines
% en emploi	84,6 %	84,7 %	84,9 %			
% à temps plein	94,7 %	97,6 %	96,6 %			
% lié à la formation	69,6 %	71,6 %	72 %			

Énormément de travail

Dans le cas de Matyas, c'est au collège LaSalle, où il avait préalablement complété un DEC, que le premier emploi est dégotté : « Je suis issu d'un milieu de golden boys parisiens, depuis quatre générations dans la communications. Je me voyais depuis toujours dans la publicité et j'ai démarré comme vendeur ! » Il ne tarde pas, à la faveur d'une rencontre, à décrocher un premier contrat à titre de directeur du marketing pour une entreprise en émergence : « le concept de l'agence était simple et innovant : il s'agissait de concevoir et de réaliser des films publicitaires en mêlant différentes technologies. L'entreprise a été ruinée par un des partenaires, elle a été dissoute alors même que nous recevions un Grand Prix Grafika ! »

Matyas sera ensuite directeur du développement des affaires pour une autre entreprise multimédia, conseiller auprès des jeunes entreprises pour la SODEC du Plateau Mont-Royal, directeur du marketing pour la Société des Arts Technologiques, puis directeur du marketing chez Gesca, qui souhaite développer une entreprise alors inexistante : w.ili.am/ : « La tâche englobait un volet communication très fort, puisqu'il s'agissait de construire la marque de l'entreprise. » Il y réussit tellement bien qu'il est nommé 3 ans plus tard Vice-Président de l'entreprise : « Aujourd'hui j'agis à titre de stratège et je développe le marketing à la fois pour nos clients et pour w.ili.am/. C'est énormément de travail, mais c'est aussi beaucoup de satisfactions. Rétrospectivement, je n'aurais jamais pu en arriver là sans avoir vécu toutes ces expériences. »

CONSEILS DE PRO

« On lie, à tord, le marketing à la publicité. Or c'est bien plus que cela. Aux HEC, les études en marketing constituent d'ailleurs une spécialisation à l'intérieur du BAC en administration des affaires. Par la suite ils choisiront leurs options à l'intérieur de la spécialisation et suivront des cours de vente. Ces études pourront les mener à diverses carrières, parmi lesquelles celle de directeur du marketing, après quelques années d'expérience toutefois. Il faut faire ses classes avant de pouvoir prétendre à cette fonction. Le directeur du marketing doit avoir une vision stratégique nécessitant une vue d'ensemble du marché, des compétiteurs. Il doit voir la forêt derrière les arbres. C'est un métier exigeant, puisqu'il est en relation constante avec le client, mais, même si, avec la délocalisation de bureaux chefs le nombre de postes diminue, il reste très en demande et les salaires sont intéressants. »

Jean-Luc Geha, associé au service de l'enseignement du marketing aux HEC à Montréal

VALEUR CARRIÈRE SEPTEMBRE

Insertion sur le marché du travail	✔✔✔✔
Maintien en emploi	✔✔✔✔
Encadrement professionnel	✔✔✔✔✔
Mobilité géographique	✔✔✔✔
Diversité des milieux de pratique	✔✔✔✔✔
Valeur ajoutée	✔✔✔✔

Total : 8,5 / 10

TABLEAU COMPARATIF

LAURÉATS ET MIS EN NOMINATION	EFFECTIF	PERSPEC-TIVES	DEMANDE DANS LES RÉGIONS	FORMATION ET ÉTABLISSEMENTS
SECONDAIRE				
@ Commis à la comptabilité (1431)	60 000	F	F : 03, 05, 08, 09-10, 11, 12, 15, 16	Comptabilité (DEP 5231)
Commis-vendeur (6421)	162 000	F	F : 03, 12, 13, 14, 15, 17	Vente-conseil (DEP 5321)
★ Représentant de commerce (6411)	41 000	F	F : 01, 02, 03, 04, 05, 06, 07, 08, 09-10, 12, 13, 14, 15, 16, 17	Représentation (ASP 5323)
Représentant des ventes non techniques – Commerce de gros (6411)	41 000	F	F : 01, 02, 03, 04, 05, 06, 07, 08, 09-10, 12, 13, 14, 15, 16, 17	Vente-conseil (DEP 5321)
☆ Responsable du soutien technique en micro-informatique (2282)	16 000	F	F : 01, 02, 05, 06, 08, 13, 14, 15, 16, 17	Soutien informatique (DEP 5229)
@ Secrétaire médical (1243)	7 000	F	F : 01, 03, 04, 06, 08, 09-10, 13, 14, 15, 17	Secrétariat médical (ASP 5227)
COLLÉGIAL				
Acheteur de commerces de gros et de détail (6233)	5 000	F	F : 02, 03, 04, 05, 06, 07, 08, 12, 13, 14, 15, 17	Gestion de commerces (DEC 410.D0)
☆ Adjoint administratif (1222)	14 000	F	F : 01, 02, 03, 04, 05, 06, 08, 09-10, 11, 12, 13, 14, 15, 16, 17	Techniques de bureautique, spécialisation Coordination du travail de bureau (DEC 412.AA)
Agent aux achats (1225)	14 000	F	F : 01, 02, 03, 04, 07, 08, 09-10, 11, 12, 13, 14, 15, 16, 17	Gestion de commerces (DEC 410.D0)
Agent en assurances de dommages (6231)	17 000	F	F : Ensemble du Québec	Conseil en assurances et en services financiers (DEC 410.C0)
★ Conseiller en sécurité financière (6231)	17 000	F	F : Ensemble du Québec	Conseil en assurances et en services financiers (DEC 410.C0)
@ Expert en sinistre (1233)	6 000	F	F : 03, 04, 05, 06, 12, 13, 14, 15, 17	Conseil en assurances et en services financiers (DEC 410.C0)
Gérant de commerce de détail (0621)	71 000	F	F : 03, 06, 09-10, 12, 13, 14, 15, 16, 17	Gestion de commerces (DEC 410.D0)
Secrétaire de direction (1222)	14 000	F	F : 01, 02, 03, 04, 05, 06, 08, 09-10, 11, 12, 13, 14, 15, 16, 17	Techniques de bureautique, spécialisation Coordination du travail de bureau (DEC 412.AA)
Superviseur – commerce de détail (6211)	15 000	A	F : 02, 03, 05, 07, 08, 09-10, 11, 12, 13, 14, 15, 16, 17	Gestion de commerces (DEC 410.D0)
Technicien en administration (1221)	36 000	A	F : 01, 02, 03, 05, 08, 09-10, 11, 12, 14, 15, 16, 17	Techniques de comptabilité et de gestion (DEC 410.B0)
Technicien en évaluation immobilière (1235)	3 500	F	F : 02, 03, 04, 06, 07, 12, 13, 14, 15, 16, 17	Technologie de l'estimation et de l'évaluation du bâtiment, spécialisation Évaluation immobilière (DEC 221.DB)

N^{bre} DE PERSONNES DIPLÔMÉES	% H	% F	% EN EMPLOI	% À TEMPS PLEIN	% LIÉ À LA FORMATION	% CHÔMAGE	SALAIRE MOYEN (HEBDOMADAIRE)	RECHERCHE D'EMPLOI (SEMAINES)	VALEUR CARRIÈRE SEPTEMBRE
1 346	15 %	85 %	78,5 %	86,8 %	76,9 %	10,2 %	552 $	6	7/10
650	57 %	43 %	73,4 %	87 %	74,5 %	7,5 %	632 $	2	6,6/10
601	58 %	42 %	80,8 %	87 %	74 %	4,9 %	712 $	4	8/10
650	57 %	43 %	73,4 %	87 %	74,5 %	7,5 %	632 $	2	6,9/10
478	91 %	9 %	64,2 %	86,6 %	75,6 %	14,5 %	590 $	4	7,5/10
296	0 %	100 %	87,4 %	81,3 %	84,6 %	9,4 %	585 $	4	7/10
621	49 %	51 %	41,2 %	87,2 %	66,2 %	2,8 %	652 $	3	7,5/10
149	—	—	92,2 %	93,7 %	94,4 %	1 %	676 $	1	8,3/10
621	49 %	51 %	41,2 %	87,2 %	66,2 %	2,8 %	652 $	3	8,2/10
114	39 %	61 %	71,4 %	95,1 %	91,4 %	0 %	700 $	1	8,2/10
114	39 %	61 %	71,4 %	95,1 %	91,4 %	0 %	700 $	1	9/10
114	39 %	61 %	71,4 %	95,1 %	91,4 %	0 %	700 $	1	7,9/10
621	49 %	51 %	41,2 %	87,2 %	66,2 %	2,8 %	652 $	3	7,7/10
149	—	—	92,2 %	93,7 %	94,4 %	1 %	676 $	1	7,8/10
621	49 %	51 %	41,2 %	87,2 %	66,2 %	2,8 %	652 $	3	7,6/10
1 097	40 %	60 %	41,7 %	87,8 %	79,7 %	2 %	632 $	3	7,8/10
42	74 %	26 %	66,7 %	95,7 %	81,8 %	15,4 %	696 $	1	7,5/10

TABLEAU COMPARATIF

LAURÉATS ET MIS EN NOMINATION	EFFECTIF	PERSPEC-TIVES	DEMANDE DANS LES RÉGIONS	FORMATION ET ÉTABLISSEMENTS
UNIVERSITAIRE				
Actuaire (2161)	3 500	F	F : 03, 06, 07, 12, 13, 16	Actuariat (BAC 15234)
★ Comptable (1111)	46 000	F	F : 01, 02, 03, 04, 06, 07, 08, 09-10, 12, 13, 14, 15, 16, 17	Comptabilité et sciences comptables (BAC 15802)
﷽ Conseiller en gestion (1122)	13 000	F	F : 01, 02, 03, 04, 05, 06, 07, 09-10, 11, 12, 13, 14, 15, 16, 17	Administration (BAC 15800)
Directeur des ressources humaines (0112)	10 000	F	F : 01, 02, 03, 04, 06, 07, 12, 13, 14, 15, 16, 17	Relations industrielles (BAC 15816)
☆ ﷽ Directeur du marketing (0611)	30 000	F	F : 01, 02, 03, 04, 06, 08, 09-10, 11, 12, 13, 14, 15, 16, 17	Marketing et relations publiques (BAC 15809)
Directeur des achats (0113)	2 500	F	F : 06, 13, 14, 15, 17	Administration (BAC 15800)
Planificateur financier (1114)	25 000	F	F : 01, 02, 03, 04, 05, 06, 08, 09-10, 11, 12, 13, 14, 15, 16, 17	Administration des affaires, concentration finance (BAC 15804)
Spécialiste des ressources humaines (1121)	16 000	F	F : 01, 02, 03, 04, 06, 07, 08, 09-10, 12, 13, 14, 15, 17	Relations industrielles (BAC 15816)

★ PALME **D'OR**   ☆ LAURÉAT

★ PALME **D'ARGENT**   ▨ ENTREVUE

★ PALME **DE BRONZE**   ﷽ **Academos** CYBERMENTORAT

Nbre DE PERSONNES DIPLÔMÉES	% H	F	% EN EMPLOI	% À TEMPS PLEIN	% LIÉ À LA FORMATION	% CHÔMAGE	SALAIRE MOYEN (HEBDOMADAIRE)	RECHERCHE D'EMPLOI (SEMAINES)	VALEUR CARRIÈRE SEPTEMBRE
162	67%	33%	89,9%	98%	90,6%	2%	1 064$	10	7,7/10
1 236	44%	56%	86,5%	96,7%	92,8%	3,7%	857$	7	8,6/10
2 316	49%	51%	81,8%	96,6%	85,3%	4,4%	881$	9	8,3/10
394	31%	69%	85,2%	99%	82,5%	4,6%	845$	14	8,1/10
406	37%	63%	84,9%	96,6%	72%	5,9%	851$	10	8,5/10
2 316	49%	51%	81,8%	96,6%	85,3%	4,4%	881$	9	7,7/10
—	71%	29%	—	—	—	—	—	—	7,5/10
394	31%	69%	85,2%	99%	82,5%	4,6%	845$	14	8,5/10

AUCÉGEPDEMATANE

FAIS TRIPER TES NEURONES!

NOS PROGRAMMES

» SCIENCES DE LA NATURE
» SCIENCES HUMAINES
» CRÉATION MULTIDISCIPLINAIRE
» GESTION ET EXPLOITATION
  D'ENTREPRISE AGRICOLE
» SOINS INFIRMIERS
» ÉLECTRONIQUE INDUSTRIELLE
» AMÉNAGEMENT ET URBANISME
» COMPTABILITÉ ET GESTION

» INFORMATIQUE
» TOURISME
» PHOTOGRAPHIE
» ANIMATION 3D ET
  SYNTHÈSE D'IMAGES
» INTÉGRATION MULTIMÉDIA
» RÉADAPTATION PHYSIQUE*
*Offert au Centre matapédien
d'études collégiales

WWW.CEGEP-MATANE.QC.CA

ARts
CULTURE ET COMMUNICATIONS

ARTS
CULTURE ET
COMMUNICATIONS

Ce secteur regroupe les activités professionnelles relatives à la vie culturelle et donc, à l'écriture, aux arts graphiques et visuels, à la musique, la danse, le théâtre et le cinéma. Ce secteur comprend également les arts d'expression et les arts appliqués tels que la photographie, la création de décors et de vêtements, la réalisation de produits d'animation 3D, l'illustration et les bandes dessinées. C'est aussi le monde des langues, de l'interprétation, de la traduction, des médias, du journalisme, de l'édition, des relations publiques et de la publicité.

Cette année, les entrevues sont réalisées auprès de quarante travailleurs dont la profession offre de bonnes perspectives, sans toutefois être nécessairement parmi les lauréats ou les palmes. Pourquoi cela? Pour faire connaître des professions qui risqueraient de ne jamais se classer parmi les meilleurs et de demeurer peu connues des jeunes, et ce, bien qu'elles offrent de belles perspectives.

Soulignons également que dans certaines entrevues de même que dans le tableau comparatif à la fin du secteur, le logo ☀ ACADEMOS CYBERMENTORAT indique que des mentors ou des vidéos du métier sont présentés sur le site academos.qc.ca.

Palmarès du secteur

Photo : Alarie Photos

CONSEILLÈRE VENDEUSE EN DÉCORATION INTÉRIEURE

Par Hélène Belzile

PALME D'ARGENT

Conseiller, guider et écouter

De ses souvenirs de jeunesse, Justine Mercier conserve son goût prononcé pour la décoration. C'est pourquoi elle n'a pas hésité à s'inscrire au DEP en décoration intérieure et représentation visuelle au Centre de formation professionnelle Pierre-Dupuy de Longueuil. Aujourd'hui, la jeune femme de 27 ans pratique un métier qui la passionne et évolue dans un milieu très stimulant.

« J'adore mon travail au quotidien, raconte-t-elle spontanément. Il n'y a pas de routine. Je touche à tout et surtout, je rencontre des gens qui ont besoin de mes conseils et à qui je peux faire découvrir les dessous de la décoration. »

Lorsque Justine rencontre les clients qui se présentent chez Décor Parent, à Greenfield Park, elle voit avec eux quels sont leurs besoins et aussi leurs intentions. Elle leur demande de lui fournir des photos de la pièce ou des pièces à redécorer afin de les orienter le mieux possible. « Ce ne sont pas tous les clients qui nous apportent des photos, mais c'est généralement plus facile quand ils le font. »

EFFECTIF	PERSPECTIVES	FORMATION	% H	% F	SALAIRE MOYEN D'INSERTION
162 000	Favorables **RÉGIONS** F : 03, 12, 13, 14, 15, 17	DEP 5327 Décoration intérieure et présentation visuelle	2 %	98 %	Hebdomadaire : 467 $ Annuel : 24 284 $

STATISTIQUES D'INSERTION	2009	2010	2011	% CHÔMAGE*	RECHERCHE D'EMPLOI
Nbre personnes diplômées	272	272	286	7,2 %	3 semaines
% en emploi*	77 %	77,9 %	76,3 %		
% à temps plein	76 %	78,3 %	84,3 %		
% lié à la formation	72,8 %	68,7 %	73,7 %		

* Ces statistiques sont extraites des enquêtes de La Relance du MELS, *plus précisément de la situation au 1er juin 2011.* Les autres statistiques de ce tableau sont extraites de la situation au 31 mars 2011.

Chez Décor Parent, je ne fais pas de plan, mais c'est à peu près tout ce que je ne fais pas. Bien sûr, je suis vendeuse, mais avant de vendre, je conseille les clients sur les changements à apporter dans la coloration des pièces, l'habillage des fenêtres, par exemple. Je leur donne des idées de décoration, mais je dois également faire preuve de délicatesse car leurs goûts ne sont pas nécessairement les miens. »

Aimer le contact avec la clientèle

Dans ce sens, Justine insiste sur le fait qu'il est très important, pour être une bonne conseillère vendeuse en décoration intérieure, d'aimer le service à la clientèle et d'être patiente. Souvent, il est nécessaire d'avoir plusieurs rencontres avec les clients pour leur donner totale satisfaction. « Il faut voir ça comme de l'investissement car un client bien servi reviendra certainement une prochaine fois », dit-elle. D'ailleurs, parmi les plus grands défis que Justine a eu à relever jusqu'à maintenant, il y a les plus gros projets comme la nouvelle décoration d'une maison complète. **« Il arrive effectivement que des gens soient tellement satisfaits qu'après avoir donné un nouveau look à une pièce, ils choisissent de continuer avec le reste de la maison. J'adore ce genre de situation! »**

Lorsqu'elle a débuté sur le marché du travail, en terminant ses études, Justine a compris les raisons de certains apprentissages durant son DEP. « Nous apprenons parfois des trucs qui, sur le moment, nous surprennent et pour lesquels nous ne voyons pas d'utilité. Mais quand on arrive sur le marché du travail, nous nous rendons compte qu'il est important d'avoir de l'imagination et aussi une grande écoute pour comprendre les clients. Ça, c'est la vraie vie! », conclut-elle.

CONSEILS DE PRO

« Pour être efficace en tant que conseiller vendeur en décoration intérieure, il est nécessaire d'être versatile. Cette personne touche à des domaines aussi différents que l'aménagement intérieur et la mise en marché en voyant à la conception de vitrines, par exemple. L'écoute est une qualité primordiale. Il est important de respecter le client et aussi de respecter son budget en lui offrant la meilleure relation qualité-prix. Il faut aussi bien connaître la définition des couleurs car certains et certaines seront appelés à travailler pour des compagnies comme Sico et Benjamin Moore. Être à l'affût des tendances est aussi une grande qualité. Présentement, il y a un gros marché dans le domaine des condominiums autant pour les particuliers que pour les contracteurs qui souhaitent décorer leur condo modèle. Les étudiants bénéficient d'un stage à la mi-formation et un autre à la fin du DEP. Ils apprécient beaucoup de pouvoir avoir un contact avec le marché du travail avant d'y être vraiment. »

Georges Blécourt, directeur adjoint à la formation en décoration intérieure et représentation visuelle à l'École professionnelle de Saint-Hyacinthe

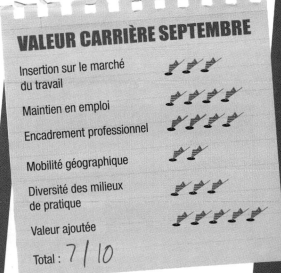

VALEUR CARRIÈRE SEPTEMBRE

Insertion sur le marché du travail	✈✈✈
Maintien en emploi	✈✈✈✈
Encadrement professionnel	✈✈✈✈
Mobilité géographique	✈✈
Diversité des milieux de pratique	✈✈✈
Valeur ajoutée	✈✈✈✈✈

Total : 7 | 10

PROGRAMME

Décoration intérieure et présentation visuelle (DEP 5327) : 17, 43, 106, 111, 145, 206, 229, 243, 258, 260

Photo : Francine Chatigny

ANIMATRICE 3D

Par David Savoie

La création d'un environnement

De l'animation en trois dimensions, elle en mange, au travail comme dans ses loisirs. Caroline Fournier est une virtuose du virtuel, elle crée les environnements, les textures et les personnages pour des jeux vidéo et des logiciels de simulation. Et tout cela, elle le fait à partir de sa maison.

La jeune femme a empoché son diplôme en animation 3D du Cégep de Limoilou il y a moins d'un an et, déjà, elle travaille à temps plein comme pigiste – non pas sur un projet, mais deux à la fois! Ce sont les jeux vidéo qui ont mené la jeune femme à l'animation 3D. Bien sûr, elle aimait dessiner, mais désormais, elle est aussi très disciplinée pour faire son travail. Surtout, elle est passionnée, et ça se sent.

Plutôt que d'aller cogner à la porte de grosses compagnies, elle a choisi de commencer comme pigiste. La semaine, elle façonne l'environnement et les bâtiments d'une ville virtuelle, recrée pour les besoins d'un logiciel de simulation de conduite avec la compagnie Sima-Leader. Pour être conforme à la réalité, un bâtiment peut nécessiter trois jours de travail – un pour la création, deux pour les couleurs.

EFFECTIF	PERSPECTIVES	FORMATION	**%**		SALAIRE MOYEN D'INSERTION
			H	**F**	
12 000	Acceptables **RÉGIONS** F : 01, 02, 03, 05, 11, 12, 13, 14, 15, 17	DEC 574.B0 Techniques d'animation 3D et synthèse d'images	64 %	36 %	Hebdomadaire : 567 $ Annuel : 29 484 $

STATISTIQUES D'INSERTION	2008	2009	2010	**% CHÔMAGE***	RECHERCHE D'EMPLOI
Nbre personnes diplômées	24	23	94	6,4 %	14 semaines
% en emploi*	73,7 %	77,8 %	60,3 %		
% à temps plein	92,9 %	100 %	88,9 %		
% lié à la formation	76,9 %	75 %	52,5 %		

* Ces statistiques sont extraites des enquêtes de La Relance du MELS, plus précisément de la situation au 1er juin 2011. Les autres statistiques de ce tableau sont extraites de la situation au 31 mars 2011.

Travail d'artiste, oui, mais surtout de technique, explique Caroline Fournier. Créer tout un environnement peut demander plusieurs semaines de travail! **« C'est le même principe qu'une sculpture en argile. Entre ce qu'on imagine et ce qu'on crée, il y a des différences, mais si on est motivé, ça fonctionne et on parvient à ce qu'on veut. »**

Et la fin de semaine, Caroline met la main à la pâte pour un jeu d'aventure et de puzzle, produit par la compagnie Iota Studio à Québec.

Au quotidien, la conceptrice peut passer 10 heures et plus devant son écran à modeler un monde virtuel, et beaucoup de ce travail se fait par essai et erreur. « Plus on en fait, plus on devient bon », dit Caroline Fournier.

Pigiste

Chercher un emploi dans les grandes compagnies peut être laborieux : la plupart demandent de trois à cinq ans d'expérience. « Si on ne cherche pas au bon endroit, c'est très démoralisant », note la jeune professionnelle du dessin.

Elle a plutôt trouvé son bonheur dans les petites compagnies. Être pigiste est une « super façon » d'acquérir de l'expérience, dit Caroline Fournier. Bien entendu, le statut de pigiste a des désagréments – pas de collègues de travail, peu de vue d'ensemble du projet, distractions – mais elle dit adorer pouvoir travailler sur des projets et les mener à terme. « Tu as vraiment l'impression de voir toutes les étapes de la construction. Quand les gens vont voir le résultat, c'est tout l'environnement que tu as créé, ça rend fière! »

Son expérience lui permettra peut-être un jour de travailler sur les jeux vidéo qu'elle aime – mais pour l'instant, elle dit adorer son travail avec des compagnies en plein essor.

REMARQUE

Plusieurs combinaisons d'études et d'expériences peuvent être prises en considération pour l'obtention d'un poste d'animateur 3D. Le portfolio du candidat ainsi que son talent et ses aptitudes sont pris en compte par les employeurs.

PROGRAMMES

Techniques d'animation 3D et de synthèse d'images (DEC 574.B0) : 9, 51, 54, 57, 121, 124, 130, 131

Animation 3D orientée jeu (AEC) : 117

CONSEILS DE PRO

« Le programme est très contingenté : sur 200 demandes, nous acceptons 25 étudiants. Il faut présenter un bon portefolio et il y a un test de dessin. Nous sélectionnons les gens qui ont la bonne attitude pour réussir, parce que la formation, d'une durée de trois ans, est très exigeante. Cela demande une implication sérieuse de la part des étudiants. Il est difficile d'enseigner toute la matière en seulement trois ans, et c'est donc tout aussi difficile de la suivre. Comme la plupart de nos enseignants travaillent également dans le domaine, plusieurs étudiants se font recruter dès qu'ils terminent leurs cours. La demande est très grande dans le domaine. Les finissants débutent comme animateur junior dans une équipe, ce qui leur permet de s'acclimater. »

Don Mahon, directeur du programme d'animation 3D au Collège Dawson de Montréal

VALEUR CARRIÈRE SEPTEMBRE

Insertion sur le marché du travail	✔✔✔
Maintien en emploi	✔✔✔
Encadrement professionnel	✔✔✔✔
Mobilité géographique	✔✔✔
Diversité des milieux de pratique	✔✔✔✔
Valeur ajoutée	✔✔✔✔✔

Total : 7,2 / 10

DESIGNER GRAPHIQUE

Par Louise Potvin

Faiseur d'image

Tout jeune, il visitait souvent l'atelier de son oncle. Il le revoit encore, penché sur sa table à dessin, à manipuler avec la dextérité que cela demande crayons, brunissoir et couteau «Exacto». Cette fascination a conduit Philippe Lamarre, fondateur de TOXA et grand manitou de la revue Urbania, à devenir à son tour designer graphique.

«Image de marque pour une entreprise, générique pour une série télévisée, site Web, emballage, jeu vidéo, animation graphique… le design graphique est partout! », décrit Philippe Lamarre.

Ce trentenaire dynamique et passionné sait de quoi il parle, lui qui a fondé, en 2000, la boîte TOXA et a poussé l'aventure un cran plus loin avec la revue Urbania où il collabore aussi aux textes.

Parmi les réalisations signées Philippe Lamarre notons le site web d'Unibroue, celui soulignant les 75 ans de Radio-Canada et le générique d'ouverture de la série télé *Tout sur moi*, entre autres choses.

EFFECTIF	PERSPECTIVES	FORMATION	% H	F	SALAIRE MOYEN D'INSERTION
12 000	Acceptables **RÉGIONS** F: 01, 02, 03, 05, 11, 12, 13, 14, 15, 17	BAC 15971 Design graphique	34 %	66 %	Hebdomadaire : 666 $ Annuel : 34 632 $

STATISTIQUES D'INSERTION	2007	2009	2011	% CHÔMAGE	RECHERCHE D'EMPLOI
N^bre personnes diplômées	181	195	227	6,7 %	9 semaines
% en emploi	79,4 %	73,9 %	69,4 %		
% à temps plein	89 %	85,9 %	81,1 %		
% lié à la formation	83,1 %	85,9 %	77,8 %		

Philippe Lamarre a décroché son baccalauréat en design graphique de l'Université du Québec à Montréal en 2000 après avoir aussi étudié à Vancouver en communication visuelle et à l'Université du Connecticut pour un échange étudiant en design graphique.

Il a par la suite cumulé les succès : récipiendaire de la *Bourse Phyllis Lambert* en 2008 et « *Producer of the years*» aux Canadian New Media Awards deux ans plus tard. Pour couronner le tout, il est maintenant président de la Société des designers graphiques du Québec

Fonctionnalité, élégance et clarté

Ce qui l'anime dans ce métier? « Je trouve gratifiant de me promener dans les rues et de tomber sur une affiche publicitaire sur laquelle j'ai travaillé. »

Ou encore, réussir à mettre en image ce que les gens ont en tête. « Un entrepreneur qui nous demande de trouver un logo, l'image de marque de son entreprise naissante alors qu'il n'a qu'une idée à nous transmettre : c'est gratifiant de voir sa réaction quand on lui montre le résultat concret. »

Et Philippe Lamarre est du genre clé en main. « J'aime proposer une solution et non pas 50 possibilités. Après tout, c'est moi le spécialiste! Par la suite, on peaufine le tout, avec le client, pour que ça corresponde vraiment à ses attentes. »

Le principal défi de sa profession? « On doit s'assurer que le message qu'on nous demande de passer est clair », tranche Philippe.

Normal qu'un site Web où on ne s'y retrouve pas l'horripile au plus haut point. « Je me dis alors que le designer graphique n'a pas fait son travail correctement. C'est la même chose avec le web ou le jeu vidéo : ce sont des univers où le langage visuel est hyper important et demande d'allier fonctionnalité, élégance et clarté.

PROGRAMME

Design graphique (BAC 15971) : 29, 59, 138, 140, 155, 163

CONSEILS DE PRO

« *Le programme de design graphique forme des concepteurs, spécialistes en communication visuelle. Leur champ d'action : graphisme, typographie, illustration, publicité et multimédia. Le défi, pour les établissements d'enseignement, constitue à prodiguer une formation adaptée aux multiples facettes de ce métier qui doit répondre aux besoins d'une industrie en constante évolution. À l'origine, le travail du graphiste se limitait à l'impression graphique. Les avancées technologiques l'amène maintenant à travailler en design web, en création publicitaire, en jeu vidéo, notamment. C'est pourquoi la formation doit stimuler la création, l'innovation chez nos étudiants pour leur permettre d'aller au-delà du simple support technique. À l'UQAM, nous avons un cours dédié à ce volet. C'est l'art de faire plus avec moins, que ce soit pour répondre à des raisons écologiques, économiques ou fonctionnelles. »*

Sylvain Allard, directeur du programme de design graphique de l'Université du Québec à Montréal

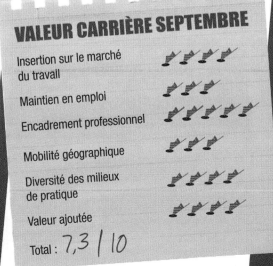

VALEUR CARRIÈRE SEPTEMBRE

Insertion sur le marché du travail

Maintien en emploi

Encadrement professionnel

Mobilité géographique

Diversité des milieux de pratique

Valeur ajoutée

Total : 7,3 / 10

ENSEIGNANTE EN ARTS PLASTIQUES

Par Martine Frégeau

Transmettre sa passion

Rien n'arrête Alison Hamier. « J'ai toujours eu un intérêt marqué pour les arts visuels, relate l'enseignante en arts plastiques. Déjà, au collège, j'expliquais les différentes techniques aux autres étudiants. Ça me fascinait! » Bardée d'un double DEC, elle obtient un Baccalauréat en enseignement des arts, puis un deuxième BAC. « J'étais blindée pour foncer! »

À preuve, l'un de ses nombreux projets a retenu l'attention de la direction du jardin botanique de Montréal. « Une courte pointe réalisée par mes élèves de 2e et de 3e cycles des deux écoles où j'enseigne a été exposée tout l'été dernier à la Maison de l'Arbre. J'ai initié cette création dans le cadre de l'Année internationale de la Forêt, en 2011. J'ai demandé aux élèves de se représenter à travers un arbre qu'ils ont dessiné. Le résultat : Ensemble, nous sommes une forêt », image-t-elle. D'année en année, elle tente de concilier un projet d'arts avec le thème de l'Année internationale en cours.

EFFECTIF	PERSPECTIVES	FORMATION		%		SALAIRE MOYEN D'INSERTION
			H		F	
45 000	Favorables **RÉGIONS** F : 07, 08, 13, 14, 15, 17	BAC 15705 Enseignement des arts plastiques	37 %		63 %	Hebdomadaire : 815 $ Annuel : 42 380 $

STATISTIQUES D'INSERTION	2007	2009	2011	% CHÔMAGE	RECHERCHE D'EMPLOI
Nbre personnes diplômées	695	648	742	1,9 %	5 semaines
% en emploi	90,5 %	89,9 %	87,6 %		
% à temps plein	79,8 %	73,4 %	64,7 %		
% lié à la formation	92,8 %	91,4 %	94,6 %		

Un travail exigeant

Cette passionnée partage son temps entre deux établissements de la Commission scolaire de Montréal (CSDM), Au-pied-de-la-montagne, une école dite régulière, et Arc-en-ciel, une école alternative, où elle a obtenu sa permanence, il y a quatre ans. «Auparavant, il m'a fallu me promener d'une école à une autre. C'est une réalité des enseignants en arts», souligne-t-elle. Josette a été embauchée notamment à l'école Face, qui accueille des élèves de la prématernelle à la cinquième secondaire. Cette école de la CSDM abrite également des élèves de la Commission scolaire anglaise English Montreal School Board. L'enseignante s'est replongée dans deux réalités qu'elle connaît bien : Œuvrer auprès d'une clientèle pluriculturelle et au sein du programme beaux-arts, pour son plus grand bonheur. «Je suis une ancienne élève de Face. J'y ai même fait mon stage en secondaire!», confie-t-elle.

«Être enseignant en arts plastiques, c'est très exigeant. On peut travailler avec une vingtaine de groupes et chacun d'entre eux représente en moyenne 26 élèves, explique-t-elle. Par exemple, au primaire, il faut posséder des connaissances de la dextérité et de l'âge graphique de l'enfant pour adapter l'enseignement.»

«Les arts plastiques, ce n'est pas du bricolage! Il faut savoir transmettre sa passion. Je donne le droit aux enfants d'aimer ou de ne pas aimer. Mais ils n'ont pas le droit de ne pas essayer! Je trouve également très important de pouvoir afficher les travaux et de les exposer au plus grand nombre de personnes, ajoute-t-elle. **Ma tape dans le dos, c'est quand les enfants sont heureux, qu'ils ont des éclairs dans les yeux! Quand ils réalisent une œuvre et qu'ils repartent à la maison avec elle, ils repartent avec du concret.»**

CONSEILS DE PRO

«L'étudiant doit être déjà intéressé par une pratique artistique et avoir vécu l'expérience artistique pour être admis au Baccalauréat. Il est admis à la lumière de son portfolio et de son DEC. Il doit également réussir le test de français écrit pour débuter son troisième stage au cours de la troisième année. D'ailleurs, l'étudiant a la possibilité d'effectuer ce troisième stage en participant à un échange avec l'Université de Provence. En quatrième année, un long stage en cours d'emploi peut être envisagé. Les étudiants sont formés pour enseigner au primaire et au secondaire. L'étudiant doit démontrer une très grande ouverture aux différentes clientèles. Il sera appelé à travailler autant avec des tout jeunes qu'avec les plus vieux ainsi qu'avec des élèves vivant des difficultés. La dimension la plus difficile de l'enseignement est la gestion de classe. Ça se développe sur le terrain.»

Laurence Sylvestre, directrice adjointe aux programmes de 1er cycle, École des arts visuels et médiatiques (ÈAUM), responsable du Baccalauréat en arts visuels et médiatiques, profil enseignement à l'Université du Québec à Montréal

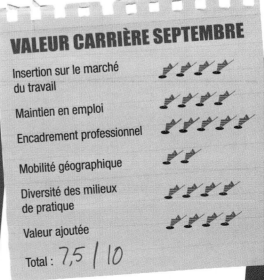

VALEUR CARRIÈRE SEPTEMBRE

Insertion sur le marché du travail	✔✔✔✔
Maintien en emploi	✔✔✔✔
Encadrement professionnel	✔✔✔✔✔
Mobilité géographique	✔✔
Diversité des milieux de pratique	✔✔✔✔
Valeur ajoutée	✔✔✔✔

Total : 7,5 / 10

TABLEAU COMPARATIF

LAURÉATS ET MIS EN NOMINATION	EFFECTIF	PERSPEC-TIVES	DEMANDE DANS LES RÉGIONS	FORMATION ET ÉTABLISSEMENTS
SECONDAIRE				
Conseiller-vendeur en décoration intérieure (6421)	162 000	F	F: 03, 12, 13, 14, 15, 17	Décoration intérieure et présentation visuelle (DEP 5327)
COLLÉGIAL				
Animateur 3D (5241)	12 000	A	F: 01, 02, 03, 05, 11, 12, 13, 14, 15, 17	Techniques d'animation 3D et de synthèse d'images (DEC 574.B0)
Graphiste (5241)	12 000	A	F: 01, 02, 03, 05, 11, 12, 13, 14, 15, 17	Graphisme (DEC 570.A0)
Intégrateur multimédia (2174)	30 000	F	F: 02, 03, 04, 06, 07, 12, 13, 14, 15, 16, 17	Techniques d'intégration multimédia (DEC 582.A1)
UNIVERSITAIRE				
Agent d'information (5124)	13 000	F	F: 03, 05, 07, 09-10, 11, 12, 13, 14, 15, 16, 17	Communication (BAC 15410)
Concepteur de logiciels en imagerie et médias numériques (2174)	30 000	F	F: 02, 03, 04, 06, 07, 12, 13, 14, 15, 16, 17	Sciences de l'image et médias numériques (BAC 15340)
Designer graphique (5241)	12 000	A	F: 01, 02, 03, 05, 11, 12, 13, 14, 15, 17	Design graphique (BAC 15971)
Enseignant en arts plastiques (4141)	45 000	F	F: 07, 08, 13, 14, 15, 17	Enseignement des arts plastiques (BAC 15705)
Programmeur (multimédia et jeux vidéo) (2174)	30 000	F	F: 02, 03, 04, 06, 07, 12, 13, 14, 15, 16, 17	Sciences de l'image et médias numériques (BAC 15340)
Traducteur (5125)	11 000	F	F: 03, 05, 06, 07, 08, 09-10, 12, 13, 14, 15, 16, 17	Traduction (BAC 15571)

⭐ PALME **D'OR**
⭐ PALME **D'ARGENT**
⭐ PALME **DE BRONZE**

☆ LAURÉAT
▪ ENTREVUE
@ **Academos** CYBERMENTORAT

Nbre DE PERSONNES DIPLÔMÉES	%		% EN EMPLOI	% À TEMPS PLEIN	% LIÉ À LA FORMATION	% CHÔMAGE	SALAIRE MOYEN (HEBDOMADAIRE)	RECHERCHE D'EMPLOI (SEMAINES)	VALEUR CARRIÈRE SEPTEMBRE
	H	F							
286	2%	98%	76,3%	84,3%	73,7%	7,2%	467$	3	7/10
94	64%	36%	60,3%	88,9%	52,5%	6,4%	567$	14	7,4/10
272	30%	70%	50,5%	83,6%	73,9%	7%	535$	6	7,5/10
195	78%	22%	67,1%	91,3%	97,6%	1%	619$	3	7,8/10
808	28%	72%	71,9%	91,8%	74,5%	9,4%	769$	11	7,9/10
552	91%	9%	86,8%	97%	92,9%	2,3%	937$	7	8/10
227	34%	66%	69,4%	81,1%	77,8%	6,7%	666$	9	7,5/10
742	37%	63%	87,6%	64,7%	94,6%	1,9%	815$	5	7,5/10
552	91%	9%	86,8%	97%	92,9%	2,3%	937$	7	8,2/10
261	27%	73%	88,5%	87%	77,1%	1,8%	852$	10	8,4/10

EDUCATION
ET SOCIÉTÉ

ÉDUCATION
ET SOCIÉTÉ

Ce secteur regroupe les activités professionnelles relatives à l'organisation de la vie en société dont les services éducatifs, les services sociaux et les services juridiques. Les professions touchant la relation d'aide ou d'accompagnement professionnel auprès de personnes aux prises avec des difficultés d'ordre psychologique, affectif ou social y sont aussi regroupées. Ce secteur comprend également tout ce qui concerne l'enseignement et la sensibilisation aux causes sociales et humanitaires. Les professions se rapportant au maintien de l'ordre public et au respect des droits et des lois s'y retrouvent aussi : intervenants en droit, en criminologie, en techniques policières et juridiques et en intervention en sécurité incendie.

Cette année, les entrevues sont réalisées auprès de quarante travailleurs dont la profession offre de bonnes perspectives, sans toutefois être nécessairement parmi les lauréats ou les palmes. Pourquoi cela? Pour faire connaître des professions qui risqueraient de ne jamais se classer parmi les meilleurs et de demeurer peu connues des jeunes, et ce, bien qu'elles offrent de belles perspectives.

Soulignons également que dans certaines entrevues de même que dans le tableau comparatif à la fin du secteur, le logo ☼ ACADEMOS CYBERMENTORAT indique que des mentors ou des vidéos du métier sont présentés sur le site academos.qc.ca.

Palmarès du secteur

POMPIER

Par Hélène Belzile

Comme des sauveurs!

« J'ai eu un parcours très difficile à l'école, lorsque j'étais jeune. Je n'aimais pas l'école et j'ai même doublé des cours. Mais quand j'ai découvert ce qui m'allumait et que j'ai choisi de devenir pompier, j'ai commencé à avoir des notes incroyablement bonnes. Il est évident que lorsqu'on étudie et qu'ensuite, on travaille dans un domaine qui nous passionne, les performances suivent automatiquement. »

Après avoir suivi un parcours qui l'a mené jusqu'en Ontario, depuis août 2009, Sylvain Beauvais est pompier aéroportuaire à la caserne Montréal-Trudeau. Le jeune homme de 35 ans est diplômé de l'Académie des pompiers des Forces canadiennes et possède l'équivalent du DEP au Québec en plus de posséder une spécialisation en tant que pompier aéroportuaire. « Je peux servir d'exemple pour donner espoir aux jeunes, reprend-t-il. Quand on n'aime pas l'école, on a l'impression qu'on sera un « looser » toute notre vie. Mais ce n'est pas vrai! On peut très bien réussir une carrière, gagner un bon salaire et être heureux. Il suffit de trouver ce qui nous passionne. Et le métier de pompier est passionnant tout en offrant de très bonnes conditions de travail. »

EFFECTIF	PERSPECTIVES	FORMATION	H	%	F	SALAIRE MOYEN D'INSERTION
5 000	*Favorables* **RÉGIONS** *F : 06, 07, 13, 15, 17*	*DEP 5322 Intervention en sécurité incendie*	*99 %*		*1 %*	*Hebdomadaire : 734 $* *Annuel : 38 168 $*

STATISTIQUES D'INSERTION	2009	2010	2011	% CHÔMAGE *	RECHERCHE D'EMPLOI
N^{bre} personnes diplômées	*534*	*539*	*484*	*4,1 %*	*3 semaines*
% en emploi*	*37,2 %*	*33,4 %*	*28,8 %*		
% à temps plein	*83,5 %*	*78 %*	*75,5 %*		
% lié à la formation	*36 %*	*23,1 %*	*22,5 %*		

* Ces statistiques sont extraites des enquêtes de La Relance du MELS, plus précisément de la situation au 1er juin 2011.
Les autres statistiques de ce tableau sont extraites de la situation au 31 mars 2011.

Photo : Alarie Photos

Sylvain est d'autant plus convaincant que non seulement il a bien réussi ses études, mais le travail de pompier demande d'être en continuelle formation alors que, deux fois par année, des examens mènent à un renouvellement de certification obligatoire.

Le plus beau métier du monde

Dans son travail au quotidien, Sylvain Beauvais fait autant de prévention que d'intervention, et ce, que ce soit sur le plan médical ou dans le domaine de matières dangereuses, par exemple. Bien sûr, il est appelé à intervenir en cas d'incendie, mais, dans le contexte d'un travail dans un aéroport, les incendies font partie de l'ensemble des interventions. Son horaire de travail équivaut à 42 heures par semaine alors qu'il est en fonction sept jours et sept nuits sur 28. L'horaire de jour est de 10 heures, consacrées à la prévention et l'inspection, alors que l'horaire de nuit est de 14 heures, consacrées à la formation et à l'inspection.

« Je pratique le plus beau métier du monde, ajoute Sylvain Beauvais. C'est incroyable de sentir l'adrénaline en nous quand l'alarme sonne. **C'est très valorisant de voir comment les gens nous perçoivent et d'être accueillis comme des sauveurs.** Ce n'est pas déplaisant du tout! Toutefois, la peur fait aussi partie du travail. Il faut simplement apprendre à gérer nos émotions pour bien intervenir et prendre les bonnes décisions en état d'urgence. »

REMARQUE

Depuis 2004, une nouvelle réglementation gouvernementale est en vigueur. Selon cette réglementation, la formation minimale exigée pour accéder à la profession de pompier dépend de la taille de la municipalité d'embauche : pour les municipalités de moins de 25 000 habitants, il faut réussir une formation de 275 heures (Pompier I) offerte par l'École nationale des pompiers. Cette formation peut être suivie en cours d'emploi et permet, en général, d'accéder à des postes de pompiers volontaires, c'est-à-dire des postes à temps partiel; pour les municipalités de 25 000 à 200 000 habitants, on exige en plus une autre formation à 120 heures (Pompier II) offerte par l'École nationale des pompiers. Cette formation aussi peut être suivie en cours d'emploi et mène généralement à des postes à temps partiel; pour les municipalités de plus de 200 000 habitants, un diplôme d'études professionnelles (DEP) en Intervention en sécurité incendie est exigé. Certaines grandes municipalités peuvent également exiger une formation de niveau collégial dans le domaine.

PROGRAMME

Intervention en sécurité incendie (DEP 5322) : 36, 48, 212, 225

VALEUR CARRIÈRE SEPTEMBRE

Insertion sur le marché du travail	🚩🚩🚩
Maintien en emploi	🚩🚩🚩🚩
Encadrement professionnel	🚩🚩🚩🚩🚩
Mobilité géographique	🚩🚩
Diversité des milieux de pratique	🚩🚩
Valeur ajoutée	🚩🚩🚩

Total : 6,3 / 10

POLICIÈRE

Photo : Alarie Photos

Par Pierre Vallée

Au service de la communauté

Arrêter les personnes qui contreviennent aux lois et agir comme gardien de la paix sont les deux principales fonctions d'un policier. Mais le métier de policier est plus varié qu'il n'y paraît, comme en témoigne la carrière de Geneviève Gonthier, policière au Service de police de la ville de Montréal (SPVM).

Étudiante au cégep, Geneviève Gonthier se destinait d'abord aux sciences naturelles. « J'ai toujours été impressionnée par le travail des policiers, mais je pensais que ce n'était pas possible pour moi. » Mais le fait de se trouver au mauvais endroit au mauvais moment l'a fait changer d'idée. « J'ai été témoin d'une agression qui a nécessité une intervention policière. En regardant agir les policiers, j'ai compris sur le champ que c'était pour moi. Je me suis reconnue dans leur travail. Le lendemain, je me suis inscrite en techniques policières. »

Une fois son diplôme d'études collégiales en poche, elle poursuit sa formation à l'École nationale de police du Québec, une étape obligatoire pour quiconque veut devenir policier. À sa sortie, elle est embauchée comme agent patrouilleur à la SPVM dans le quartier de Pointe-aux-Trembles.

EFFECTIF	PERSPECTIVES	FORMATION	% H	% F	SALAIRE MOYEN D'INSERTION
17 000	Favorables **RÉGIONS** F : 01, 05, 06, 07, 09-10, 11, 12, 13, 14, 15, 16, 17	DEC 310.A0 Techniques policières	69 %	31 %	Hebdomadaire : 662 $ Annuel : 34 424 $

STATISTIQUES D'INSERTION	2008	2009	2010	% CHÔMAGE*	RECHERCHE D'EMPLOI
N^{bre} personnes diplômées	769	786	770	2,4 %	2 semaines
% en emploi*	49,2 %	48,8 %	50 %		
% à temps plein	81,4 %	87,6 %	79,9 %		
% lié à la formation	49,3 %	48,3 %	43,9 %		

* Ces statistiques sont extraites des enquêtes de La Relance du MELS, plus précisément de la situation au 1er juin 2011.
Les autres statistiques de ce tableau sont extraites de la situation au 31 mars 2011.

Si l'on sait à quelle heure le quart de travail débute, l'on ne sait pas toutefois quand il se terminera. « Par exemple, si on reçoit un appel d'urgence où il y a un danger pour la vie, on répondra évidemment à cet appel même si on est à la fin de son quart de travail. Et on demeurera au travail tant que le dossier n'est pas complété. »

Elle est ensuite mutée à un centre de détention. « C'était très varié. On devait s'occuper des dossiers des détenus, répondre à leurs besoins, assurer leur transport par fourgon. J'étais aussi technicienne à l'ivressomètre. »

Agente sociocommunautaire

Aujourd'hui, Geneviève Gonthler est agente sociocommunautaire au Poste de quartier 21, situé au centre-ville. Sa fonction est double : elle agit comme agent de liaison entre la SPVM et les institutions et organismes du secteur et elle est affectée à la résolution de certains problèmes spécifiques. « Au centre-ville, on a connu une augmentation des vols dans les véhicules. Après avoir étudié le problème, j'ai proposé une série de mesures pour le contrer, comme la mise en place d'une patrouille de policiers en civil et celle d'un constat de courtoisie, glissé sur le pare-brise des voitures comme un constat d'infraction, qui signalait, par exemple, que le propriétaire avait laissé son ordinateur portable bien en vue. »

Sa plus grande satisfaction : savoir qu'elle est utile. « Je travaille présentement au protocole entre le CHUM et la SPVM et je sais que ce travail va faciliter la vie à de nombreuses personnes. Et recevoir une lettre de remerciement d'une victime qui nous confirme que l'on a fait une différence dans sa vie, ça, ça n'a pas de prix. »

CONSEILS DE PRO

« La formation en techniques policières est fortement contingentée de sorte à ne pas former plus de candidats que ne peut en accepter l'École nationale de police. Le dossier scolaire est très important, les candidats acceptés ont une moyenne de 80 % et plus au secondaire. C'est une formation exigeante et le candidat doit avoir une bonne capacité d'apprendre, d'où l'importance accordée au dossier scolaire. Il faut évidemment être en bonne condition physique. Au début, la formation est plus théorique et plus l'on avance, plus elle devient pratique et se donne alors dans des laboratoires ou des salles de simulation. Certains exercices ont lieu à l'extérieur, tels les cours de conduite automobile. Le respect des personnes, le sens du devoir et de la justice tout comme le goût de demeurer en bonne condition physique sont essentiels à la réussite de cette formation. »

Denis Roussel, coordonnateur du département des techniques policières au Collège Maisonneuve à Montréal

VALEUR CARRIÈRE SEPTEMBRE

Insertion sur le marché du travail

Maintien en emploi

Encadrement professionnel

Mobilité géographique

Diversité des milieux de pratique

Valeur ajoutée

Total : 6,9 / 10

TECHNICIENNE EN TRAVAIL SOCIAL

Par Aurore Lehmann

Lutter contre les injustices

En première ligne sur le terrain de la misère sociale, affective ou mentale, le technicien en travail social doit trouver le bon milieu pour exercer un métier qui requiert à la fois empathie, rigueur et souplesse d'esprit. Pour Katheuryne Grefford, qui travaille à l'hôpital Louis Hyppolite Lafontaine, c'est presque un sacerdoce.

« J'ai choisi de travailler dans le secteur de la santé mentale en partie pour relever un défi. Il me semble que c'est un domaine qui souffre encore beaucoup de l'incompréhension, du jugement extérieur et qui fait peur aux gens. Dans ce contexte, j'ai le sentiment d'aider à déconstruire les préjugés, ce qui est à la fois particulier à ce domaine d'intervention mais aussi relié je crois à l'essence de notre tâche. »

Katheuryne Grefford n'a pas choisi la profession de technicienne en travail social par hasard. « J'avais fait deux ans de Cécep avant, la première année en langues, culture et traduction, parce qu'il faut je crois toujours aller au-delà de ce qu'on voit. La deuxième en arts et lettres, parce que je cherchais

EFFECTIF	PERSPECTIVES	FORMATION	% H	F	SALAIRE MOYEN D'INSERTION
21 000	Acceptables **RÉGIONS** F : 02, 03, 08, 09-10, 12, 15	DEC 388.A0 Techniques de travail social	12 %	88 %	Hebdomadaire : 609 $ Annuel : 31 668 $

STATISTIQUES D'INSERTION	2008	2009	2010	% CHÔMAGE*	RECHERCHE D'EMPLOI
Nbre personnes diplômées	472	459	513	5,1 %	4 semaines
% en emploi*	62,5 %	67,4 %	63,9 %		
% à temps plein	82,5 %	84,3 %	83,9 %		
% lié à la formation	83,3 %	85,5 %	83,3 %		

* Ces statistiques sont extraites des enquêtes de La Relance du MELS, *plus précisément de la situation au 1er juin 2011. Les autres statistiques de ce tableau sont extraites de la situation au 31 mars 2011.*

Photo : Alarie Photos

un moyen d'être plus impliquée pour changer les choses, en tant que professeur ou journaliste par exemple. »

C'est finalement lors d'un cours en écriture au cours duquel est abordée la question des droits des autochtones que Katheuryne a le déclic. « J'avais envie depuis toujours de participer à rétablir la justice sociale. Il me fallait donc travailler dans le social, de manière directe. J'ai alors fait un DEC de technique en travail social au Cégep du Vieux-Montréal. »

Travailler en interdisciplinarité

Après un premier stage en centre de femmes, elle est embauchée par l'hôpital Louis Hyppolite Lafontaine qui ouvre un poste dans le département des troubles psychotiques prolongés. C'est l'occasion pour elle de pouvoir agir concrètement. « C'est vrai qu'il est nécessaire de bien savoir écouter les personnes que nous avons en face de nous. Mais ce métier, c'est bien plus que cela. **Il faut aider les gens à mettre en place une structure qui leur permettra d'atteindre des objectifs précis. Ça demande de bonnes qualités organisationnelles.** »

Centrale, la fonction du technicien en travail social l'amène à travailler souvent en interdisciplinarité avec d'autres professionnels comme les éducateurs spécialisés, des psychiatres ou encore des ergothérapeutes par exemple. « C'est très enrichissant, mais il faut aussi savoir parfaitement établir les limites de son intervention et faire appel, lorsqu'il y a par exemple une situation litigieuse, au travailleur social. »

Bientôt assujettie à la loi 21 qui entre en vigueur en 2012, la tâche des techniciens en travail social sera d'ailleurs limitée. « Une grande part de notre pratique sera réservée aux travailleurs sociaux, raison pour laquelle je compte compléter un BAC », précise Katheuryne.

CONSEILS DE PRO

« Le métier de technicien en travail social implique évidemment de grandes qualités de communication, mais aussi une bonne capacité d'introspection. On peut se retrouver face à des réalités très diverses : enfants aux prises avec des parents toxicomanes, situations de grande pauvreté, problèmes de santé mentale. C'est pourquoi les stages sont très importants et constituent une part importante de la formation puisqu'ils permettent de se frotter à cette réalité. Nos élèves vont travailler aussi bien pour des centres de femmes que pour des maisons de la famille, des maisons d'hébergement pour jeunes en difficulté. Autant dire que l'empathie, la curiosité, l'ouverture d'esprit et les qualités organisationnelles sont primordiales pour embrasser cette profession qui offre de très bonnes perspectives d'embauche : la demande, très grande actuellement, va encore augmenter avec les prochains départs massifs à la retraite. »

Jacinthe Desrochers, coordinatrice du département en technique de travail social au Cégep du Vieux-Montréal

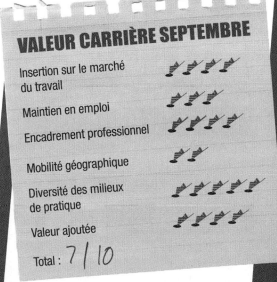

VALEUR CARRIÈRE SEPTEMBRE

Insertion sur le marché du travail	✒✒✒✒
Maintien en emploi	✒✒✒
Encadrement professionnel	✒✒✒✒
Mobilité géographique	✒✒
Diversité des milieux de pratique	✒✒✒✒✒
Valeur ajoutée	✒✒✒✒

Total : 7 / 10

PROGRAMME

Techniques de travail social (DEC 388.A0) : 10, 26, 49, 63, 82, 121, 122, 130, 160, 187, 201, 224, 238, 266

TECHNICIENNE JURIDIQUE

Par Nathalie Vallerand

Préparer les documents juridiques

« Je me considère comme un maillon important de la chaîne, car les avocats me disent souvent combien mon aide leur est précieuse », apprécie Tricia Lees. La jeune technicienne juridique se spécialise dans le droit des affaires. Elle prépare les documents juridiques nécessaires lorsqu'une entreprise s'incorpore, fait une acquisition, conclut un partenariat ou effectue tout autre transaction.

Tricia Lees rêvait de faire carrière dans le domaine du droit, mais sans nécessairement être avocate. Son vœu a été exaucé puisqu'elle travaille depuis six ans chez Stikeman Elliott, un important cabinet d'avocats de Montréal. « C'est là où j'ai fait mon stage après mes études en techniques juridiques au Collège O'Sullivan. J'ai tout de suite adoré le droit des affaires. Faire des recherches sur les entreprises, connaître leur histoire, leur évolution, c'est fascinant! Et je suis toujours fière quand les médias parlent des transactions sur lesquelles j'ai travaillé. »

Chez Stikeman Elliott, Tricia porte le titre de parajuriste, une autre façon de désigner son métier. Elle s'occupe de la documentation juridique de 150 entreprises. « Mon rôle consiste à faciliter la vie

EFFECTIF	PERSPECTIVES	FORMATION	% H	% F	SALAIRE MOYEN D'INSERTION
6 000	Favorables **RÉGIONS** F : 03, 05, 06, 07, 12, 13, 14, 15	DEC 310.C0 Techniques juridiques	12 %	88 %	Hebdomadaire : 650 $ Annuel : 33 800 $

STATISTIQUES D'INSERTION	2009	2010	2011	% CHÔMAGE*	RECHERCHE D'EMPLOI
N^{bre} personnes diplômées	239	245	285	3,4 %	1 semaine
% en emploi*	71,1 %	61,8 %	60,2 %		
% à temps plein	96,4 %	94 %	95,5 %		
% lié à la formation	78,3 %	83 %	78,5 %		

* Ces statistiques sont extraites des enquêtes de La Relance du MELS, *plus précisément de la situation au 1er juin 2011.*
Les autres statistiques de ce tableau sont extraites de la situation au 31 mars 2011.

des avocats », résume-t-elle. Quand un avocat décroche un mandat, un contrat de financement par exemple, il fait appel à Tricia pour qu'elle prépare tous les documents dont il a besoin. Celle-ci fouille dans les banques de données pour trouver des renseignements sur l'historique de l'entreprise, des exemples de transactions similaires, les articles de loi pertinents au dossier, etc. Puis, elle rédige les documents et les vérifie deux fois plutôt qu'une. **« La moindre erreur pourrait avoir des conséquences importantes pour une transaction. C'est pourquoi le métier exige beaucoup de minutie. »**

Écriture et organisation

La technicienne juridique de 28 ans est aussi appelée à rédiger des rapports. C'est le cas, par exemple, quand une entreprise veut en acheter une autre. Tricia lit alors le livre des procès-verbaux de l'entreprise qui sera achetée, une brique qui renferme toutes les décisions passées du conseil d'administration et des actionnaires. Elle rédige ensuite un rapport à l'intention de l'avocat responsable du dossier pour lui signaler les éventuels problèmes et irrégularités. « Il faut aimer écrire pour faire ce métier », souligne-t-elle.

Il faut aussi être doté d'un bon sens de l'organisation et savoir travailler sous pression, car les délais sont parfois serrés. Comme cette fois où Tricia est restée 30 heures au bureau pour travailler sur une importante entente de partenariat public/privé entre le gouvernement et une entreprise pour construire un pont. « C'était un beau travail d'équipe entre les avocats et les parajuristes. À la fin, un ministre est venu au bureau signer le contrat. Et plus tard, nous avons ouvert une bouteille de champagne pour célébrer cette entente historique. »

CONSEILS DE PRO

« Un technicien juridique doit être rigoureux, avoir le souci du détail et prendre toujours le temps de se relire. On ne peut pas tourner les coins ronds dans ce métier! Il faut aussi aimer écrire et savoir rédiger sans faute, car la rédaction occupe une large partie du travail du technicien juridique. La débrouillardise est nécessaire : le technicien juridique est le bras droit d'un avocat ou d'un notaire. Il effectue tout le travail de préparation derrière les documents juridiques. Pour cela, il fait des recherches poussées dans les banques de données informatisées. Son travail s'effectue essentiellement à l'ordinateur. Les cabinets d'avocats et les études de notaires, les organismes publics et parapublics ainsi que certaines grandes entreprises privées, comme les compagnies d'assurances, figurent parmi les principaux employeurs des techniciens juridiques. »

Benoît Dancause, professeur responsable du programme de techniques juridiques au Collège François-Xavier-Garneau à Québec

VALEUR CARRIÈRE SEPTEMBRE

Insertion sur le marché du travail	✈✈✈✈
Maintien en emploi	✈✈✈
Encadrement professionnel	✈✈✈✈✈
Mobilité géographique	✈✈✈
Diversité des milieux de pratique	✈✈✈✈✈
Valeur ajoutée	✈✈✈

Total : 7,5 / 10

PROGRAMME

Techniques juridiques (DEC 310.C0) : 54, 55, 64, 84, 123, 129, 223, 268, 273

Photo : Alarie photos

ENSEIGNANT AU SECONDAIRE

Par Louise Potvin

L'art de transmettre sa passion

À 14 ans, Pascal Côté donnait déjà des leçons de guitare à des gens de tous âges! Les années lui ont permis de réaliser qu'il possède tout naturellement ce « petit quelque chose », cette facilité à transmettre sa passion de la musique et son savoir-faire. Aujourd'hui, il dirige d'une main de maître les musiciens en herbe de l'école secondaire Joseph-François-Perrault.

Pascal Côté a étudié en pédagogie et en interprétation à la Faculté de musique de l'Université du Québec à Montréal. En 2007, il complétait un diplôme de 2e cycle en direction chorale à l'Université de Sherbrooke et a ensuite cumulé les cours de perfectionnement en direction au Québec et à l'étranger.

À Joseph-François-Perrault, une école située dans le quartier Saint-Michel à Montréal qui offre le baccalauréat international et le programme arts-études-musique, il dirige les chœurs et enseigne la théorie, la littérature ainsi que l'écriture musicale aux jeunes de tous les niveaux.

EFFECTIF	PERSPECTIVES	FORMATION	%		SALAIRE MOYEN D'INSERTION
			H	F	
45 000	Favorables **RÉGIONS** F : 07, 08, 13, 14, 15, 17	BAC 15708 Enseignement au secondaire	33 %	67 %	Hebdomadaire : 802 $ Annuel : 41 704 $

STATISTIQUES D'INSERTION	2007	2008	2011	% CHÔMAGE	RECHERCHE D'EMPLOI
Nbre personnes diplômées	760	769	790	3 %	3 semaines
% en emploi	93,4 %	90,4 %	85,1 %		
% à temps plein	88,3 %	81,9 %	78,7 %		
% lié à la formation	94,8 %	94,7 %	91,2 %		

Un cri du cœur

Les jeunes sont visiblement prêts à suivre Pascal dans ses projets parfois plus grands que nature. «L'an dernier, on a enregistré devant caméras la partie chorale de la 9ᵉ Symphonie de Beethoven. Cette œuvre grandiose rend hommage à tous les êtres humains. Pour les élèves, c'était une sorte de temps d'arrêt humaniste: un véritable cri du cœur pour près de 300 jeunes du premier au cinquième secondaire! On me disait que c'était un vrai projet de fou. Mais quand on me dit que l'on ne peut pas faire quelque chose, c'est souvent là où moi, j'embarque!», rigole Pascal Côté.

Cette folie des grandeurs l'a aussi conduit à initier des projets avec le Conservatoire de musique de Montréal et l'Orchestre symphonique de Montréal. Rien de moins!

Le métier d'enseignant n'est pas facile tous les jours. Il implique le ballottage d'une école à l'autre, des classes bondées, une clientèle difficile, l'isolement… Plusieurs s'y cassent les dents. Selon les statistiques, 30 % des enseignants plient bagages au cours des premières années sur le marché du travail.

Pascal assure toutefois qu'il pratique le plus beau métier du monde, lui qui arrive aisément à captiver son jeune auditoire et à lui faire apprécier un répertoire certainement à des kilomètres de leur quotidien.

«La créativité de mes élèves m'inspire et me motive. **Et oui, les jeunes sont souvent exigeants face à leurs enseignants. Je dirais qu'ils ont peut-être raison. J'estime par contre que ça va dans les deux sens, étant moi-même très rigoureux.**»

Il faut aussi savoir faire preuve d'empathie et se donner, à l'occasion, la flexibilité de parler de sujets divers avec les élèves, dira simplement le jeune enseignant qui demeure tout de même «monsieur Côté» pour ses élèves.

CONSEILS DE PRO

La pénurie de main-d'œuvre occasionnée par les départs à la retraite des baby-boomers est pratiquement chose du passé, exception faite de certaines spécialités. «Les places sont fortement contingentées en éducation physique et dans les arts en général, par exemple. Cependant, on peine toujours à combler les places en mathématique et en sciences.»

«Dans les prochaines années, avec l'implantation obligatoire de la 6ᵉ année en anglais intensif dans toutes les écoles, on entrevoit aussi une pénurie d'enseignants qualifiés en anglais. Il est important de s'attaquer dès maintenant et massivement à la formation de la relève. Et, règle générale, l'un des grands défis de la profession sera d'être compétitif pour garder nos jeunes professeurs pouvant être attirés à l'extérieur du Québec par de meilleures conditions salariales et d'embauche.»

Serge Laurendeau, Président de l'Association provinciale des enseignants du Québec, secteur anglophone

VALEUR CARRIÈRE SEPTEMBRE

Insertion sur le marché du travail	★★★★
Maintien en emploi	★★★
Encadrement professionnel	★★★★
Mobilité géographique	★★
Diversité des milieux de pratique	★★
Valeur ajoutée	★★★★

Total : 7,4 / 10

PROGRAMME

Enseignement au secondaire (BAC 15708): 14, 29, 59, 67, 85, 86, 139, 140, 141, 155, 163

Photo : Stéphane Lemire

NOTAIRE

LAURÉAT

Par Pierre Vallée

Aider les gens à y voir plus clair

Trop souvent, on s'imagine que la profession de notaire se limite à superviser l'achat d'une propriété ou à rédiger un testament. Mais la gamme de services qu'offre ce professionnel du droit civil est plus variée que cela. Ainsi, il peut aussi guider sa clientèle dans le droit commercial, dans les mandats d'inaptitude, dans la tutelle et la curatelle, dans la fiducie et dans le droit matrimonial.

« On oublie que le notaire est un juriste, au même titre qu'un avocat, et que seuls les notaires et les avocats sont autorisés à émettre des opinions juridiques », souligne Timothy Leonard, notaire et partenaire chez Lamoureux Leonard Notaires à Sherbrooke.

Timothy Leonard a toujours su qu'il voulait être notaire. « D'abord, mon père était notaire et je me souviens que petit garçon, il m'emmenait au bureau. Une fois, j'ai même assisté à une réunion familiale concernant une succession. J'ai vu comment le travail de mon père avait contribué à apaiser leurs esprits et j'ai vu dans leurs yeux tout le respect qu'ils avaient pour mon père. Je me suis dit que c'était une façon honorable de gagner sa vie. »

EFFECTIF	PERSPECTIVES	FORMATION	% * H	F	SALAIRE MOYEN D'INSERTION *
22 000	*Favorables* **RÉGIONS** *F : 01, 03, 05, 06, 07, 08, 09, 10, 12, 13, 14, 15, 17*	*BAC 15600 Droit*	*37 %*	*63 %*	*Hebdomadaire : 885 $* *Annuel : 46 020 $*

STATISTIQUES D'INSERTION *	2007	2009	2011	% CHÔMAGE *	RECHERCHE D'EMPLOI *
N^bre personnes diplômées	*859*	*1 027*	*1 096*	*8,8 %*	*6 semaines*
% en emploi	*60,5 %*	*61,8 %*	*56,5 %*		
% à temps plein	*94,1 %*	*97,3 %*	*94,8 %*		
% lié à la formation	*91 %*	*89,9 %*	*90,4 %*		

* Les statistiques de La Relance du MELS *du baccalauréat.*

Malgré cette conviction profonde, le parcours pour y arriver fut plus sinueux. « J'ai commencé par faire un bac en philo pour ensuite passer à l'enseignement au préscolaire et au primaire. C'est alors que j'ai rencontré ma conjointe. Comme nous voulions fonder une famille, je me suis dit que le temps était venu pour revenir à mes premiers amours. Je suis donc allé étudier le droit notarial. »

Une pratique variée et parfois surprenante

Aujourd'hui, Timothy Leonard exerce une pratique générale. « Je fais un peu de tout : du droit commercial, de l'immobilier, du droit successoral, de l'homologation de contrats. J'aime cette variété qui me permet de toucher à plusieurs aspects du notariat. Et si un cas est trop compliqué, je peux toujours compter sur la collaboration d'un autre notaire plus spécialisé. »

Fait peu connu, le notaire est autorisé à présenter des requêtes à la cour. « Par exemple, il faut présenter une requête à la cour lors de l'ouverture d'un régime de protection, comme une tutelle ou une curatelle. » C'est un aspect du travail de notaire qu'il apprécie et qui l'a mené un jour à déposer une requête à la cour tout à fait surprenante. « J'ai eu à présenter une requête en exhumation. Cela a fait tout un effet en cour, même le juge n'avait jamais vu pareille requête. »

Ce qui lui plaît le plus de cette profession, c'est son rôle de conseiller. « Il faut tenir compte des besoins du client tout en respectant ce que permet le droit. Et pour cela, il faut aimer parler aux gens. La profession de notaire ne convient pas aux personnes qui n'aiment pas poser des questions. »

CONSEILS DE PRO

« Pour devenir notaire, il faut d'abord détenir un baccalauréat en droit. Ensuite, on s'inscrit au deuxième cycle universitaire afin d'obtenir un diplôme en droit notarial. Cette formation dure un an. Une fois réussie, la Chambre des notaires autorise le candidat à faire un stage de 32 semaines dans un cabinet de notaires. Ce n'est qu'une fois le stage complété et réussi que le candidat devient officiellement notaire et membre de la Chambre. L'empathie et l'écoute active sont deux des qualités essentielles à l'exercice de cette profession car le notaire doit créer un climat propice à aller chercher toutes les informations dont il a besoin. Il doit savoir vulgariser les principes juridiques. Et surtout, il doit demeurer impartial car le notaire est un officier public et à ce titre, il se doit de représenter de façon égale toutes les parties. »

Lucie Thibodeau, directrice du diplôme en droit notarial à l'Université de Sherbrooke

VALEUR CARRIÈRE SEPTEMBRE

Insertion sur le marché du travail	✔✔✔✔
Maintien en emploi	✔✔✔✔
Encadrement professionnel	✔✔✔✔✔
Mobilité géographique	✔✔✔
Diversité des milieux de pratique	✔✔✔✔
Valeur ajoutée	✔✔✔✔

Total : 8,1 / 10

PROGRAMME

Droit (BAC 15600) : 59, 86, 139, 140, 141

TABLEAU COMPARATIF

LAURÉATS ET MIS EN NOMINATION	EFFECTIF	PERSPEC-TIVES	DEMANDE DANS LES RÉGIONS	FORMATION ET ÉTABLISSEMENTS
SECONDAIRE				
Auxiliaire familial et social (6471)	17 000	F	F: 01, 03, 06, 08, 11, 12, 13, 14, 15, 16, 17	Assistance à la personne à domicile (DEP 5317)
Pompier (6262)	5 000	F	F: 06, 07, 13, 15, 17	Intervention en sécurité incendie (DEP 5322)
COLLÉGIAL				
Éducateur en service de garde (4214)	69 000	F	F: 01, 02, 03, 05, 06, 07, 08, 09-10, 11, 12, 13, 14, 15, 16, 17	Techniques d'éducation à l'enfance (DEC 322.A0)
Policier (6261)	17 000	F	F: 01, 05, 06, 07, 09-10, 11, 12, 13, 14, 15, 16, 17	Techniques policières (DEC 310.A0)
Technicien en éducation spécialisée (4215)	12 000	F	F: 01, 03, 04, 06, 07, 12, 13, 14, 15, 17	Techniques d'éducation spécialisée (DEC 351.A0)
Technicien en travail social (4212)	21 000	A	F: 02, 03, 08, 09-10, 12, 15	Techniques de travail social (DEC 388.A0)
Technicien juridique (4211)	6 000	F	F: 03, 05, 06, 07, 12, 13, 14, 15	Techniques juridiques (DEC 310.C0)
UNIVERSITAIRE				
Avocat (4112)	22 000	F	F: 01, 03, 05, 06, 07, 08, 09-10, 12, 13, 14, 15, 17	Droit (BAC 15600)
Conseiller d'orientation (4143)	4 000	F	F: 07, 13, 14, 15, 17	Maîtrise en orientation, information scolaire et professionnelle (Maîtrise 25479)
Directeurs des services sociaux, communautaires et correctionnels (0314)	6 000	F	F: 02, 03, 04, 06, 07, 12, 13, 14, 15, 16, 17	Service social (BAC 15477)
Éducateur physique (4141)	45 000	F	F: 07, 08, 13, 14, 15, 17	Éducation physique (BAC 15380)
Enseignant au secondaire (4141)	45 000	F	F: 07, 08, 13, 14, 15, 17	Enseignement au secondaire (BAC 15708)
Notaire (4112)*	22 000	F	F: 01, 03, 05, 06, 07, 08, 09-10, 12, 13, 14, 15, 17	Droit (BAC 15600)
Orthopédagogue (4142)	53 000	F	F: 03, 06, 07, 12, 13, 14, 15, 17	Adaptation scolaire et sociale (BAC 15706)
Psychoéducateur (4153)	7 000	F	F: 01, 03, 04, 06, 08, 09-10, 12, 13, 14, 15, 16, 17	Psychoéducation (Maîtrise 25473)
Psychologue (4151)	9 000	F	F: 01, 02, 03, 04, 05, 06, 07, 08, 11, 12, 13, 14, 15, 16, 17	Psychologie (BAC 15420)
Travailleur social (4152)	14 000	F	F: Ensemble du Québec	Service social (BAC 15477)

* Des études de 2e cycle sont nécessaires pour exercer la profession. Les statistiques sont toutefois celles des diplômés du 1er cycle.

Nbre DE PERSONNES DIPLÔMÉES	% H	% F	% EN EMPLOI	% À TEMPS PLEIN	% LIÉ À LA FORMATION	% CHÔMAGE	SALAIRE MOYEN (HEBDOMADAIRE)	RECHERCHE D'EMPLOI (SEMAINES)	VALEUR CARRIÈRE SEPTEMBRE
694	11 %	89 %	84,4 %	73,8 %	91,5 %	6,4 %	566 $	4	7,6/10
484	99 %	1 %	28,8 %	75,5 %	22,5 %	4,1 %	734 $	3	6,3/10
740	2 %	98 %	76,9 %	80,2 %	96 %	1,7 %	569 $	1	8/10
770	69 %	31 %	50 %	79,9 %	43,9 %	2,4 %	662 $	2	7,3/10
1 155	10 %	90 %	80,9 %	65,7 %	91,9 %	2,1 %	675 $	2	7,6/10
513	12 %	88 %	63,9 %	83,9 %	83,3 %	5,1 %	609 $	4	7/10
285	12 %	88 %	60,2 %	95,5 %	78,5 %	3,4 %	650 $	1	7,5/10
1 096	37 %	63 %	56,5 %	94,8 %	90,4 %	8,8 %	885 $	6	8,1/10
64	23 %	77 %	92,9 %	92,3 %	88,9 %	2,5 %	827 $	9	7,5/10
633	12 %	88 %	87,3 %	88,4 %	95,4 %	1,8 %	831 $	5	7,5/10
456	41 %	59 %	68,2 %	73,8 %	82,6 %	0,9 %	738 $	7	7,6/10
790	33 %	67 %	85,1 %	78,7 %	91,2 %	3 %	802 $	3	7,4/10
1 096	37 %	63 %	56,5 %	94,8 %	90,4 %	8,8 %	885 $	6	8,1/10
451	7 %	93 %	91,1 %	79,6 %	93,7 %	2,1 %	791 $	2	7,7/10
117	9 %	91 %	91,5 %	90,7 %	98,5 %	0 %	896 $	4	8,4/10
1 186	22 %	78 %	37,1 %	74,1 %	47 %	6,8 %	716 $	10	8,1/10
633	12 %	88 %	87,3 %	88,4 %	95,4 %	1,8 %	831 $	5	8,6/10

⭐ PALME **D'OR**   ☆ LAURÉAT

⭐ PALME **D'ARGENT**   ▮ ENTREVUE

⭐ PALME **DE BRONZE**   @ **Academos** CYBERMENTORAT

INDUSTRIES : PRODUCTION, TRANSFORMATION ET FABRICATION

INDUSTRIES :
PRODUCTION, TRANSFORMATION ET FABRICATION

Ce secteur regroupe principalement les sciences physiques et leurs technologies qui servent à établir les procédés les plus efficaces et les moins coûteux et à en contrôler la qualité. On y retrouve les professions dont les tâches sont liées aux équipements électriques, à la construction industrielle et résidentielle ainsi qu'aux grands travaux d'infrastructures. Ce secteur inclut aussi l'imprimerie, l'industrie agroalimentaire, l'industrie pharmaceutique, l'industrie des pâtes et papiers, l'industrie du bois, l'industrie minière, l'industrie pétrochimique, l'industrie du meuble, l'industrie des plastiques, etc.

Cette année, les entrevues sont réalisées auprès de quarante travailleurs dont la profession offre de bonnes perspectives, sans toutefois être nécessairement parmi les lauréats ou les palmes. Pourquoi cela? Pour faire connaître des professions qui risqueraient de ne jamais se classer parmi les meilleurs et de demeurer peu connues des jeunes, et ce, bien qu'elles offrent de belles perspectives.

Soulignons également que dans certaines entrevues de même que dans le tableau comparatif à la fin du secteur, le logo ☼@ ACADEMOS CYBERMENTORAT indique que des mentors ou des vidéos du métier sont présentés sur le site academos.qc.ca.

Palmarès du secteur

Photo: Alarie Photos

CHARPENTIÈRE-MENUISIÈRE

Par David Savoie

Bâtir une carrière de rêve

Un parcours hors du commun l'amène à la charpenterie, et elle a maintenant la piqûre de la construction. Un métier physique où elle peut quand même faire un peu de poésie en sablant de gros morceaux de bois. Caroline Bélanger, charpentière-menuisière, adore ses journées bien remplies! À 30 ans, elle a suivi un chemin assez unique pour parvenir à la charpenterie.

Avant de s'orienter vers la construction, elle enseignait la musique en Gaspésie. En participant à quelques chantiers et en rénovant son chalet, elle se découvre un intérêt pour le bois. Caroline dit être «bien tombée»: deux ans après avoir obtenu son diplôme de l'École des métiers de la construction, elle travaille pour la compagnie Charpenterie Timberphil inc. À Montréal sur des projets qui la stimulent, entre bâtir des maisons écologiques ou monter des structures en bois massif, sans utiliser un clou.

EFFECTIF	PERSPECTIVES	FORMATION	% H	% F	SALAIRE MOYEN D'INSERTION
40 000	Acceptables **RÉGIONS** F: 08, 15	DEP 5319 Charpenterie-menuiserie	99 %	1 %	Hebdomadaire: 799 $ Annuel: 41 548 $

STATISTIQUES D'INSERTION	2009	2010	2011	% CHÔMAGE*	RECHERCHE D'EMPLOI
N^{bre} personnes diplômées	1 590	1 866	1 965	7,8 %	3 semaines
% en emploi*	82,7 %	85,9 %	87,1 %		
% à temps plein	96,9 %	95,9 %	96,4 %		
% lié à la formation	86,4 %	86 %	88,1 %		

* Ces statistiques sont extraites des enquêtes de La Relance du MELS, plus précisément de la situation au 1er juin 2011. Les autres statistiques de ce tableau sont extraites de la situation au 31 mars 2011.

Construire petit à petit

Avec sa formation en charpenterie-menuiserie, elle s'est vue confier des tâches intéressantes dès ses premiers jours en chantier. Si la formation l'avait bien préparée à la réalité, n'en demeure pas moins qu'elle a beaucoup appris sur le terrain, en côtoyant les autres travailleurs. Selon elle, un bon charpentier est quelqu'un qui peut planifier les prochaines étapes lors de la construction, pour permettre aux autres professionnels plombiers et électriciens notamment de faire leur travail. « Il faut être capable de gérer beaucoup de détails », à son avis. Les journées peuvent être longues et physiques. Enrichissantes aussi. Caroline ne le cache pas : il faut aussi une bonne endurance physique, pour exécuter le travail rapidement. « Je n'ai jamais eu de journées de moins de 10 heures », s'exclame-t-elle. « Je ne savais pas que j'étais aussi forte ! » Mais le travail ne se limite pas à des tâches manuelles. **« En travaillant sur des projets de maisons écologiques, ça demande beaucoup de créativité, parce qu'on utilise des matériaux non-conventionnels comme des ballots de paille ou du styromousse recyclé. »** Une bonne écoute des partenaires est nécessaire pour un bon travail, et un bon sens de l'humour ne nuit pas surtout lorsqu'on est la seule femme sur un chantier !

Chercher un emploi ? Elle n'a pas eu besoin de le faire en sortant de l'école, tant la demande est grande pour des charpentiers. « J'ai pu me payer le luxe de choisir, explique-t-elle. La paie est bonne et les possibilités sont très nombreuses. C'est un métier qui se pratique partout. » La preuve ? Elle ira bientôt en Suisse pour y monter d'autres maisons, sans compter ce périple dans le Grand Nord et bien entendu, un retour éventuel vers sa Gaspésie, cette fois comme entrepreneure.

CONSEILS DE PRO

« Il y a des tests de qualifications parce que le programme est assez contingenté. Les gens qui sont forts en mathématiques n'auront pas de problèmes. En charpenterie-menuiserie, il faut apprendre plusieurs formules et il faut les maîtriser. Il y a beaucoup de calculs à faire sur un chantier de construction ! En sortant de la formation, nos élèves sont polyvalents : ils peuvent aller du côté de l'ébénisterie ou en chantier de construction. C'est là où la plupart de nos étudiants vont se retrouver. Il y a une très grande demande de ce côté-là. De plus, ils n'ont pas à faire de stages quand ils travaillent sur un chantier. Dès qu'ils sont embauchés, ils deviennent apprentis et sont payés en fonction de barèmes établis. Avant de pouvoir devenir compagnon, il faut qu'ils travaillent 6000 heures et qu'ils passent un test. Mais tous nos élèves pourraient le passer haut la main en sortant de l'école. »

Stéphane Beaupré, enseignant au Centre Polymétier à Rouyn-Noranda

VALEUR CARRIÈRE SEPTEMBRE

Insertion sur le marché du travail	✈✈✈✈
Maintien en emploi	✈✈✈
Encadrement professionnel	✈✈✈✈✈
Mobilité géographique	✈
Diversité des milieux de pratique	✈✈✈✈
Valeur ajoutée	✈✈✈✈

Total : 6,9 / 10

PROGRAMME

Charpenterie-menuiserie (DEP 5319) : 1, 4, 6, 7, 15, 30, 39, 62, 70, 97, 148, 157, 166, 169, 170, 177, 183, 192, 208, 233, 237, 243, 247, 258, 259, 283

Photo: Nicole Morel

MÉCANICIEN DE MOTEURS DIÉSELS

Par David Savoie

PALME D'OR

Réparer des mastodontes de métal

*Toute sa fratrie faisait de la mécanique. C'était son chemin tout indiqué.
Pas étonnant que Régis Lévesque se passionne pour la mécanique au quotidien.
Ce qu'il préfère, ce sont les énormes mastodontes de la route, aux systèmes
complexes, dans un emploi où les choses roulent beaucoup et vite. Père, frère,
oncle: la famille tout entière de Régis Lévesque faisait de la mécanique.*

« J'ai grandi là-dedans », se souvient Régis Lévesque. À 13 ans, il jouait déjà avec des moteurs.
Étudier dans le domaine était donc la suite logique des choses. Mais le jeune homme de 26 ans préfère
les défis que lui amènent les moteurs diésels, des « systèmes plus complexes », avec des portions
hydrauliques, électroniques, des composantes mécaniques compliquées. Bref, d'énormes mastodontes
de métal qui doivent être réparés rapidement.

« Dans une concession, il faut toujours que les véhicules fonctionnent le plus rapidement possible »,
fait remarquer le technicien en mécanique qui a étudié en mécanique de moteurs diésels et de
contrôles électroniques au Pavillon de l'Avenir à Rivière-du-Loup. Cela veut dire une pression,
des réparations à faire dans un certain laps de temps, exactement ce qui stimule le jeune homme.

EFFECTIF	PERSPECTIVES	FORMATION	% H	F	SALAIRE MOYEN D'INSERTION
7 000	Favorables **RÉGIONS** F: 01, 02, 03, 04, 05, 06, 07, 08, 09-10, 12, 13, 14, 15, 16, 17	ASP 5259 Mécanique de moteurs diésels et de contrôles électroniques	—	—	Hebdomadaire: 739 $ Annuel: 38 428 $

STATISTIQUES D'INSERTION	2009	2010	2011	% CHÔMAGE*	RECHERCHE D'EMPLOI
N^bre personnes diplômées	80	58	61	5 %	1 semaine
% en emploi*	83 %	82,4 %	84,4 %		
% à temps plein	97,8 %	100 %	100 %		
% lié à la formation	97,7 %	92,6 %	90 %		

** Ces statistiques sont extraites des enquêtes de La Relance du MELS, plus précisément de la situation au 1er juin 2011.
Les autres statistiques de ce tableau sont extraites de la situation au 31 mars 2011.*

« Ce n'est pas juste de remplacer une pièce!
Tout le monde peut remplacer une pièce!
Il s'agit de trouver le problème et de remplacer
la bonne pièce!, souligne-t-il. Tu peux parfois
passer une journée entière à chercher le problème ». Pour trouver ce qui ne va pas, tout est
mis à contribution: chaque membre de l'équipe
y travaille. Cela signifie aussi parfois appeler les
ingénieurs du fabricant, discuter avec eux pour
trouver la source du problème. Régis Lévesque
dit adorer ce travail de résolution de problème.

Rien de traditionnel!

Oubliez le mécanicien couvert de graisse, clé
anglaise en mains, à réparer le premier véhicule
venu! « Le matin, quand tu commences ta journée, tu ne sais pas à quoi t'attendre! Tu ne sais
pas à quel point certaines réparations vont être
compliquées », dit-il.

Le diagnostic des problèmes mécaniques se
fait selon un processus bien établi, une batterie
de tests effectués avec des ordinateurs et
des outils qui évoluent sans cesse. Pour être
mécanicien sur les moteurs diésels, il faut
aussi être ordonné, suivre les étapes, note
Régis Lévesque. Il est nécessaire de bien
travailler et rapidement mais aussi avec le
calme zen d'un moine bouddhiste. La pression
est là, mais il faut bien exécuter le travail,
même si cela peut être long. « Il faut être
patient et calme dans ce travail », remarque-t-il.
D'autres gèrent moins bien le stress et
craquent parfois sous la pression. Régis
Lévesque suggère aussi de bien manier la
langue de Shakespeare: non seulement
beaucoup de manuels sont en anglais, mais
les fabricants de pièces sont généralement
anglophones. En plus, maîtriser l'anglais
permet d'ouvrir ses horizons et les endroits
où les futurs mécaniciens peuvent travailler.
« C'est surprenant jusqu'où ça peut te mener »,
termine Régis Lévesque.

CONSEILS DE PRO

*« Tous les étudiants qui arrivent dans le
programme ont déjà complété un DEP en
véhicules lourds ou en engins de chantiers.
Ils viennent ici parce qu'ils veulent aller plus
loin que la mécanique. La plupart des
étudiants veulent ensuite aller travailler
chez un concessionnaire de camions lourds.
Il faut qu'ils aient une bonne maîtrise des
ordinateurs, parce qu'on en utilise presque
toute l'année. Oui, on utilise encore parfois
les outils pour effectuer des réparations,
mais le gros du travail de diagnostic se fait
désormais avec un ordinateur. La formation
se conclut par un stage de deux semaines.
Il y a un bon taux de placement par la suite,
environ de 90 %. En ce moment, il y a une
grosse demande, entre autres en raison de
l'ouverture de plusieurs chantiers sur la
Côte-Nord. »*

Étienne April, enseignant au Pavillon de l'Avenir,
à Rivière-du-Loup

VALEUR CARRIÈRE SEPTEMBRE

Insertion sur le marché du travail	✔✔✔✔✔
Maintien en emploi	✔✔✔✔
Encadrement professionnel	✔✔✔✔✔
Mobilité géographique	✔✔✔✔
Diversité des milieux de pratique	✔✔✔
Valeur ajoutée	✔✔✔✔

Total : 8,8 / 10

REMARQUE

*Les mécaniciens de moteurs diesels peuvent obtenir le
Sceau rouge qui permet une mobilité interprovinciale.*

PROGRAMME

*Mécanique de moteurs diesels et de contrôles électro-
niques (ASP 5259): 1, 70, 196, 252*

Photo : Alarie Photos

MÉCANICIEN INDUSTRIEL

Par Nathalie Vallerand

La machinerie n'a pas de secrets pour lui

Quand une machine fonctionne, Nicolas Tremblay est heureux. Et fier.
« Mettre le doigt sur le bobo et trouver une manière de réparer l'équipement
le plus rapidement et le plus efficacement possible, c'est valorisant », dit-il.
Pour lui, l'esprit logique et la capacité d'analyse et de résolution de problèmes
sont des qualités essentielles pour exercer le métier de mécanicien industriel.

Adolescent, Nicolas Tremblay démontait les réveille-matins et d'autres petits appareils pour savoir comment ils fonctionnaient. À l'âge adulte, il a travaillé dans quelques entreprises où il effectuait de menus travaux de réparation. Mais il a réalisé que son habileté manuelle pouvait lui valoir un meilleur salaire s'il retournait aux études pour avoir un métier. Il a donc complété un DEP en mécanique industrielle de construction et d'entretien au Centre de formation professionnelle des Moulins, à Terrebonne. « La meilleure décision de ma vie ! », affirme le jeune homme qui travaille chez IME, un fabricant d'enveloppes préusinées de bâtiments.

EFFECTIF	PERSPECTIVES	FORMATION	H	%	F	SALAIRE MOYEN D'INSERTION
19 000	*Acceptables* **RÉGIONS** F : 07, 09-10, 12, 17	*DEP 5260 Mécanique industrielle de construction et d'entretien*	97 %		3 %	*Hebdomadaire : 806 $* *Annuel : 41 912 $*

STATISTIQUES D'INSERTION	2009	2010	2011	% CHÔMAGE*	RECHERCHE D'EMPLOI
N^bre personnes diplômées	*389*	*408*	*456*	*5,9 %*	*6 semaines*
% en emploi*	*75,7 %*	*77,8 %*	*84,2 %*		
% à temps plein	*96,2 %*	*95,2 %*	*97,8 %*		
% lié à la formation	*78,1 %*	*73,5 %*	*78,1 %*		

* Ces statistiques sont extraites des enquêtes de La Relance du MELS, plus précisément de la situation au 1er juin 2011.
Les autres statistiques de ce tableau sont extraites de la situation au 31 mars 2011.

Les journées de travail du mécanicien industriel de 27 ans se suivent… mais ne se ressemblent pas. Un jour, il modifie une poutrelle de levage, un autre, il cherche la cause de la défaillance d'un équipement pour ensuite le réparer, ou encore il fait de la soudure ou il assemble une machine. Et il utilise toutes sortes d'outils, manuels ou électriques. «Mes tâches sont variées, et j'aime ça!», dit Nicolas. Celui-ci précise qu'il a déjà travaillé pour une entreprise qui offrait un service de réparation des nacelles destinées au lavage des fenêtres pour les édifices en hauteur.

Débrouillards, les mécaniciens

L'autonomie est essentielle dans ce métier, selon lui. **«Quand le contremaître m'assigne une réparation, il s'attend à ce que je trouve le problème et la solution sans avoir à lui poser trop de questions.»** Nicolas et deux de ses collègues mécaniciens industriels ont d'ailleurs fait la preuve de leur débrouillardise lors de l'aménagement d'un camion qui se déplace chez les clients pour injecter du polyuréthane dans l'enveloppe des bâtiments. «Quand mon employeur a acheté le camion, c'était une coquille vide, explique-t-il. Il a fallu concevoir et aménager tout l'intérieur.»

En plus d'installer des équipements, les mécaniciens ont pensé à une foule de petits détails pour maximiser l'espace de travail et le rendre le plus fonctionnel possible. Par exemple, ils ont conçu un espace fermé pour la génératrice afin d'isoler le son et un système de rangement au plafond pour les échafauds. «Les choses seront bien rangées et les employés pourront circuler sans s'enfarger», se réjouit Nicolas qui a pris beaucoup de plaisir à réaliser ce projet et qui espère que son métier lui offrira d'autres défis semblables.

CONSEILS DE PRO

«La dextérité manuelle est une habileté essentielle pour exercer ce métier. Le mécanicien industriel doit aussi faire preuve d'autonomie et de débrouillardise puisqu'il dispose d'une certaine latitude pour effectuer ses réparations. Il doit cependant s'assurer de minimiser les arrêts de production qui coûtent souvent très cher aux entreprises. Celles-ci recherchent d'ailleurs des mécaniciens industriels qui sont assidus, ponctuels et responsables et sur qui elles peuvent se fier. En effet, une réparation qui n'est pas effectuée à temps peut entraîner des retards de production. Et le temps, c'est de l'argent! Enfin, les personnes qui sont visuelles ont plus de facilité dans ce métier, car le mécanicien industriel doit être capable d'assembler et de désassembler des machines à partir d'un plan. Les mines, les papetières et les usines de fabrication de tous les secteurs d'activité sont les principaux employeurs des mécaniciens industriels. »

Denis Levert, professeur responsable du secteur Mécanique industrielle au Centre de formation professionnelle des Moulins, à Terrebonne

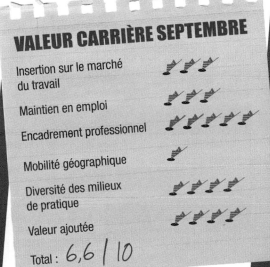

VALEUR CARRIÈRE SEPTEMBRE

Insertion sur le marché du travail	✔✔✔
Maintien en emploi	✔✔✔
Encadrement professionnel	✔✔✔✔✔
Mobilité géographique	✔
Diversité des milieux de pratique	✔✔✔✔
Valeur ajoutée	✔✔✔✔

Total : 6,6 / 10

PROGRAMME

Mécanique industrielle de construction et d'entretien (DEP 5260): 2, 15, 41, 60, 76, 99, 113, 142, 159, 165, 166, 170, 171, 189, 195, 211, 215, 227, 236, 242, 244, 253, 255, 278

Photo : Alarie Photos

SOUDEUR HAUTE PRESSION

Par Didier Bert

Une dextérité hors normes

Passionné de mécanique, Andrew Fung a découvert durant ses études tout ce qu'il est possible de faire en soudant. Alors qu'il n'avait jamais pensé travailler comme soudeur haute pression, il a décidé d'en faire son métier. C'est durant son DEC en génie mécanique qu'Andrew Fung a appris à aimer ce travail. « J'ai découvert qu'on peut fabriquer des choses en soudant », explique le jeune homme de 22 ans.

« Quand on soude, une bosse se forme par dessus la soudure. C'est à la fin du travail qu'on voit si la soudure est bonne, en brisant la bosse. C'est comme ouvrir un cadeau ! » Andrew décide alors de faire un DEP en soudage haute pression au Centre Anjou. « C'est là que j'ai appris ce que veut dire souder dans toutes les positions. C'était comme si je n'avais jamais soudé avant ! »

À présent, Andrew se plaît à réaliser des chefs d'oeuvres. « J'aime faire une soudure complètement uniforme, comme si elle avait été faite par un robot. C'est très difficile à faire. La soudure doit être belle mais pas seulement, elle doit être très solide ! »

EFFECTIF	PERSPECTIVES	FORMATION	% H	F	SALAIRE MOYEN D'INSERTION
20 000	Acceptables **RÉGIONS** F : 02, 08, 09-10, 14, 15, 17	ASP 5234 Soudage haute pression	—	—	Hebdomadaire : — Annuel : —

STATISTIQUES D'INSERTION	2009	2010	2011	% CHÔMAGE*	RECHERCHE D'EMPLOI
N^{bre} personnes diplômées	219	163	—	—	—
% en emploi*	73,1 %	78 %	—		
% à temps plein	100 %	93,7 %	—		
% lié à la formation	74,5 %	72,9 %	—		

* Ces statistiques sont extraites des enquêtes de La Relance du MELS, plus précisément de la situation au 1er juin 2011. Les autres statistiques de ce tableau sont extraites de la situation au 31 mars 2011.

Apprendre progressivement

Andrew a fait ses premiers pas lors d'un stage chez Ti-Titanium. Cette entreprise de Saint-Laurent est spécialisée dans la fabrication de pièces en titane, comme des cuves sous pression ou des pièces aéronautiques.

L'entreprise l'a rappelé une fois son diplôme obtenu. Chez Ti-Titanium, le jeune homme apprend son métier progressivement. « Il faut commencer au bas de l'échelle. »

Pour être un bon soudeur, l'expérience est primordiale. « Il faut savoir quelle température utiliser dans différentes situations. Il faut aussi choisir le bon angle pour éviter que la gravité fasse couler la soudure. Et il faut aimer la chaleur ! »

Le soudage est réservé aux travailleurs plus expérimentés. Son travail consiste donc à préparer les pièces en les nettoyant pour éviter que des contaminants viennent polluer la soudure et l'affaiblir. « J'en profite pour voir comment les soudeurs travaillent. »

L'une de ses tâches consiste à envoyer un gaz autour de la soudure pour la protéger de l'oxygène qui compose l'air. « Quand on soude, le métal devient liquide. Cette zone de chaleur ne doit pas être en contact avec l'oxygène. »

Quand il aura assez d'ancienneté, Andrew passera un examen interne. Il pourra alors faire ses armes en soudage haute pression. « Mais je commencerai par des pièces simples. » Andrew rêve déjà de souder des pièces hors normes, comme celles qu'il prépare actuellement. « Certaines font plus de 2,50 mètres de diamètre. »

CONSEILS DE PRO

« Les soudeurs haute pression sont des spécialistes des travaux sur des installations où la pression est supérieure à 15 livres, dans des réservoirs ou dans des tuyauteries. Cela implique d'adopter des positions précises. Un diplômé peut exécuter toutes sortes de soudures, pas seulement des soudures à plat. Le soudeur haute pression peut travailler dans le secteur de la construction en postulant au Local 144, le regroupement des tuyauteurs et soudeurs en tuyauterie au Québec. L'autre grand débouché est de travailler pour les municipalités qui exigent la certification de haute pression. Le soudeur y œuvrera dans l'entretien d'équipements ou la réparation de machineries lourdes. Le soudeur haute pression doit être extrêmement débrouillard. Ce sont des gens qualifiés donc autonomes.

Chacun possède un poinçon qu'il utilise pour signer son travail. C'est responsabilisant : un inspecteur peut retrouver le nom de la personne qui a exécuté la soudure. Cette pratique est très répandue en aéronautique. »

Robert Martin, enseignant en soudage haute pression au Centre Anjou

REMARQUES

Certains employeurs peuvent exiger un certificat de qualification du Bureau canadien de soudage. Dans l'industrie de la construction, un certificat de compétence-occupation émis par la Commission de la construction du Québec (CCQ) peut être exigé.
Profession visée par le Programme d'apprentissage en milieu de travail.

PROGRAMME

Soudage haute pression (ASP 5234) : 4, 19, 62, 71, 90, 97, 148, 158, 177, 195, 198, 207, 245, 260

VALEUR CARRIÈRE SEPTEMBRE

Insertion sur le marché du travail	Données non disponibles
Maintien en emploi	🖋🖋🖋
Encadrement professionnel	🖋🖋🖋🖋
Mobilité géographique	🖋🖋
Diversité des milieux de pratique	🖋🖋🖋🖋🖋
Valeur ajoutée	🖋🖋🖋🖋

Total : 6,4 / 10

GÉRANT D'ENTREPRISE AGRICOLE

Par Louise Potvin

Relever le pari des générations

Frédéric Marcoux, 28 ans, devenait il y a deux ans gestionnaire de la ferme de son père située à Sainte-Marguerite, tout près de Sainte-Marie-de-Beauce. Elle appartenait auparavant à son grand-père qui en avait hérité de son père. « Dans ma famille, on est agriculteur depuis au moins six générations », raconte fièrement le jeune homme.

Dans le milieu agricole, il demeure encore fréquent que les enfants reprennent l'entreprise familiale, témoigne-t-il. Si ses trois jeunes sœurs ont choisi une autre orientation, la question ne s'est jamais posée pour lui. « Avant même que j'entre à l'école primaire, je suivais mon père partout sur la ferme. Aussi loin que je me souvienne, mon choix a toujours été clair. »

Avec ses parents, il gère maintenant une terre de 65 hectares comprenant un cheptel d'une centaine de vaches laitières. « Car on parle bien de gestion d'une entreprise », explique Frédéric qui détient un DEC en gestion et exploitation d'entreprise agricole, spécialisation productions animales du cégep de Lévis.

EFFECTIF	PERSPECTIVES	FORMATION	% H	% F	SALAIRE MOYEN D'INSERTION
24 000	Acceptables **RÉGIONS** F : 01, 02, 05, 07, 14, 17	DEC 152.AA Gestion et exploitation d'entreprise agricole, spécialisation Productions animales	66 %	34 %	Hebdomadaire : 632 $ Annuel : 32 864 $

STATISTIQUES D'INSERTION	2008	2009	2010	% CHÔMAGE*	RECHERCHE D'EMPLOI
N[bre] personnes diplômées	111	131	119	1,3 %	1 semaine
% en emploi*	78 %	82,5 %	79,4 %		
% à temps plein	90,6 %	96,2 %	100 %		
% lié à la formation	89,7 %	92 %	89 %		

* Ces statistiques sont extraites des enquêtes de La Relance du MELS, *plus précisément de la situation au 1er juin 2011. Les autres statistiques de ce tableau sont extraites de la situation au 31 mars 2011.*

«Cette formation me permet de prendre des décisions basées sur une vision d'entreprise. Et, avec le comptable ou mon gérant de compte, dresser des états financiers ou examiner des colonnes de chiffres ne me fait pas peur : on parle le même langage. »

Ce travail demande une discipline de fer : traite des vaches matin et soir, entretien des bêtes et de la machinerie, gestion de la paperasse et des finances, coupe du foin l'été… Une journée type débute vers 5 h 30 pour se terminer vers 19 h 30. «Oui, le travail est exigeant, mais c'est un mode de vie qui me convient. Tout jeune, je participais aux travaux de la ferme. **Je ne me suis jamais senti obligé de le faire. Mes parents m'ont transmis l'amour de la terre et j'espère être capable à mon tour de transmettre un jour ce même attachement. »**

« Lonesome cowboy »?

Isolement, difficulté de trouver l'âme sœur : qu'en est-il? Frédéric dresse un tableau optimiste de sa condition. «Je suis très actif : j'ai des amis, une vie sociale, une copine et plus de 700 amis sur Facebook! Oui, il y a des solitaires dans cette profession, mais il ne faut pas généraliser. Moi, je ne suis pas du tout de ce type là!», rigole Frédéric.

Il avoue que sa popularité sur les réseaux sociaux a fait un bond depuis qu'il assure la présidence de la Fédération de la relève agricole qui regroupe 2 000 membres à travers le Québec. «Cette organisation agit comme le ferait une centrale syndicale. Elle nous permet d'échanger entre nous, de défendre des intérêts communs, notamment auprès des différents paliers gouvernementaux, et de promouvoir l'agriculture en général. »

CONSEILS DE PRO

Le ministère de l'Éducation a entièrement revu la formation collégiale qui prépare les futurs producteurs et productrices agricoles. Au moment de mettre sous presse, l'entrée en vigueur du nouveau programme n'avait pu être confirmée.

«AGRIcarrières a participé à l'analyse de la profession, faite à partir des commentaires des producteurs sur leur métier : cette refonte du programme était souhaitée depuis longtemps par le milieu. Les principaux changements du programme, qui portera désormais le nom de DEC en gestion technologique de l'entreprise agricole, permettront d'améliorer davantage les habiletés de gestion des futurs producteurs et leurs capacités de gestion des ressources humaines. Nous ne sommes pas en pénurie. Cependant, il est important d'améliorer l'aide financière nécessaire au démarrage, ce à quoi travaille la Fédération des producteurs agricoles et le ministère de l'Agriculture, des Pêcheries et de l'Alimentation. »

Hélène Varvaressos, directrice générale d'AGRIcarrières, le Comité sectoriel de main-d'œuvre de la production agricole

VALEUR CARRIÈRE SEPTEMBRE

Insertion sur le marché du travail	🚜🚜🚜
Maintien en emploi	🚜🚜🚜
Encadrement professionnel	🚜🚜🚜🚜
Mobilité géographique	🚜
Diversité des milieux de pratique	🚜🚜
Valeur ajoutée	🚜🚜🚜

Total : 7,5 / 10

PROGRAMME

Gestion et exploitation d'entreprise agricole, spécialisation Productions animales (DEC 152.AA) : 9, 13, 28, 82, 201, 222, 228, 240, 266, 271, 285

TECHNICIENNE EN TRANSFORMATION DES ALIMENTS

Par Claudine Hébert

Quand les aliments font aimer la science

La chimie, la physique et les maths étaient loin de figurer parmi les matières favorites d'Émilie Lord au secondaire. Pour l'adolescente, il était donc hors de question de s'inscrire à un programme collégial de nature scientifique. Même si la transformation de la nourriture l'intéressait, mieux valait étudier les arts qu'une technologie des procédés et de la qualité des aliments.

«Si j'avais su…», avoue Émilie Lord, bachelière en histoire de l'art… devenue aujourd'hui technologue en transformation alimentaire au Centre de recherche et développement d'Agropur, à Saint-Hubert.

Émilie ne le cache pas. «J'ai carrément eu peur du contenu du programme de l'Institut de technologie agroalimentaire (ITA). La grille de cours m'apparaissait beaucoup trop scientifique. Moi qui n'aimais pas les sciences, je voyais ça comme un obstacle insurmontable», rapporte la jeune femme de 27 ans qui a d'abord opté pour la voie des arts.

EFFECTIF	PERSPECTIVES	FORMATION	% H	F	SALAIRE MOYEN D'INSERTION
9 000	Acceptables **RÉGIONS** F : 08, 09-10, 12, 14, 16, 17	DEC 154.A0 Technologie de la transformation des aliments	54 %	46 %	Hebdomadaire : 790 $ Annuel : 41 080 $

STATISTIQUES D'INSERTION	2008	2009	2010	% CHÔMAGE*		RECHERCHE D'EMPLOI
Nbre personnes diplômées	48	35	41	4 %		3 semaines
% en emploi*		73,5 %	68,2 %	82,8 %		
% à temps plein		96 %	100 %	100 %		
% lié à la formation		91,7 %	93,8 %	100 %		

* Ces statistiques sont extraites des enquêtes de La Relance du MELS, plus précisément de la situation au 1er juin 2011.
Les autres statistiques de ce tableau sont extraites de la situation au 31 mars 2011.

Où l'a menée son bac? Faute de débouchés, Émilie s'est retrouvée gérante dans une pâtisserie de Saint-Hyacinthe. « **C'est là que j'ai réalisé quelle était ma véritable destinée. Chaque fois que les inspecteurs venaient, je les interrogeais sur leur métier.** Je me rendais compte que l'industrie alimentaire m'intéressait énormément. Je voulais en savoir plus. Il y avait une solution pour y parvenir : m'inscrire à l'ITA », raconte Émilie.

Retour à l'école

Émilie Lord a donc effectué un retour sur les bancs d'école à l'âge de 24 ans. Et devinez quoi? Elle a obtenu les meilleures notes de sa cohorte, y compris dans les cours de sciences. « Tous ces cours étaient étroitement liés au contenu alimentaire. Tout à coup, toutes ces expériences et ces équations me paraissaient plus claires, plus tangibles », souligne Émilie qui, à ce propos, tient à remercier le personnel enseignant de l'ITA d'offrir un encadrement sensationnel aux étudiants.

« Même les gars y trouvent leur compte. Surtout lorsque les cours traitent de bières et de cidres… », fait remarquer Émilie.

Après un passage chez Olymel lors de ses études, la technologue fraîchement diplômée a décroché en mai dernier un poste de technologue en laboratoire chez Agropur. « Une de mes plus belles réalisations », dit-elle fièrement. La jeune femme passe ses journées à fabriquer et créer des ferments. Cet ingrédient est utilisé dans la composition des fromages des diverses usines Agropur au Québec.

Remarquez, son goût pour la recherche et le développement ne fait que commencer. Émilie a l'intention de s'inscrire bientôt au certificat par correspondance en sciences et technologies des aliments offert par l'Université Laval. Et dire qu'elle craignait les sciences…

REMARQUE

Les diplômés en Technologie de la transformation des aliments ont la possibilité d'adhérer à l'Ordre des technologues professionnels du Québec.

PROGRAMMES

Technologie de la transformation des aliments (DEC 154.A0) : 13, 222, 271

Techniques de génie chimique (DEC 210.C0) : 26, 201

Technologie de la transformation des produits aquatiques (DEC 231.B0) : 176

CONSEILS DE PRO

« Sauce réduite en sodium, chips contenant moins de gras, muffin sans gluten, yogourt sans sucre ajouté, jamais la transformation alimentaire n'a occupé une place aussi importante dans notre société. D'où la forte demande actuelle pour les technologues en technologie des procédés et de la qualité des aliments. À qui s'adresse cette profession? À toute personne qui aime déguster de bons aliments et s'intéresse à la fois à la chimie et la microbiologie. Il faut être intrigué par les ingrédients, se questionner sur la réaction des aliments avec l'air, avec la lumière, avec leur emballage. Le souci du contrôle, l'analyse, l'inspection font aussi partie du quotidien. Plusieurs vont justement se tourner vers une carrière d'inspecteur alimentaire, mais la recherche, le développement, le contrôle qualité et l'entrepreneuriat font aussi partie des nombreux débouchés. »

Christine Bélanger, chef d'équipe du programme de technologie des procédés et de la qualité des aliments à l'Institut de technologie agroalimentaire, campus de Saint-Hyacinthe.

VALEUR CARRIÈRE SEPTEMBRE

Insertion sur le marché du travail

Maintien en emploi

Encadrement professionnel

Mobilité géographique

Diversité des milieux de pratique

Valeur ajoutée

Total : 7,9 / 10

Photo : Alarie Photos

TECHNOLOGUE EN PHYSIQUE APPLIQUÉE

Par Claudine Hébert

Dessiner, créer, inventer... sans limite

En optant pour une technique en physique appliquée, Francis Turcot avait un plan de carrière bien précis. Voilà un programme qui lui permettrait d'étudier dans un domaine qu'il aimait sans pour autant s'éterniser sur les bancs d'école. Ironiquement, son métier de technologue l'a mené tout droit dans les laboratoires de l'École polytechnique de Montréal.

Depuis 2003, Francis Turcot occupe un poste de technologue au Laboratoire des revêtements fonctionnels et d'ingénierie des surfaces (LARFIS), affilié au département de génie physique de l'École polytechnique.

« J'ai la meilleure job au monde », souligne d'emblée ce gradué du DEC en technologie physique du Cégep André-Laurendeau, cuvée 1999. Chaque journée ne se ressemble guère. Un jour, il doit dessiner des croquis 3D, un autre, réparer des machines. Le lendemain, il doit maintenir et entretenir les appareils du laboratoire. Le surlendemain, il réalise et crée un tout nouveau prototype...

EFFECTIF	PERSPECTIVES	FORMATION	H	%	F	SALAIRE MOYEN D'INSERTION
9 000	*Acceptables* **RÉGIONS** *F: 02, 03, 07, 09-10, 11, 12, 16, 17*	*DEC 244.A0 Technologie physique*	—		—	*Hebdomadaire : 732 $* *Annuel : 38 064 $*

STATISTIQUES D'INSERTION	2009	2010	2011	% CHÔMAGE*	RECHERCHE D'EMPLOI
N^bre personnes diplômées	*23*	*34*	*29*	*0 %*	*3 semaines*
% en emploi*	*37,5 %*	*18,5 %*	*25 %*		
% à temps plein	*100 %*	*71,4 %*	*83,3 %*		
% lié à la formation	*50 %*	*60 %*	*80 %*		

* Ces statistiques sont extraites des enquêtes de La Relance du MELS, plus précisément de la situation au 1er juin 2011. Les autres statistiques de ce tableau sont extraites de la situation au 31 mars 2011.

À ce propos, faute de pouvoir bénéficier d'un tribomètre en laboratoire, un appareil qui mesure l'usure des pièces, Francis en a fabriqué un. Quelques mois plus tard, le laboratoire a eu suffisamment de fonds pour se procurer un appareil neuf. « Malgré tout, les étudiants préfèrent toujours utiliser ma création », rapporte fièrement le technologue de 33 ans.

Passionné d'expériences

Adolescent, Francis était déjà de ces personnes qui aussitôt ayant mis la main sur un appareil électronique veulent le démonter et le remonter tout aussi rapidement. **« Tous les trucs électroniques qui pénétraient dans la maison passaient entre mes mains. Je voulais savoir comment les brancher, comment les programmer et surtout comment ça fonctionnait à l'intérieur.** Je voulais tout, tout, tout savoir », indique-t-il.

Francis Turcot a toujours été un mordu des expériences physiques. Grand fan de l'émission *Les débrouillards*, dans les années 1990, aujourd'hui, il ne rate rarement l'émission *Génial!*, diffusée à Télé-Québec. « J'ai toujours eu une capacité d'analyse rapide. Je suis comme une éponge. J'aime apprendre. »

Avoir la chance maintenant de travailler dans un centre de recherches universitaires multiplie ses possibilités de réaliser toutes sortes d'inventions. « Ce qui n'est pas toujours le cas en entreprises privées où la nature des projets est limitée généralement au mode développement de un ou de quelques produits », explique Francis Turcot qui a travaillé quatre ans en entreprises privées à la sortie du cégep en 1999.

Remarquez, son choix de carrière n'a pas fait, au départ, le bonheur de ses parents qui auraient souhaité que leur fils reprenne l'entreprise maraîchère familiale à Saint-Roch-de-l'Achigan. « J'ai bien essayé pendant six mois, dit-il. Mais l'envie de travailler en laboratoire me manquait trop. »

REMARQUE

Les diplômés en Technologie physique ont la possibilité d'adhérer à l'Ordre des technologues professionnels du Québec.

PROGRAMME

Technologie physique (DEC 244.A0) : 8, 119, 133

CONSEILS DE PRO

« Avis aux bricoleurs et amateurs d'expériences scientifiques qui rêvez d'inventer et réaliser des projets avec vos mains : la profession de technologue en physique appliquée vous attend. L'éclatement de la bulle électronique au début des années 2000 a eu pour effet de refroidir l'ardeur de plusieurs jeunes (et de leurs parents) envers cette profession. Résultat? Des centaines d'entreprises étroitement liées à des secteurs de l'innovation (de fibre optique, de laser, d'aéronautique, de biomédical…) font aujourd'hui face à une sérieuse pénurie de main-d'œuvre qualifiée. À tel point que les entreprises, partenaires de nos stages rémunérés, aimeraient bien embaucher nos apprentis technologues avant même qu'ils n'obtiennent leur diplôme collégial… Remarquez, le tiers des étudiants décident de poursuivre leurs études à l'université. L'Université Laval propose une formule DEC-BAC très intéressante qui reconnaît une trentaine de crédits universitaires. L'École polytechnique et l'École de technologie supérieure offrent aussi des privilèges particuliers d'accueil afin de poursuivre des études universitaires en génie. »

Jude Levasseur, coordonnateur de Technologie physique, au Cégep André-Laurendeau

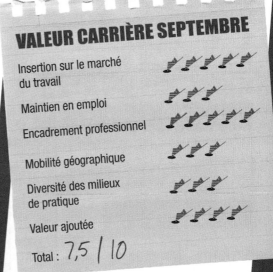

VALEUR CARRIÈRE SEPTEMBRE

Insertion sur le marché du travail ✓✓✓✓

Maintien en emploi ✓✓✓

Encadrement professionnel ✓✓✓✓

Mobilité géographique ✓✓✓

Diversité des milieux de pratique ✓✓✓

Valeur ajoutée ✓✓✓✓

Total : 7,5 / 10

INGÉNIEURE MÉTALLURGISTE ET DES MATÉRIAUX

Par Louise Potvin

Une femme dans le Boy's Club!

Dans son bureau de la Place Ville-Marie à Montréal, Nadia Romani arbore le tailleur. Mais sur le terrain, bottes de travail et casque sont de mise pour cette ingénieure métallurgiste et des matériaux. « Mon métier présente des possibilités variées : on peut notamment agir comme consultant, enseigner, travailler en usine ou dans un centre de recherche », décrit-elle.

Labrador, Matagami, Saint-Petersbourg, Afrique du Sud… À 32 ans, Nadia Romani, diplômée en génie des matériaux et de la métallurgie de l'Université McGill, a mené à terme moult projets un peu partout sur la planète.

« Parfois, mes déplacements à l'étranger peuvent se prolonger pendant des mois », explique la jeune employée de Hatch, entreprise qui offre divers services à l'industrie minière, (gestion des projets et de construction, services-conseils en procédés et en affaires, services à l'exploitation, etc.).

En quoi consiste son travail? « Un ingénieur minier va travailler à l'extraction du minerai : une fois qu'il est sorti de terre, c'est là que l'ingénieur métallurgiste entre en jeu », résume Nadia.

EFFECTIF	PERSPECTIVES	FORMATION	% H	F	SALAIRE MOYEN D'INSERTION
500	Favorables **RÉGION** F: 02	BAC 15364 Génie des matériaux et de la métallurgie	—	—	Hebdomadaire : 1 149 $ Annuel : 59 748 $

STATISTIQUES D'INSERTION	2007	2009	2011	% CHÔMAGE	RECHERCHE D'EMPLOI
Nbre personnes diplômées	39	58	20	8,3 %	14 semaines
% en emploi	52,2 %	73,7 %	73,3 %		
% à temps plein	100 %	100 %	90,9 %		
% lié à la formation	83,3 %	82,1 %	60 %		

Une mine de possibilités

Dans les années à venir, il y aura fort à faire dans l'industrie de première transformation des métaux. «On peut démarrer une usine comme travailler à l'amélioration des procédés en termes d'efficacité énergétique, de réduction des coûts de carburant, de développement de nouveaux équipements ou de produits», donne-t-elle en exemple.

«Récemment, j'ai travaillé à l'usine Richards Bay Minerals située en Afrique du Sud. Il nous fallait élaborer un nouveau procédé pour récupérer l'ilménite, matière première en production de la scorie de titane, dans les rejets de l'usine entreposés depuis 20 ans!»

«Étude de préfaisabilité, étude de faisabilité, démarrage du nouveau procédé: pendant quatre ans, j'ai participé à toutes les étapes d'un projet en Afrique du Sud: un défi stimulant et gratifiant», dit-elle.

Selon l'Ordre des ingénieurs du Québec, sur les 1 189 membres ayant déclaré travailler dans le domaine de la métallurgie (statistique basée sur une déclaration volontaire du champ de pratique des membres) seulement 161 ingénieurs seraient des femmes. Ce qui, en général, ne pose pas de problème, assure Nadia.

«Par contre, j'ai vécu des situations cocasses. En Ukraine, par exemple, la culture est très différente. Lorsque les dirigeants de l'entreprise qui voulaient se lancer dans le traitement de l'ilménite m'ont accueillie avec les deux autres membres de l'équipe, des hommes, ils ont délibérément omis de me saluer: je me sentais comme une fille au Boy's Club! Lorsque j'ai pris la parole, ils ont compris que c'était moi, la spécialiste en la matière: les barrières se sont très vite abaissées et nous avons pu mener à bien notre travail sans problème.»

REMARQUE

Pour exercer les activités réservées par la loi et porter le titre d'ingénieur, il faut être membre de l'Ordre des ingénieurs du Québec.

PROGRAMME

Génie des matériaux et de la métallurgie (BAC 15364): 59, 141

CONSEILS DE PRO

«Les entreprises devant améliorer sans cesse leur productivité et leur efficacité, le besoin d'ingénieurs métallurgistes et d'ingénieurs des matériaux ira certainement en augmentant au cours des prochaines années. Leur expertise peut être mise à contribution dans la production de masse tout comme pour développer des produits de niche à forte valeur ajoutée: la poudre tellure de cadmium qui permet de convertir les rayons solaires en électricité, dans les implants orthopédiques, en photonique, dans le développement des biomatériaux, par exemple. Plusieurs de nos étudiants sont principalement appelés à travailler en Chine, en Inde et autres pays dont l'économie est émergente et aussi un peu partout en Amérique du Nord. L'expertise québécoise est reconnue mondialement, ce qui fait de nos diplômés des candidats très recherchés.»

Carl Blais, Directeur de programme 1er cycle, Département de génie des Mines, de la Métallurgie et des Matériaux, Université Laval à Québec

VALEUR CARRIÈRE SEPTEMBRE

Insertion sur le marché du travail	⚒ ⚒ ⚒
Maintien en emploi	⚒ ⚒ ⚒ ⚒
Encadrement professionnel	⚒ ⚒ ⚒ ⚒ ⚒
Mobilité géographique	⚒ ⚒
Diversité des milieux de pratique	⚒ ⚒ ⚒ ⚒
Valeur ajoutée	⚒ ⚒ ⚒ ⚒

Total : 7,8 / 10

TABLEAU COMPARATIF

LAURÉATS ET MIS EN NOMINATION	EFFECTIF	PERSPEC-TIVES	DEMANDE DANS LES RÉGIONS	FORMATION ET ÉTABLISSEMENTS
SECONDAIRE				
Ajusteur de machines (7316)	2 500	F	F : 01, 02, 03, 12, 13, 14, 15, 17	Mécanique d'entretien en commandes industrielles (ASP 5006)
Briqueteur-maçon (7281)	5 000	A	F : 08, 15	Briquetage-maçonnerie (DEP 5303)
Charpentier-menuisier (7271)	40 000	A	F : 08, 15	Charpenterie-menuiserie (DEP 5319)
Entrepreneur en construction (0711)	12 000	F	F : 03, 09-10, 12, 13, 14, 15, 16, 17	Gestion d'une entreprise de la construction (ASP 5309)
Grutier (7371)	3 000	A	F : 02, 06, 08, 09-10, 13, 15	Conduite de grues (DEP 5248)
Machiniste (7231)	15 000	A	F : 04, 08, 09-10, 12, 16, 17	Techniques d'usinage (DEP 5223)
Mécanicien d'équipement lourd (7312)	7 000	F	F : 01, 02, 03, 04, 05, 06, , 07 08, 09-10, 12, 13, 14, 15, 16, 17	Mécanique de véhicules lourds routiers (DEP 5330)
Mécanicien de moteurs diesels (7312)	7 000	F	F : 01, 02, 03, 04, 05, 06, 07, 08, 09-10, 12, 13, 14, 15, 16, 17	Mécanique de moteurs diesels et de contrôles électroniques (ASP 5259)
Mécanicien industriel (7311)	19 000	A	F : 07, 09-10, 12, 17	Mécanique industrielle de construction et d'entretien (DEP 5260)
Monteur de lignes (7244)	3 000	A	F : 02, 03, 06, 08, 09-10, 11, 12	Montage de lignes électriques (DEP 5185)
Plâtrier (7284)	7 000	A	F : 15	Plâtrage (DEP 5286)
Régleur-conducteur de machines-outils à commande numérique (7231)	15 000	A	F : 04, 08, 09-10, 12, 16, 17	Usinage sur machines-outils à commande numérique (ASP 5224)
Soudeur haute pression (7265)	20 000	A	F : 02, 08, 09-10, 14, 15, 17	Soudage haute pression (ASP 5234)
Soudeur-monteur (7265)	20 000	A	F : 02, 08, 09-10, 14, 15, 17	Soudage-montage (DEP 5195)
COLLÉGIAL				
Gérant d'entreprise agricole (8251)	24 000	F	F : 01, 02, 05, 07, 14, 17	Gestion et exploitation d'entreprise agricole, spécialisation Productions animales (DEC 152.AA)
Technicien en biotechnologies	9 000	A	F : 08, 09-10, 12, 14, 16, 17	Techniques de laboratoire, spécialisation Biotechnologies (DEC 210.AA)
Inspecteur en construction (2264)	3 000	F	F : 01, 02, 03, 12, 13, 14, 15, 17	Technologie du génie civil (DEC 221.B0)
Technicien en environnement, hygiène et santé au travail (2211)	9 000	A	F : 08, 09-10, 12, 14, 16, 17	Environnement, hygiène et sécurité au travail (DEC 260.B0)
Technicien en transformation des aliments (2211)	9 000	A	F : 08, 09-10, 12, 14, 16, 17	Technologie de la transformation des aliments (DEC 154.A0)
Technologue en aérospatial (2232)	3 500	F	F : 02, 03, 04, 05, 07, 09-10, 12, 13, 14, 15, 16, 17	Techniques de construction aéronautique (DEC 280.B0)
Technologue en génie civil (2231)	4 500	F	F : 02, 03, 04, 06, 07, 08, 09-10, 12, 13, 14, 15, 16, 17	Technologie du génie civil (DEC 221.B0)

Nbre DE PERSONNES DIPLÔMÉES	% H	% F	% EN EMPLOI	% À TEMPS PLEIN	% LIÉ À LA FORMATION	% CHÔMAGE	SALAIRE MOYEN (HEBDOMADAIRE)	RECHERCHE D'EMPLOI (SEMAINES)	VALEUR CARRIÈRE SEPTEMBRE
31	100 %	0 %	70,8 %	94,1 %	56,3 %	5,6 %	841 $	5	6,7/10
441	100 %	0 %	84,3 %	95,7 %	62,5 %	6,7 %	751 $	4	6,7/10
1 965	99 %	1 %	87,1 %	96,4 %	88,1 %	7,8 %	799 $	3	6,9/10
—	—	—	—	—	—	—	—	—	6,9/10
37	—	—	91,3 %	90 %	94,4 %	4,5 %	1 601 $	1	7,1/10
410	89 %	11 %	78,4 %	93,6 %	76,4 %	5,1 %	666 $	3	7,2/10
388	98 %	2 %	76,1 %	95,8 %	92,5 %	5,1 %	768 $	3	8/10
61	—	—	84,4 %	100 %	90 %	5,0 %	739 $	1	8,8/10
456	97 %	3 %	84,2 %	97,8 %	78,1 %	5,9 %	806 $	6	6,6/10
212	100 %	0 %	95,8 %	100 %	97,3 %	0,9 %	1 175 $	3	7,2/10
103	88 %	12 %	86,2 %	93,9 %	69,6 %	7,4 %	713 $	4	6,6/10
271	92 %	8 %	85,2 %	97,1 %	83,3 %	6,0 %	649 $	5	6,6/10
—	—	—	—	—	—	—	—	—	6,6/10
902	95 %	5 %	78,6 %	97,3 %	82,7 %	7,0 %	683 $	3	7,3/10
119	66 %	34 %	79,4 %	100 %	89 %	1,3 %	632 $	1	7,5/10
84	38 %	62 %	58 %	94,4 %	94,1 %	2,4 %	632 $	5	7,5/10
356	89 %	11 %	52,5 %	97,8 %	90,2 %	2,2 %	871 $	2	8,4/10
39	—	—	78,3 %	94,1 %	87,5 %	0 %	711 $	3	7,5/10
41	54 %	46 %	82,8 %	100 %	100 %	4 %	790 $	3	7,9/10
41	—	—	40 %	91,7 %	81,8 %	0 %	789 $	8	7,8/10
356	89 %	11 %	52,5 %	97,8 %	90,2 %	2,2 %	871 $	2	8,9/10

TABLEAU COMPARATIF

LAURÉATS ET MIS EN NOMINATION	EFFECTIF	PERSPEC-TIVES	DEMANDE DANS LES RÉGIONS	FORMATION ET ÉTABLISSEMENTS
Technologue en génie industriel (2233)	4 500	F	F : 01, 02, 03, 05, 12, 13, 15, 16, 17	Technologie du génie industriel (DEC 235.B0)
☆ Technologue en génie mécanique (2232)	3 500	F	F : 02, 03, 04, 05, 07, 09-10, 12, 13, 14, 15, 16, 17	Techniques de génie mécanique (DEC 241.A0)
☆ Technologue en mécanique du bâtiment (2231)	4 500	F	F : 02, 03, 04, 06, 07, 08, 09-10, 12, 13, 14, 15, 16, 17	Technologie de la mécanique du bâtiment (DEC 221.C0)
Technologue en physique appliquée (2241)	9 000	A	F : 02, 03, 07, 09-10, 11, 12, 16, 17	Technologie physique (DEC 244.A0)
UNIVERSITAIRE				
Ingénieur chimiste (2134)	2 000	F	F : 03, 14, 16	Génie chimique (BAC 15356)
Ingénieur de la production automatisée (2141)	6 000	F	F : 01, 02, 03, 06, 08, 12, 13, 14, 15, 16, 17	Génie de la production automatisée (BAC 15363)
☆ Ingénieur électricien (2133)	8 000	F	F : 01, 02, 04, 05, 07, 08, 09-10, 13, 14, 15, 16, 17	Génie électrique (BAC 15359)
★ Ingénieur en génie civil (2131)	11 000	F	F : 01, 02, 03, 04, 05, 06, 07, 08, 09-10, 12, 13, 14, 15, 16, 17	Génie civil (BAC 15358)
☆ Ingénieur en génie mécanique (2132)	7 000	F	F : 01, 02, 03, 04, 05, 06, 08, 12, 13, 14, 15, 16, 17	Génie mécanique (BAC 15360)
Ingénieur industriel (2141)	6 000	F	F : 01, 02, 03, 06, 08, 12, 13, 14, 15, 16, 17	Génie industriel (BAC 15363)
@ Ingénieur métallurgiste et des matériaux (2142)	500	F	F : 02	Génie des matériaux et de la métallurgie (BAC 15364)
Microbiologiste (2121)	4 500	F	F : 03, 07, 11, 12, 13, 16, 17	Microbiologie (BAC 15211)

★ PALME D'OR   ☆ LAURÉAT

★ PALME D'ARGENT   ■ ENTREVUE

★ PALME DE BRONZE   @ **Academos** CYBERMENTORAT

Nbre DE PERSONNES DIPLÔMÉES	% H	% F	% EN EMPLOI	% À TEMPS PLEIN	% LIÉ À LA FORMATION	% CHÔMAGE	SALAIRE MOYEN (HEBDOMADAIRE)	RECHERCHE D'EMPLOI (SEMAINES)	VALEUR CARRIÈRE SEPTEMBRE
46	—	—	29,6 %	100 %	75 %	0 %	734 $	1	8,1/10
318	96 %	4 %	47,5 %	95,6 %	87 %	2,6 %	785 $	4	8,6/10
119	—	—	63,2 %	88,9 %	91,7 %	0 %	755 $	1	8,8/10
29	—	—	25 %	83,3 %	80 %	0 %	732 $	3	7,5/10
112	—	—	64,7 %	95,5 %	81 %	4,3 %	974 $	15	7,6/10
201	81 %	19 %	78,9 %	96 %	87,6 %	5,6 %	994 $	12	8,3/10
529	91 %	9 %	79,6 %	97,8 %	81,9 %	3,5 %	1 005 $	13	8,4/10
473	73 %	27 %	88,4 %	98,9 %	92,8 %	0,7 %	1 008 $	5	8,9/10
747	89 %	11 %	78 %	97,8 %	86,4 %	4,4 %	1 008 $	13	8,3/10
201	81 %	19 %	78,9 %	96 %	87,6 %	5,6 %	994 $	12	8,1/10
20	—	—	73,3 %	90,9 %	60 %	8,3 %	1 149 $	14	7,8/10
51	47 %	53 %	67,7 %	95,2 %	75 %	0 %	864 $	18	7,6/10

Faites 3 vœux

1 **Salaire très intéressant**

2 **Excellentes perspectives d'emploi**

3 **Programme captivant**
- branché sur le marché du travail,
- expériences en laboratoire,
- visites industrielles et stage en entreprise.

Souhait exaucé !

Les techniques de **génie chimique**

Une formation multidisciplinaire
dans un
domaine d'avenir

- En obtenant un diplôme d'études collégiales (DEC) en génie chimique, tu auras acquis une formation approfondie des procédés chimiques utilisés dans différents domaines d'avenir (alumineries, biotechnologies, environnement, pâtes et papiers, pétrochimie, plastiques).

« Des centaines d'entreprises de haute technologie auront besoin de toi. »

CÉGEP DE LÉVIS-LAUZON
La *passion* du savoir

205, rue Mgr-Bourget, Lévis (Québec) G6V 6Z9
Téléphone : 418 833-5110, poste 3763

www.clevislauzon.qc.ca

VISE LE CENTRE DE FORMATION PROFESSIONNELLE SAMUEL-DE CHAMPLAIN

Mets les voiles sur ton métier

ADMINISTRATION, COMMERCE ET INFORMATIQUE

AGENT DE COMPTABILITÉ *
ADJOINT ADMINISTRATIF
CONSEILLER AUX VENTES AUTOMOBILES
CONSEILLER AUX VENTES, REPRÉSENTANT *
REPRÉSENTANT COMMERCIAL (ASP) *
SECRÉTAIRE

BÂTIMENT ET TRAVAUX PUBLICS

OUVRIER EN ENTRETIEN GÉNÉRAL D'IMMEUBLES
PLOMBIER / TECHNICIEN EN CHAUFFAGE
PRÉPOSÉ EN HYGIÈNE ET SALUBRITÉ EN MILIEUX DE SOINS (AEP)
VITRIER, MONTEUR, INSTALLATEUR DE PRODUITS VERRIERS

ENTRETIEN D'ÉQUIPEMENT MOTORISÉ

CONSEILLER AUX PIÈCES
TECHNICIEN EN ENTRETIEN ET RÉPARATION DE CARAVANES

* Formations sélectionnées au Palmarès des carrières 2012.

SERVICE DE RECONNAISSANCE DES ACQUIS ET DES COMPÉTENCES

Inscris-toi maintenant!

CENTRE DE FORMATION PROFESSIONNELLE
Samuel-De Champlain

2740, AVENUE ST-DAVID
QUÉBEC, (QC) G1E 4K7
TÉL. : **418 666-4000**
www.cfpsc.qc.ca

Commission scolaire
des Premières-Seigneuries

SERVICES :
ENTRETIEN, CONSEIL ET SCIENCE

SERViCES :
ENTRETIEN, CONSEIL ET SCIENCE

Ce secteur regroupe les métiers et professions dont le capital humain constitue le principal facteur de production, les travailleurs qui offrent généralement leurs connaissances et leurs compétences dans le cadre d'affectations. Ce secteur regroupe ainsi les activités orientées vers l'entretien et la réparation d'appareils, de véhicules et d'installations diverses ainsi que les activités reliées au tourisme et à la restauration. Les services de transports et d'entreposage, l'aménagement paysager, les soins personnels et la santé animale y sont également regroupés. Les services informatiques, les télécommunications, les services d'architecture, les services d'arpentage et de cartographie, les services de conseils, de recherche et de développement scientifiques se retrouvent également dans ce secteur.

Cette année, les entrevues sont réalisées auprès de quarante travailleurs dont la profession offre de bonnes perspectives, sans toutefois être nécessairement parmi les lauréats ou les palmes. Pourquoi cela? Pour faire connaître des professions qui risqueraient de ne jamais se classer parmi les meilleurs et de demeurer peu connues des jeunes, et ce, bien qu'elles offrent de belles perspectives.

Soulignons également que dans certaines entrevues de même que dans le tableau comparatif à la fin du secteur, le logo ⚙ ACADEMOS CYBERMENTORAT indique que des mentors ou des vidéos du métier sont présentés sur le site academos.qc.ca.

Palmarès du secteur

Photo : Alarie Photos

CUISINIER

Par Alina Pahoncia

Travailler dans une industrie qui ne dort jamais

Boris Popovic travaille 12 heures par jour, sept jours sur sept. « Quand on aime ce qu'on fait, on ne sent pas la fatigue. J'aime cuisiner. J'ai grandi dans une ambiance où tout gravitait autour de la cuisine. Tous les repas dans ma famille ont toujours été faits à la maison. Pour moi, Noël ce n'était pas les cadeaux, mais le repas de Noël ».

Au moment de décider la direction de sa vie professionnelle, Boris a choisi un baccalauréat en anthropologie à l'Université Concordia. « Tout au long de mes études, je rentrais à la maison le soir et je cuisinais. C'était la meilleure façon de soulager le stress quotidien. »

À 26 ans, le diplôme dans la poche, Boris sait que l'anthropologie ne sera pas son choix final de carrière. Après quelques mois de réflexion, il touche à une conclusion : « La cuisine, c'est ce que je ferai de ma vie ! »

Ainsi, ce jeune montréalais embarque dans une nouvelle aventure : des cours en cuisine le jour et un emploi dans un restaurant le soir. Boris quitte l'École Culinaire Pearson deux ans plus tard avec

EFFECTIF	PERSPECTIVES	FORMATION		%		SALAIRE MOYEN D'INSERTION
			H		F	
56 000	*Acceptables* **RÉGIONS** *F : 08*	*DEP 5311 Cuisine*	*50 %*		*50 %*	*Hebdomadaire : 559 $* *Annuel : 29 068 $*

STATISTIQUES D'INSERTION	2009	2010	2011	% CHÔMAGE*	RECHERCHE D'EMPLOI
Nbre personnes diplômées	*916*	*878*	*965*	*6,2 %*	*2 semaines*
% en emploi*	*71,3 %*	*70,2 %*	*72,5 %*		
% à temps plein	*85,3 %*	*88,6 %*	*85,9 %*		
% lié à la formation	*85 %*	*87,9 %*	*82,7 %*		

* Ces statistiques sont extraites des enquêtes de La Relance du MELS, plus précisément de la situation au 1er juin 2011.
Les autres statistiques de ce tableau sont extraites de la situation au 31 mars 2011.

un DEP en cuisine. S'étant déjà bâti un réseau de contacts dans l'industrie, il est appelé à joindre les équipes de grands restaurants montréalais. « J'ai même eu un emploi dans un restaurant à l'île-du-Prince-Édouard », se souvient-il.

C'est la passion pour la cuisine qui l'a amené si loin. « J'adore aller au marché pour chercher les meilleurs ingrédients. En fin de journée, lorsque je vois les clients qui mangent ce que j'ai cuisiné, je ne sens plus la fatigue. Je sais que j'ai fait un bon travail. »

Mais la passion ne suffit pas. C'est un métier qui demande beaucoup d'énergie et de longues heures. « On travaille debout toute la journée, dans la chaleur, dans des conditions de stress, entouré par des gens avec qui il faut travailler en équipe, qu'on les aime ou pas », dit Boris.

Devenir son propre patron

Un jour, le frère aîné de Boris, qui travaillait déjà dans la gestion des restaurants depuis bon nombre d'années, lui propose d'ouvrir leur propre restaurant. C'est ainsi que Pizzeria Magpie ouvre ses portes en 2010 dans le quartier Mile End à Montréal.

« J'ai plusieurs emplois maintenant. Je cuisine, mais je m'occupe aussi des embauches, de la formation du personnel, des commandes... », raconte le jeune homme de 30 ans.

Dans une industrie qui n'arrête jamais, une année s'est écoulée jusqu'à ce qu'il pût prendre des vacances. « Le restaurant est ma maison », dit Boris.

Ce qu'il recommanderait aux jeunes qui songent à une carrière en cuisine? **« Trouvez-vous un emploi comme plongeur. Si vous aimez l'énergie de la cuisine et que vous aimez cuisiner, avec une formation pertinente, vous y arriverez. La cuisine professionnelle n'est pas un passe-temps ».**

REMARQUE

Les cuisiniers qualifiés peuvent obtenir le Sceau rouge qui permet la mobilité interprovinciale.

PROGRAMME

Cuisine (DEP 5311): 1, 2, 16, 33, 40, 47, 61, 72, 93, 100, 105, 106, 115, 128, 142, 158, 165, 177, 190, 194, 210, 217, 231, 234, 248, 253, 255, 257, 279, 281, 282

CONSEILS DE PRO

« Les jeunes regardent des émissions sur "Food Network" et ils s'imaginent qu'après une formation en cuisine ils deviendront tous des chefs connus ou qu'ils auront leur propre restaurant. Il y a peut-être un diplômé sur 100 qui y arrive. La moitié de nos diplômés travaille dans des restaurants et l'autre moitié se trouve des emplois dans l'industrie haut volume, comme les hôpitaux, les hôtels, les traiteurs, des résidences pour les aînés. Ce n'est pas un métier pour tout le monde. Pour être un bon cuisinier, il faut avoir une bonne éthique de travail et d'excellentes notions d'hygiène. La créativité, l'initiative, la capacité de travailler en équipe, la tolérance au stress, une bonne mémoire et un excellent sens de l'organisation sont indispensables. Et il faut surtout aimer cuisiner et avoir du talent. »

Nancy Gagnon, enseignante et coordonnatrice des programmes de Cuisine d'établissement et Cuisine de marché, École Culinaire Pearson

VALEUR CARRIÈRE SEPTEMBRE

Insertion sur le marché du travail	✈✈✈✈
Maintien en emploi	✈✈✈
Encadrement professionnel	✈✈✈✈
Mobilité géographique	✈
Diversité des milieux de pratique	✈✈✈✈✈
Valeur ajoutée	✈✈✈✈

Total : 6,6 / 10

DESSINATRICE D'ARCHITECTURE

Par Alina Pahoncia

Le bras droit des architectes

« Quand j'avais 23 ans, j'ai décidé avec mon conjoint de construire une maison. Nous avons fait la gestion et le suivi de projet, c'était comme une auto-construction. J'ai vraiment aimé l'expérience et j'ai voulu la répéter », raconte Stéphanie Duquette, qui occupe depuis deux ans le poste de dessinatrice pour Vézina Thode Architectes, un bureau d'architecture à Montréal.

Après avoir fini son secondaire, elle était allée travailler pour son père, qui gérait son dépanneur depuis 30 ans. Lorsque son père a vendu son commerce, elle aussi a dû prendre une décision. « Je me suis tournée vers les études et je me suis demandée ce que j'aimerais faire. J'avais tellement aimé être sur le chantier de ma maison que la réponse a été simple : dessiner et être impliquée dans la construction », dit Stéphanie.

Avec un petit enfant, les études de longue durée étaient « inimaginables » pour la jeune femme âgée de 27 ans à l'époque. Par la suite, elle choisit un DEP en dessin de bâtiment d'une durée de 18 mois au Centre intégré de mécanique, de métallurgie et d'électricité (CIMME) à LaSalle.

EFFECTIF	PERSPECTIVES	FORMATION	% H	% F	SALAIRE MOYEN D'INSERTION
12 000	*Favorables* **RÉGIONS** *F: 01, 02, 05, 07, 08, 09-10, 13, 14, 15, 16, 17*	*DEP 5250 Dessin de bâtiment*	48 %	52 %	*Hebdomadaire : 576 $* *Annuel : 29 952 $*

STATISTIQUES D'INSERTION	2009	2010	2011	% CHÔMAGE*	RECHERCHE D'EMPLOI
N^bre personnes diplômées	*303*	*333*	*349*	*3,7 %*	*4 semaines*
% en emploi*	*79,3 %*	*79,4 %*	*83,4 %*		
% à temps plein	*95,9 %*	*93,8 %*	*98 %*		
% lié à la formation	*82,4 %*	*75 %*	*81,4 %*		

* Ces statistiques sont extraites des enquêtes de La Relance du MELS, plus précisément de la situation au 1er juin 2011. Les autres statistiques de ce tableau sont extraites de la situation au 31 mars 2011.

« La construction de ma maison m'a beaucoup aidée pendant mes études. J'avais des connaissances que la plupart de mes collègues n'avaient pas ».

À l'écoute des clients

C'est pendant sa formation qu'elle a appris à maitriser AutoCAD – un logiciel de dessin assisté par ordinateur. « Je ne suis pas très bonne à la main, mais je suis vraiment à l'aise avec AutoCAD. Le dessinateur d'architecture est comme le bras droit des architectes. En effet, il transcrit leur design sur papier », explique Stéphanie.

De plus, le fait de pouvoir toucher à tout motive et passionne cette jeune femme de 31 ans. « Je travaille pour un petit bureau d'architecture où j'ai l'occasion de participer aux rencontres avec les clients et même si je ne prends pas toutes les décisions, j'ai mes opinions qui sont écoutées. »

Travailler comme dessinateur d'architecture implique beaucoup de création. « On n'a pas trop le temps de s'ennuyer. On fait du résidentiel, du commercial, de l'institutionnel. À chaque bâtiment, ses défis. Lorsqu'on commence un projet, la page est blanche. »

Même si à 70 % de son temps elle dessine, son travail comporte aussi de la coordination, du suivi et des rencontres avec les clients, qui, dans la plupart des situations, font l'investissement de leur vie.

Son métier lui demande d'être patiente, précise et très disponible. « C'est très important de répondre aux besoins et aux attentes des clients. »

C'est une profession où ça bouge en tout temps. « Le design change, il y a toujours de nouvelle tendances. Il faut se mettre à jour pour garder le cap avec les développements de l'industrie. »

CONSEILS DE PRO

« *Être dessinateur d'architecture demande beaucoup de minutie et une ouverture vers le travail en équipe. Il faut avoir une bonne vision des choses en 3D afin de suivre la formation en dessin de bâtiment qui mène à cette profession. Si on regarde un plan de maison sur papier, il faut être capable de la voir bâtie. À la fin de la formation, nos étudiants sont capables de dessiner en 3D les plans d'une maison unifamiliale ou multifamiliale ou d'un bâtiment commercial. Après avoir suivi une formation en dessin de bâtiment, on ne voit pas seulement l'enveloppe du bâtiment, mais aussi la structure et ce qui le fait fonctionner à l'intérieur en termes de ventilation, d'électricité ou de plomberie. C'est assez complexe comme formation et cela ouvre beaucoup de portes. On peut travailler dans un bureau d'architecture, autant que dans la mécanique de bâtiment, pour un ingénieur ou un entrepreneur.* »

Marie-France Walhin, enseignante et responsable du programme dessin de bâtiment au Centre intégré de mécanique, de métallurgie et d'électricité (CIMME) à LaSalle

VALEUR CARRIÈRE SEPTEMBRE

Insertion sur le marché du travail

Maintien en emploi

Encadrement professionnel

Mobilité géographique

Diversité des milieux de pratique

Valeur ajoutée

Total : 7,6 / 10

MÉCANICIEN DE MACHINES FIXES

Photo : Alarie Photos

Par Didier Bert

Agir avant qu'il soit trop tard

Quand il se rend à son travail, Danick Ducasse ne sait jamais de quoi sa journée sera faite. «Je suis souvent surpris par ce qui m'attend», se réjouit cet employé de la Brasserie Molson à Montréal. Danick déploie toutes ses habiletés en mécanique, que ce soit pour des réparations urgentes ou pour la maintenance préventive des machines.

Ce mécanicien en machines fixes de 31 ans représente la quatrième génération de sa famille dans le métier. Pourtant, Danick ne se destinait pas à suivre le chemin tracé par ses aïeux. Sa curiosité a été aiguisée par une discussion avec son père qui lui expliquait combien ce métier est varié.

Danick y a vu la possibilité de vivre de sa passion pour la mécanique, tout en vivant des journées différentes les unes des autres. «J'ai toujours aimé bricoler, pas pour faire de la grosse mécanique, mais j'aime le travail manuel», explique-t-il. «En même temps, je ne voudrais pas faire toujours la même chose, comme démonter des filtres toute la journée.»

EFFECTIF	PERSPECTIVES	FORMATION	H	%	F	SALAIRE MOYEN D'INSERTION
4 000	Acceptables **RÉGIONS** F : 06, 08, 17	DEP 5146 Mécanique de machines fixes	—		—	Hebdomadaire : 902 $ Annuel : 46 904 $

STATISTIQUES D'INSERTION	2009	2010	2011	% CHÔMAGE*	RECHERCHE D'EMPLOI
N^bre personnes diplômées	72	72	100	6,3 %	6 semaines
% en emploi*	79,1 %	84,1 %	90,9 %		
% à temps plein	100 %	94,6 %	100 %		
% lié à la formation	81,8 %	94,3 %	85,2 %		

* Ces statistiques sont extraites des enquêtes de La Relance du MELS, *plus précisément de la situation au 1er juin 2011. Les autres statistiques de ce tableau sont extraites de la situation au 31 mars 2011.*

À la Brasserie Molson, Danick est servi : il doit intervenir sur des systèmes complexes de chauffage et de climatisation. Une panne anodine peut cacher un problème bien plus grave. Et l'esprit d'initiative est nécessaire. **« Quand on voit un problème, il faut s'en occuper tout de suite, sans attendre que ça casse »**, souligne-t-il.

« Un jour, on a eu une panne d'air comprimé. Cela aurait pu affecter la production. Ce n'était pas vraiment à moi de chercher, mais j'étais sur les lieux. J'ai trouvé la source du problème à temps », se rappelle-t-il.

Possédant un DEP en mécanique de machines fixes qu'il a obtenu au CFP de Lachine – Dalbé Viau, Danick intervient notamment sur le système de réfrigération à l'ammoniac. Pour cette tâche, la rigueur est indispensable. Tout l'équipement doit être impeccablement nettoyé. Aucune trace de ce produit dangereux ne doit subsister avant d'exécuter la réparation. « On n'a pas le droit à l'erreur. On suit des procédures strictes à double vérification. »

Savoir prendre sur soi

Comme les pannes ne sont jamais les mêmes, Danick se retrouve régulièrement aux prises avec des problèmes inusités. « Quand c'est nouveau, je ne sais pas, mais j'ai toujours une petite idée », précise-t-il. Dans ce cas, Danick doit faire des recherches dans la documentation technique de la machine, souvent sur le site Internet du fabricant.

Quand la débrouillardise et la documentation ne suffisent pas, les collègues sont précieux, à condition de reconnaître ses propres limites. « Il faut être capable d'aller chercher de l'aide et de dire qu'on ne comprend pas. »

Quand il aura davantage d'ancienneté, Danick pourra accéder à la maintenance des machines de la production. « Ce sont de gros réseaux qu'il faut apprendre à connaître. »

CONSEILS DE PRO

« Au-delà des compétences techniques, le savoir-être a une grande importance dans ce métier. En premier lieu, l'assiduité et la ponctualité sont indispensables. Un collègue ne peut pas quitter son poste tant que le quart de travail suivant n'est pas arrivé. Mieux vaut ne pas être en retard ! Le mécanicien de machines fixes n'est pas un surveillant de chaudières, comme certains préjugés l'avancent. C'est tout sauf un métier routinier. Il devrait plutôt être comparé à un médecin de famille, avec des compétences généralistes, chargé du bon fonctionnement des équipements. Ce métier offre un bon potentiel de promotions. Celui qui aime prendre des responsabilités peut s'attendre à progresser. Les diplômés doivent acquérir de l'expérience avant de pouvoir intégrer les industries de la chimie, de la pétrochimie et du raffinage, qui sont celles offrant les meilleurs salaires. »

Denys Sanfaçon, représentant de secteur du département des machines fixes au Centre de formation professionnelle de Québec

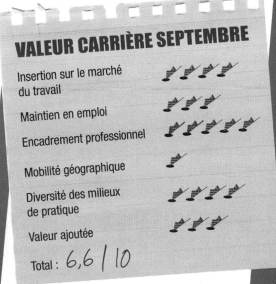

VALEUR CARRIÈRE SEPTEMBRE

Insertion sur le marché du travail	✈✈✈✈
Maintien en emploi	✈✈✈
Encadrement professionnel	✈✈✈✈✈
Mobilité géographique	✈
Diversité des milieux de pratique	✈✈✈
Valeur ajoutée	✈✈✈

Total : 6,6 / 10

PROGRAMME

Mécanique de machines fixes (DEP 5146) : 37, 110, 276

Photo : Alarie Photos

PRÉPOSÉ À L'ARPENTAGE

Par Pierre Vallée

Quand le hasard aligne bien les choses

Dany Lachance exerce le métier de préposé à l'arpentage. C'est un métier qui le passionne et son parcours lui a permis de toucher à plusieurs facettes de l'arpentage, dont certaines sont inconnues du grand public. Mais, avoue-t-il, il en aurait bien pu être autrement. En fait, la vie a voulu que Dany Lachance choisisse le métier de préposé à l'arpentage littéralement par hasard.

« J'étudiais au cégep en sciences humaines et je croyais poursuivre plus tard en anthropologie. Mais j'étais un étudiant en appartement, avec des responsabilités financières, et je me devais d'entrer sur le marché du travail rapidement, ce qui était impossible avec l'anthropologie. Je me suis donc tourné vers les métiers. J'ai pris un guide, j'ai fermé les yeux et j'ai choisi au hasard. Je suis tombé sur le métier de préposé à l'arpentage. Je n'avais aucune idée en quoi ça consistait. Mais je me suis rendu à une rencontre et en sortant de celle-ci, je savais que c'était le métier pour moi. »

EFFECTIF	PERSPECTIVES	FORMATION	% H	F	SALAIRE MOYEN D'INSERTION
1 500	*Acceptables* **RÉGIONS** *F : 06, 14, 15*	*DEP 5238* *Arpentage et* *topographie*	*75 %*	*25 %*	*Hebdomadaire :* *935 $* *Annuel :* *48 620 $*

STATISTIQUES D'INSERTION	2009	2010	2011	% CHÔMAGE*	RECHERCHE D'EMPLOI
N^bre personnes diplômées	*146*	*153*	*151*	*8,8 %*	*2 semaines*
% en emploi*	*82,1 %*	*83,3 %*	*89 %*		
% à temps plein	*100 %*	*96,8 %*	*95,3 %*		
% lié à la formation	*84,7 %*	*85 %*	*98,4 %*		

* Ces statistiques sont extraites des enquêtes de La Relance du MELS, plus précisément de la situation au 1er juin 2011.
Les autres statistiques de ce tableau sont extraites de la situation au 31 mars 2011.

Diplômé d'études professionnelles, il décroche rapidement un premier emploi dans un bureau d'arpentage. Peu de temps après, il quitte le bureau d'arpentage pour entrer dans une firme de consultants en construction. « C'était une firme qui effectuait des travaux très spécialisés. J'avais plus de responsabilités et beaucoup plus de calculs à faire. Ça m'a pris presqu'un an pour m'adapter aux méthodes de cette entreprise. »

De l'arpentage spécialisé

Mais cet emploi l'a amené à réaliser des travaux d'arpentage autrement plus sophistiqués. « J'ai travaillé sur les terrains d'aiguillage lors du prolongement du métro à Laval. C'était très exigeant car les mesures et les calculs étaient extrêmement précis et nous devions respecter les contraintes du chantier. Nous avons dû à certaines occasions travailler 30 heures d'affilée. »

Selon Dany Lachance, un des avantages de ce métier est la variété. « Il n'y a pas de routine. On part le matin avec un ensemble de tâches à accomplir. » Outre la minutie, Dany Lachance estime que la patience est une qualité essentielle au métier de préposé à l'arpentage. « Il faut être zen car parfois il faut attendre pour avoir accès aux chantiers et lorsqu'on l'obtient, il ne faut pas se laisser déconcentrer par l'impatience des autres travailleurs qui ont hâte que l'on termine afin de pouvoir revenir sur le chantier. » Aujourd'hui, un nouveau défi se présente à Dany Lachance : celui de l'enseignement. Tout en poursuivant son métier de préposé à l'arpentage, il vient d'accepter un poste d'enseignant. Une façon pour lui de communiquer à d'autres sa passion d'un métier choisi au hasard qui, parfois, fait bien les choses.

CONSEILS DE PRO

« Le DEP en arpentage et topographie prépare le préposé à assister l'arpenteur-géomètre dans toutes les facettes du métier. Il apprend à travailler avec les instruments de mesure et avec les logiciels informatiques qui permettent de traduire ces mesures en plans ou en cartes. Il est appelé à travailler à l'extérieur, où il lève ou implante des mesures, et à l'intérieur, où il traite ces mesures. La formation de 1 800 heures dure 16 mois et une moitié se passe sur le terrain et l'autre en classe. De plus, il y a deux stages en entreprise. Il doit évidemment aimer les chiffres mais les mathématiques du secondaire suffisent pour le travail. Un bon préposé à l'arpentage doit avoir le souci de la précision et aussi faire preuve d'autonomie et d'initiative. Les perspectives d'emploi sont excellentes car il y a pénurie de main-d'œuvre. »

Georges Morin, responsable du département d'arpentage et de topographie à l'École des métiers du Sud-Ouest de Montréal (EPSOM)

VALEUR CARRIÈRE SEPTEMBRE

Insertion sur le marché du travail	✔✔✔✔✔
Maintien en emploi	✔✔✔
Encadrement professionnel	✔✔✔✔✔
Mobilité géographique	✔
Diversité des milieux de pratique	✔✔✔✔✔
Valeur ajoutée	✔✔✔

Total : 6,7 / 10

PROGRAMME

Arpentage et topographie (DEP 5238) : 15, 36, 99, 232, 249

Photo : Stéphane Lemire

PROGRAMMEUR

Par Claudine Hébert

Avoir le goût d'apprendre tous les jours

Il y a des gens pour qui un petit coup de pouce du conseiller d'orientation permet de trouver la bonne voie. Parlez-en à Martin Auger de Sherbrooke. Devenu programmeur informatique et propriétaire de sa propre entreprise de solutions en gestion de l'information, cet ex-conservateur de la faune ne regrette pas du tout d'avoir écouté et suivi les recommandations du professionnel.

« Ce n'est pas d'hier que je suis attiré par la techno. En 5e année, j'ai réalisé mon premier programme de jeu vidéo avec un ami. Pourtant, je me suis laissé tenter par un DEP en conservation de la faune. Après trois ans sans trouver d'emploi intéressant, j'ai demandé de l'aide à un orienteur », raconte Martin Auger.

En plus de lui rappeler ses aptitudes et son intérêt pour la technologie depuis son jeune âge (et d'insister sur l'abondante perspective d'emploi en informatique), l'orienteur a convaincu Martin Auger d'aller chercher un DEC en techniques de l'informatique.

EFFECTIF	PERSPECTIVES	FORMATION	H	%	F	SALAIRE MOYEN D'INSERTION
30 000	*Favorables* **RÉGIONS** F : 02, 03, 04, 06, 07, 12, 13, 14, 15, 16, 17	*DEC 420.AA Techniques de l'informatique, spécialisation Informatique de gestion*	95 %		5 %	*Hebdomadaire : 707 $* *Annuel : 36 764 $*

STATISTIQUES D'INSERTION	2009	2010	2011	% CHÔMAGE*		RECHERCHE D'EMPLOI
Nbre personnes diplômées	*448*	*384*	*484*	*3,3 %*		*3 semaines*
% en emploi*	*41,4 %*	*45,3 %*	*41,5 %*			
% à temps plein	*97 %*	*92,7 %*	*94,5 %*			
% lié à la formation	*89,9 %*	*85,2 %*	*86,9 %*			

* Ces statistiques sont extraites des enquêtes de La Relance du MELS, *plus précisément de la situation au 1er juin 2011.*
Les autres statistiques de ce tableau sont extraites de la situation au 31 mars 2011.

« La meilleure décision de ma vie. **Je ne m'attendais pas à vivre une telle frénésie en changeant de carrière. La technologie ne cesse d'évoluer. Si on est moindrement entrepreneur et débrouillard, c'est un secteur où les occasions d'affaires pullulent** », indique le jeune entrepreneur de 39 ans.

Déjà trois entreprises à son actif

En effet, depuis sa graduation au Cégep de Sherbrooke en 1997, Martin Auger a géré trois entreprises. Deux sociétés à temps partiel (création de sites Web et développement de programmes sur mesure) et sa toute dernière, sa plus grande fierté, ERP Québec, dont il occupe la direction à temps plein. Cette entreprise, fondée en 2007, aide les PME à profiter des logiciels de gestion intégrée sous licence (GPL) libre de distribution. Ce qu'on appelle dans le jargon de l'informatique des solutions de l'Open Source.

Mais avant de devenir complètement autonome, notre programmeur a travaillé pendant plus de 12 ans au sein d'entreprises privées, notamment chez Rona et C-Mac pour aller chercher de l'expérience et accroître ses connaissances. « Ces années m'ont permis de comprendre qu'il ne suffit pas de maîtriser les programmes. Cette profession exige beaucoup de respect envers les autres et de bonnes aptitudes en communications orales et écrites », dit-il.

Il faut aussi beaucoup de patience. « Chaque journée apporte son lot de défis. La profession de programmeur permet de côtoyer plusieurs autres secteurs. Les finances et la comptabilité, les ventes, les achats, l'ingénierie, la production, l'assurance qualité, la gestion d'inventaire, les ressources humaines et j'en passe. Autrement dit, conclut-il, je n'ai jamais fini d'apprendre… »

CONSEILS DE PRO

« Qu'il s'agisse d'un organisme public, d'une petite, moyenne ou grosse entreprise, les besoins en informatique font désormais partie du quotidien de toutes les organisations. Par conséquent, la demande pour les techniciens en informatique est en constante évolution. En fait, la pénurie de main-d'œuvre dans ce secteur est déjà bien amorcée. Ce qui se traduit par une perspective d'emploi garantie à 100 %... et une hausse éventuelle du salaire moyen. Évidemment, il faut à la base être passionné par le monde informatique. Il faut avoir un esprit curieux, vouloir comprendre le fonctionnement des programmes, la dynamique des applications. Il faut aimer travailler de façon autonome et se révéler aussi efficace pour le travail en équipe. Et puisque les solutions ne sont pas toujours évidentes, une bonne dose de persévérance constitue une qualité indispensable pour réussir dans ce domaine. »

Louise Tétrault, professeur et responsable des stages au département de techniques de l'informatique au Cégep de Sherbrooke

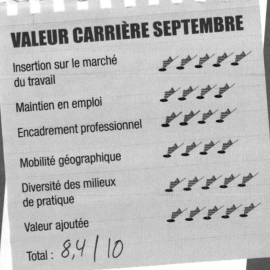

VALEUR CARRIÈRE SEPTEMBRE

Insertion sur le marché du travail	✈✈✈✈
Maintien en emploi	✈✈✈✈
Encadrement professionnel	✈✈✈
Mobilité géographique	✈✈✈
Diversité des milieux de pratique	✈✈✈✈
Valeur ajoutée	✈✈✈✈✈

Total : 8,4 / 10

Photo : Stéphane Lemire

TECHNOLOGUE EN ÉLECTRONIQUE INDUSTRIELLE

Par David Savoie

Un métier allumant!

Les Sherbrookois dépendent un peu de lui. Christian Blais, technicien en contrôle et en automation, répare les problèmes électriques dans toute la ville. Des génératrices aux moteurs, il doit s'assurer que tout fonctionne. C'est dire à quel point il est important pour la population et les entreprises!

Christian Blais travaille à la Ville de Sherbrooke. Et il ne sait qu'une seule chose chaque matin : qu'il travaillera sur des circuits électriques. Où et quand? Ça, il ne le sait pas. Et c'est exactement ce qu'il aime. «Un technicien est appelé à travailler sur toutes sortes de choses, à toucher à tout. Des moteurs, de l'électricité à l'électronique, je peux faire plusieurs choses dans une journée, ça touche à tout l'ensemble de ma formation. »

Christian Blais assure le bon fonctionnement et l'entretien des circuits électriques et électroniques de la municipalité. Ce qui implique de travailler à l'extérieur, ou encore dans des endroits bruyants, entouré de génératrices, où il peut être difficile de se concentrer. «Il faut aimer travailler dehors, c'est là que se trouvent les postes de transformation. Disons que je ne passe pas mes journées dans un bureau

EFFECTIF	PERSPECTIVES	FORMATION	% H	F	SALAIRE MOYEN D'INSERTION
9 000	Acceptables **RÉGIONS** F: 02, 03, 07, 09-10, 11, 12, 16, 17	DEC 243.C0 Technologie de l'électronique industrielle	95 %	5 %	Hebdomadaire : 839 $ Annuel : 43 628 $

STATISTIQUES D'INSERTION	2008	2009	2010	% CHÔMAGE*	RECHERCHE D'EMPLOI
N^bre personnes diplômées	348	390	348	2,5 %	3 semaines
% en emploi*	60,3 %	66,6 %	75,8 %		
% à temps plein	96,7 %	98,5 %	99,5 %		
% lié à la formation	87,2 %	82,7 %	84,8 %		

* Ces statistiques sont extraites des enquêtes de La Relance du MELS, *plus précisément de la situation au 1er juin 2011.*
Les autres statistiques de ce tableau sont extraites de la situation au 31 mars 2011.

à trouver une solution à un problème », s'exclame ce diplômé du Cégep de Sherbrooke. **Son travail se divise en deux volets : d'un côté, les réparations au quotidien de génératrices, moteurs ou transformateurs et de l'autre, programmer et mettre en place les nouveaux systèmes pour remplacer les anciens.**

Il doit apprendre le fonctionnement de chaque nouveau système électronique de la ville. « On a des formations, c'est sûr, mais on développe un instinct pour savoir comment ça fonctionne », explique le jeune homme. Il doit constamment se garder au courant de ce qui se fait dans son domaine, car les technologies évoluent vite.

Pour Christian, la principale qualité nécessaire dans son travail, c'est la logique. « Tu dois savoir diagnostiquer, isoler le problème, afin d'effectuer une bonne analyse ».

De l'expérience

Christian Blais roule sa bosse depuis déjà un petit moment. Il voit une grosse différence entre le travail au privé et au public. Contrairement aux emplois en entreprise, où le travail est axé sur la performance et la rapidité, à la Ville de Sherbrooke, il doit au contraire s'assurer d'un travail bien fait.

« Ce n'est pas une chaîne de production, il faut que ce soit sans faille », explique Christian, parce que des coupures fréquentes peuvent coûter cher à des compagnies. Quand on travaille sous tension, c'est facile de faire "planter" une usine ».

Avec ses années de travail, il pratique encore son métier avec passion. « Au début, ce qui m'attirait de l'électronique, c'était les circuits, comprendre les systèmes. Avec le temps, j'ai appris à aimer l'aspect du dépannage, la résolution de problèmes », dit-il.

REMARQUE

Les diplômés en Technologie de l'électronique industrielle ont la possibilité d'adhérer à l'Ordre des technologues professionnels du Québec.

PROGRAMME

Technologie de l'électronique industrielle (DEC 243.CO) : 9, 11, 25, 26, 51, 63, 82, 119, 121, 123, 132, 134, 160, 167, 168, 187, 201, 202, 214, 224, 263, 265, 268, 285

CONSEILS DE PRO

« Les débouchés sont très variés pour les finissants. Ils peuvent travailler dans une firme de génie-conseil, dans des compagnies manufacturières ou encore dans des compagnies biomédicales. La formation se termine par un stage en entreprise de six semaines, et généralement les employeurs décident de garder les finissants. Les cours permettent d'aller chercher de bonnes connaissances générales. C'est sur le terrain, en entreprise, que les gens vont développer une spécialisation. Une fois embauché, il faut être débrouillard et être prêt à apprendre: les technologies ne cessent d'évoluer, il faut donc aller chercher de l'information et se renseigner. Il y a beaucoup de demande dans le domaine, parce que les techniciens actuels, qui sont assez âgés, vont prendre leur retraite au cours des prochaines années. »

Michel Puche, enseignant à l'institut Teccart à Montréal

VALEUR CARRIÈRE SEPTEMBRE

Insertion sur le marché du travail	✈✈✈✈✈
Maintien en emploi	✈✈✈
Encadrement professionnel	✈✈✈✈✈
Mobilité géographique	✈✈✈
Diversité des milieux de pratique	✈✈✈✈✈
Valeur ajoutée	✈✈✈✈

Total : 7,8 / 10

TECHNOLOGUE DE MAINTENANCE INDUSTRIELLE

Photo : Stéphane Lemire

Par Didier Bert

Prendre soin des outils de production

Alexandre Benoit a quitté ses études en génie informatique pour exercer ce qu'il appelle « le plus beau métier du monde ». Ce technicien en maintenance industrielle de 27 ans assure le bon fonctionnement des machines à commande numérique de Moules industriels, une PME de Sherbrooke.

Arrivé à l'université, Alexandre s'est vite aperçu que sa place n'était pas là. « Je ne voulais pas d'une vie passée devant un ordinateur. » Ce touche-à-tout de la mécanique a trouvé son bonheur dans la maintenance industrielle. « Il n'y a aucun autre métier où on a la chance de faire tout le temps des choses différentes. »

Détenant maintenant un DEC en technologie de maintenance industrielle qu'il a obtenu au Cégep de Sherbrooke, Alexandre est fier de prendre soin du parc de machines à commande numérique. « Ce sont de beaux défis. Ces machines sont d'une grande précision. On fait des réglages au quatre dix millième de pouce. » Comme pour toute machine, il y a des tâches de base comme le graissage, mais le travail de maintenance est surtout une affaire de polyvalence. « Nos professeurs nous disaient : vous serez experts en rien, mais bons en tout. »

EFFECTIF	PERSPECTIVES	FORMATION	% H	F	SALAIRE MOYEN D'INSERTION
1 500	Acceptables **RÉGIONS** F : 05, 12, 16, 17	DEC 241.D0 Technologie de maintenance industrielle	—	—	Hebdomadaire : 870 $ Annuel : 45 240 $

STATISTIQUES D'INSERTION	2009	2010	2011	% CHÔMAGE*	RECHERCHE D'EMPLOI
N^bre personnes diplômées	72	63	66	3,3 %	5 semaines
% en emploi*	51,9 %	67,4 %	70,7 %		
% à temps plein	93,9 %	93,5 %	100 %		
% lié à la formation	87,1 %	79,3 %	90 %		

* Ces statistiques sont extraites des enquêtes de La Relance du MELS, plus précisément de la situation au 1er juin 2011. Les autres statistiques de ce tableau sont extraites de la situation au 31 mars 2011.

Les réglages sont contrôlés par l'informatique. Il faut être capable de réparer un bris mécanique sur un train d'engrenage, ou encore d'utiliser ses habiletés d'électricien pour inspecter les circuits imprimés d'une carte électronique. « J'ai eu des journées où j'ai fait une vingtaine de tâches différentes. » Et les erreurs sont à éviter. « Ça coûte très cher quand ça brise. »

En plus des réparations régulières, Alexandre participe à des projets d'amélioration de l'usine. « L'entreprise voulait faire fonctionner un robot avec deux machines, pour les alimenter en pièces. On a travaillé un an sur ce projet. Quand on voit le résultat, c'est gratifiant. »

Toujours apprendre

Avec ses collègues, la communication est primordiale. « Quand il y a un bris, il faut parler aux personnes qui étaient là pour comprendre ce qui s'est passé. Puis il faut expliquer comment c'est arrivé. »

Le travail d'Alexandre consiste aussi à toujours améliorer ses connaissances. « Après sept ans d'expérience, j'en apprends encore tous les jours. » Les technologies se renouvellent et Alexandre doit à chaque fois comprendre leur fonctionnement. Pour cela, il procède à des recherches sur les sites des constructeurs de machines, souvent aux États-Unis et en Allemagne.

Parfois, les connaissances ne suffisent pas. C'est alors sa débrouillardise qui fait la différence. **« En attendant que la pièce de rechange nous soit livrée, je dois trouver une autre méthode pour que la machine fonctionne quand même. »**

CONSEILS DE PRO

« Oubliez l'image du balayeur ou de la personne qui a les mains sales! La maintenance industrielle consiste plutôt à analyser les vibrations d'une machine, ou encore à aligner des pièces avec un laser. Ce métier attire très peu de filles. C'est certainement dû à ces préjugés. Pourtant, la maintenance industrielle ne demande pas de force physique. Il faut surtout aimer résoudre des problèmes. Il est important d'être habile de ses mains et intéressé par le milieu industriel. Ce n'est pas la meilleure voie pour un intellectuel. Mais il faut faire preuve d'ingéniosité et de polyvalence. On ne travaille pas sur un seul type de machines. Les entreprises se dirigent de plus en plus vers de la maintenance préventive. Si on veut prévoir un bris, il faut être curieux et aimer savoir comment les choses sont faites. »

Luc Veillette, responsable du programme de technologie de maintenance industrielle au Cégep de Trois-Rivières

VALEUR CARRIÈRE SEPTEMBRE

Insertion sur le marché du travail	🎓🎓🎓🎓
Maintien en emploi	🎓🎓🎓
Encadrement professionnel	🎓🎓🎓🎓🎓
Mobilité géographique	🎓🎓
Diversité des milieux de pratique	🎓🎓🎓🎓🎓🎓
Valeur ajoutée	🎓🎓🎓🎓

Total : 7,8 / 10

REMARQUE

Les diplômés en Technologie de maintenance industrielle ont la possibilité d'adhérer à l'Ordre des technologues professionnels du Québec.

PROGRAMME

Technologie de maintenance industrielle (DEC 241.D0) : 10, 63, 82, 121, 160, 168, 187, 201

Photo : Stéphane Lemire

CONSULTANT EN ENVIRONNEMENT

Par Martine Frégeau

Une carrière pluridisciplinaire

Détenteur d'une maîtrise en environnement du Centre universitaire de formation en environnement de l'Université de Sherbrooke et d'un Baccalauréat en études environnementales et géographie de l'Université de Bishop, Cédric Bourgeois cumule les fonctions de président et de directeur de commercialisation chez Transfert Environnement, une firme de communication environnementale. « En tant que consultant en environnement, je relève des défis constants », affirme-t-il.

Le jeune homme était précédemment dirigeant d'une entreprise spécialisée dans la gestion des matières résiduelles. Celle-ci s'est fusionnée à l'entreprise qu'il dirige actuellement. « C'est dans le cadre du programme de la maîtrise que quelques collègues de classe et moi avons proposé de créer, de façon virtuelle, notre entreprise », relate-t-il. Ce projet a débouché sur sa fondation, bien réelle.

Son choix de carrière semblait tracé d'avance. « J'étais président de la Société d'histoire d'un petit village situé près de Sherbrooke. Un édifice patrimonial était menacé. J'étais convaincu que je pouvais

EFFECTIF	PERSPECTIVES	FORMATION	H	% F	SALAIRE MOYEN D'INSERTION
4 500	Favorables **RÉGIONS** F : 03, 05, 07, 08, 09-10, 12, 13, 15, 16	Maîtrise 28076 Maîtrise en environnement / qualité du milieu et pollution	43 %	57 %	Hebdomadaire : 999 $ Annuel : 51 948 $

STATISTIQUES D'INSERTION	2007	2009	2011	% CHÔMAGE	RECHERCHE D'EMPLOI
N^bre personnes diplômées	119	112	129	6 %	8 semaines
% en emploi	75,0 %	79,7 %	86,7 %		
% à temps plein	91,7 %	92,1 %	94,9 %		
% lié à la formation	85,5 %	82,8 %	78,4 %		

faire quelque chose et on est allé chercher une subvention. C'est à la suite de cet événement que j'ai décidé de faire ma maîtrise», explique-t-il. La perception qu'a le public des personnes travaillant en environnement a changé, depuis cinq ans. Nous ne sommes pas seulement des gens qui font du bénévolat ou encore, des écologistes qui aiment la planète! »

L'équipe, capital gagnant

Son entreprise a reçu le prix Entrepreneurs, Édition 2008 de Desjardins & Cie. Cédric parle au nom de son équipe, rappelant du même coup l'importance que revêt la synergie qui lie cette dernière : « **Nous travaillons sur des projets de grande envergure dans les secteurs de l'hydroélectricité, minier, éolien, autoroutier et gestion des matières résiduelles.** Nous ne travaillons pas de façon conventionnelle. Nous utilisons un mécanisme de communication et d'intervention appelé ingénierie sociale. Nous voulons bâtir des ponts sociaux entre les promoteurs et les parties prenantes d'un projet, image-t-il. Nos clients peuvent provenir de partout. Nous voyageons beaucoup ».

« Nous gérons différentes types de dossiers à la fois, au cours d'une même journée. Nous sommes la plupart du temps en rencontre avec des clients. Il nous faut être pluridisciplinaires, être prêts à défendre des dossiers tout en restant en contact avec nos valeurs. Il nous faut également être capables de vivre avec un refus et avec l'échec : Quand on parle environnement, tout le monde n'est pas rendu au même niveau, explique-t-il. Une autre facette de la profession consiste à vivre avec la gestion de crises. Nous préférons arriver à l'amorce d'un projet, mais nous sommes souvent appelés à intervenir dans des situations problématiques. Il nous faut être capables de communiquer aisément, mettre en place de nouveaux processus et savoir se concerter afin d'en arriver à des consensus! »

CONSEILS DE PRO

« La pression sociale génère une conscience environnementale dans toutes les sphères d'activités : politique, sociale, économique, etc. L'environnement connaît la plus forte croissance au Québec, avec tout ce qui s'en vient, notamment avec le Plan Nord. Le consultant en environnement doit avoir le goût de s'engager et vouloir être un agent de changement. Il faut qu'il y croit et qu'il puisse porter un regard différent sur ce qui se passe. Il doit aimer travailler en équipe, régler des problèmes, en regardant l'ensemble des impacts. L'expertise évolue et s'adapte au marché du travail. Les étudiants, tant à la maîtrise/gestion qu'au baccalauréat, sont formés comme généralistes, au sein d'une approche interdisciplinaire, dans l'optique du développement durable. Les stages se tiennent en alternance avec les études et sont rémunérés. Le premier défi des diplômés est d'apprendre à faire autrement, en ayant une vision élargie; les défis qui les attendent sont planétaires! »

Michel Montpetit, directeur, Centre universitaire de formation en environnement (CUFE), Université de Sherbrooke Et spécialiste en formation multidisciplinaire de 2e cycle en environnement

VALEUR CARRIÈRE SEPTEMBRE

Insertion sur le marché du travail ✔✔✔✔

Maintien en emploi ✔✔✔✔

Encadrement professionnel ✔✔✔✔✔

Mobilité géographique ✔✔✔

Diversité des milieux de pratique ✔✔✔✔

Valeur ajoutée ✔✔✔✔

Total : 8,2 / 10

TABLEAU COMPARATIF

LAURÉATS ET MIS EN NOMINATION	EFFECTIF	PERSPEC-TIVES	DEMANDE DANS LES RÉGIONS	FORMATION ET ÉTABLISSEMENTS
SECONDAIRE				
Boucher (6251)	9 000	F	F : 02, 03, 05, 09-10, 11, 12, 13, 14, 15, 16, 17	Boucherie de détail (DEP 5268)
Conseiller technique (automobile) (6421)	162 000	F	F : 03, 12, 13, 14, 15, 17	Service-conseil à la clientèle en équipement motorisé (DEP 5258)
Cuisinier (6242)	56 000	A	F : 08	Cuisine (DEP 5311)
Dessinateur d'architecture (2253)	12 000	F	F : 01, 02, 05, 07, 08, 09-10, 13, 14, 15, 16, 17	Dessin de bâtiment (DEP 5250)
Dessinateur en construction mécanique (2253)	12 000	F	F : 01, 02, 05, 07, 08, 09-10, 13, 14, 15, 16, 17	Dessin industriel (DEP 5225)
Frigoriste (7313)	5 000	A	F : 02, 07, 08, 09-10, 17	Réfrigération (DEP 5315)
Mécanicien d'engins de chantier (7312)	7 000	F	F : 01, 02, 03, 04, 05, 06, 07, 08, 09-10, 12, 13, 14, 15, 16, 17	Mécanique d'engins de chantier (DEP 5331)
Mécanicien de machines agricoles (7312)	7 000	F	F : 01, 02, 03, 04, 05, 06, 07, 08, 09-10, 12, 13, 14, 15, 16, 17	Mécanique agricole (DEP 5070)
Mécanicien de machines fixes (7351)	4 000	A	F : 06, 08, 17	Mécanique de machines fixes (DEP 5146)
Mécanicien de moteurs diesel (véhicules automobiles) (7321)	34 000	A	F : 02, 07, 08, 09-10, 14, 15, 16, 17	Mécanique de moteurs diesels et de contrôles électroniques (ASP 5259)
Mécanicien de véhicule automobile (7321)	34 000	A	F : 02, 07, 08, 09-10, 14, 15, 16, 17	Mécanique automobile (DEP 5298)
Mécanicien de véhicules lourds (7321)	34 000	A	F : 02, 07, 08, 09-10, 14, 15, 16, 17	Mécanique de véhicules lourds routiers (DEP 5330)
Préposé à l'arpentage (2254)	1 500	A	F : 06, 14, 15	Arpentage et topographie (DEP 5238)
Sommelier (6453)	52 000	A	F : 03, 12	Sommellerie (ASP 5314)
COLLÉGIAL				
Agent de promotion touristique (4163)	13 000	F	F : 01, 03, 05, 06, 07, 08, 09-10, 11, 12, 13, 14, 15, 16, 17	Techniques de tourisme, spécialisation Mise en valeur de produits touristiques (DEC 414.AB)
Estimateurs en construction (2234)	4 500	F	F : 02, 03, 04, 05, 12, 14, 15, 16, 17	Technologie de l'estimation et de l'évaluation du bâtiment, spécialisation Estimation en construction (DEC 221.DA)
Gestionnaire de réseaux informatiques (2281)	18 000	F	F : 01, 02, 03, 04, 05, 06, 07, 08, 09-10, 12, 13, 14, 15, 16, 17	Techniques de l'informatique, spécialisation Gestion de réseaux informatiques (DEC 420.AC)
Programmeur (2174)	30 000	F	F : 02, 03, 04, 06, 07, 12, 13, 14, 15, 16, 17	Techniques de l'informatique, spécialisation Informatique de gestion (DEC 420.AA)
Technicien en architecture (2251)	3 500	F	F : 01, 02, 03, 04, 06, 07, 08, 12, 13, 14, 15, 16, 17	Technologie de l'architecture (DEC 221.A0)
Technicien en santé animale (3213)	3 000	F	F : 02, 03, 04, 05, 06, 12, 13, 14, 15, 16, 17	Techniques de santé animale (DEC 145.A0)
Technologue en design industriel (2252)	3 500	F	F : 05, 13, 14, 15, 16, 17	Techniques de design industriel (DEC 570.C0)

Nbre DE PERSONNES DIPLÔMÉES	% H	F	% EN EMPLOI	% À TEMPS PLEIN	% LIÉ À LA FORMATION	% CHÔMAGE	SALAIRE MOYEN (HEBDOMADAIRE)	RECHERCHE D'EMPLOI (SEMAINES)	VALEUR CARRIÈRE SEPTEMBRE
239	82%	18%	77,8%	95,2%	78,8%	7,1%	535$	2	7,4/10
38	66%	34%	89,5%	100%	68,8%	5,6%	718$	2	6,9/10
965	50%	50%	72,5%	85,9%	82,7%	6,2%	559$	2	6,6/10
349	48%	52%	83,4%	98%	81,4%	3,7%	576$	4	7,6/10
190	74%	26%	85%	98,8%	72,5%	9,6%	606$	5	7,9/10
222	—	—	88,6%	92%	84,8%	5,2%	728$	4	7,3/10
295	—	—	86%	98%	85,8%	4,4%	828$	3	8,8/10
73	—	—	80,8%	97,4%	75,7%	4,5%	685$	1	7,5/10
100	—	—	90,9%	100%	85,2%	6,3%	902$	6	6,6/10
61	—	—	84,4%	100%	90%	5%	739$	1	7/10
950	96%	4%	81,6%	97,6%	81%	6,2%	569$	3	6,6/10
388	98%	2%	76,1%	95,8%	92,5%	5,1%	768$	3	7,5/10
151	75%	25%	89%	95,3%	98,4%	8,8%	935$	2	6,7/10
116	55%	45%	78,9%	85,4%	90,2%	4,3%	670$	1	6,8/10
96	15%	85%	70%	85,7%	88,9%	2,3%	602$	3	8/10
14	—	—	83,3%	100%	90,9%	9,1%	706$	1	8,3/10
123	—	—	63,6%	98,2%	92,9%	9,7%	749$	3	9/10
484	95%	5%	41,5%	94,5%	86,9%	3,3%	707$	3	8,4/10
338	50%	50%	60,2%	96,6%	90,9%	0%	600$	4	8,9/10
237	5%	95%	85,1%	93,2%	92,7%	1,5%	504$	2	8,7/10
44	64%	36%	53,3%	87,5%	78,6%	5,9%	653$	5	7,7/10

TABLEAU COMPARATIF

LAURÉATS ET MIS EN NOMINATION	EFFECTIF	PERSPEC-TIVES	DEMANDE DANS LES RÉGIONS	FORMATION ET ÉTABLISSEMENTS
Technologue en électronique industrielle (2241)	9 000	A	F : 02, 03, 07, 09-10, 11, 12, 16, 17	Technologie de l'électronique industrielle (DEC 243.C0)
Technologue en maintenance industrielle (2243)	1 500	A	F : 05, 12, 16, 17	Technologie de maintenance industrielle (DEC 241.D0)
Technologue en télécommunication (2241)	9 000	A	F : 02, 03, 07, 09-10, 11, 12, 16, 17	Technologie de l'électronique, spécialisation Télécommunications (DEC 243.BA)

UNIVERSITAIRE

LAURÉATS ET MIS EN NOMINATION	EFFECTIF	PERSPEC-TIVES	DEMANDE DANS LES RÉGIONS	FORMATION ET ÉTABLISSEMENTS
Administrateur de bases de données (2172)	3 000	F	F : 03, 06, 07, 13	Informatique (BAC 15340)
☆ Administrateur de serveur (2281)	18 000	F	F : 01, 02, 03, 04, 05, 06, 07, 08, 09-10, 12, 13, 14, 15, 16, 17	Informatique (BAC 15340)
☆ Analyste en informatique (2171)	39 000	F	F : 03, 04, 05, 06, 07, 08, 12, 13, 14, 15, 16, 17	Informatique (BAC 15340)
Arpenteur-géomètre (2154)	2 500	F	F : 05, 06, 07, 08, 09-10, 13, 15, 17	Sciences géomatiques (BAC 15371)
☀ Consultant en environnement (4161)	4 500	F	F : 03, 05, 07, 08, 09-10, 12, 13, 15, 16	Maîtrise en environnement / qualité du milieu et pollution (Maîtrise 28076)
★ Consultant en informatique (2171)	39 000	F	F : 03, 04, 05, 06, 07, 08, 12, 13, 14, 15, 16, 17	Informatique (BAC 15340)
Ergonome des interfaces (4161)	4 500	F	F : 03, 05, 07, 08, 09-10, 12, 13, 15, 16	Informatique (BAC 15340)
Gestionnaires de systèmes informatiques (0213)	10 000	F	F : 01, 03, 04, 05, 06, 07, 12, 13, 14, 15, 16, 17	Informatique (BAC 15340)
Ingénieur en informatique (2147)	5 000	F	F : 02, 03, 05, 06, 07, 13, 14, 15, 16	Génie informatique (BAC 15373)
Ingénieur en logiciel (2173)	5 000	F	F : 03, 06, 07, 13, 15, 16	Génie logiciel (BAC 15340)
Vétérinaire (3114)	2 000	F	F : 03, 04, 12, 13, 14, 15, 17	Médecine vétérinaire (Doctorat 1er cycle 15180)

★ PALME D'OR ☆ LAURÉAT

★ PALME D'ARGENT � ENTREVUE

★ PALME DE BRONZE ☀ Academos CYBERMENTORAT

Nbre DE PERSONNES DIPLÔMÉES	% H	F	% EN EMPLOI	% À TEMPS PLEIN	% LIÉ À LA FORMATION	% CHÔMAGE	SALAIRE MOYEN (HEBDOMADAIRE)	RECHERCHE D'EMPLOI (SEMAINES)	VALEUR CARRIÈRE SEPTEMBRE
348	95 %	5 %	75,8 %	99,5 %	84,8 %	2,5 %	839 $	3	7,8/10
66	—	—	70,7 %	100 %	90 %	3,3 %	870 $	5	7,8/10
95	—	—	65,1 %	95,1 %	76,9 %	0 %	762 $	5	7,9/10
552	91 %	9 %	86,8 %	97 %	92,9 %	2,3 %	937 $	7	8/10
552	91 %	9 %	86,8 %	97 %	92,9 %	2,3 %	937 $	7	8,7/10
552	91 %	9 %	86,8 %	97 %	92,9 %	2,3 %	937 $	7	8,7/10
21	—	—	75 %	100 %	100 %	0 %	877 $	5	8,4/10
129	43 %	57 %	86,7 %	94,9 %	78,4 %	6 %	999 $	8	8,2/10
552	91 %	9 %	86,8 %	97 %	92,9 %	2,3 %	937 $	7	9/10
552	91 %	9 %	86,8 %	97 %	92,9 %	2,3 %	937 $	7	7,7/10
552	91 %	9 %	86,8 %	97 %	92,9 %	2,3 %	937 $	7	8,4/10
150	94 %	6 %	81,3 %	100 %	90,5 %	2,6 %	933 $	11	8,6/10
552	91 %	9 %	86,8 %	97 %	92,9 %	2,3 %	937 $	7	8,2/10
81	—	—	84,5 %	89,8 %	100 %	2 %	1 320 $	1	8/10

CE QUI M'INTÉRESSE, C'EST DISPENSER DES SOINS DE QUALITÉ AUX PATIENTS...

C'EST POURQUOI, JE CHOISIS LA PROFESSION D'INFIRMIÈRE AUXILIAIRE

- DEP en Santé, assistance et soins infirmiers (1800 heures)
- Un taux de placement de 97 %
- Une présence importante dans le réseau de la santé

Renseignez-vous sans tarder auprès du centre de formation professionnelle de votre région.

Ordre des infirmières et infirmiers auxiliaires du Québec

www.oiiaq.org

SANTÉ
HUMAINE

SANTÉ
HUMAINE

Ce secteur regroupe les activités relatives à la prévention ainsi qu'au diagnostic et au traitement des maladies. On y retrouve les professions dont les tâches sont liées à la recherche, aux soins médicaux, paramédicaux et thérapeutiques de même qu'aux soins de fin de vie. Ces professions comportent des tâches et des fonctions qui exigent la maîtrise d'habiletés techniques nécessaires pour la manipulation et l'utilisation d'appareils spécialisés de toutes sortes.

Cette année, les entrevues sont réalisées auprès de quarante travailleurs dont la profession offre de bonnes perspectives, sans toutefois être nécessairement parmi les lauréats ou les palmes. Pourquoi cela? Pour faire connaître des professions qui risqueraient de ne jamais se classer parmi les meilleurs et de demeurer peu connues des jeunes, et ce, bien qu'elles offrent de belles perspectives.

Soulignons également que dans certaines entrevues de même que dans le tableau comparatif à la fin du secteur, le logo ☀ ACADEMOS CYBERMENTORAT indique que des mentors ou des vidéos du métier sont présentés sur le site academos.qc.ca.

Palmarès du secteur

ASSISTANTE TECHNIQUE EN PHARMACIE

LAURÉAT

Par Didier Bert

Loin de la routine

C'est en cherchant un emploi étudiant que Paméla Cossette-Rompré a eu la piqûre : elle deviendrait assistante technique en pharmacie. Aujourd'hui, la jeune femme de 19 ans travaille à la fois dans une pharmacie à l'hôpital et dans la pharmacie de son village. À l'âge de 16 ans, Paméla a été engagée comme caissière à la pharmacie Brunet de Sainte-Anne-de-la-Pérade, près de Trois-Rivières.

« Je trouvais intéressant ce qui se faisait au laboratoire. Et on a fini par me proposer d'y travailler. Je préparais les médicaments pour les clients. »

Alors qu'elle envisageait de devenir pharmacienne, elle s'est rendue compte que le côté technique l'intéressait davantage. Elle décide alors d'abandonner ses cours pour travailler six mois à temps plein à la pharmacie. Elle y est chargée de questionner les clients sur leurs allergies, comme de compter les pilules prescrites.

EFFECTIF	PERSPECTIVES	FORMATION		H	%	F	SALAIRE MOYEN D'INSERTION
18 000	Favorables **RÉGIONS** F : Ensemble du Québec	DEP 5302 Assistance technique en pharmacie		7 %		93 %	Hebdomadaire : 550 $ Annuel : 28 600 $

STATISTIQUES D'INSERTION	2009	2010	2011	% CHÔMAGE	RECHERCHE D'EMPLOI
N^{bre} personnes diplômées	381	381	440	1,7 %	1 semaine
% en emploi*	89,2 %	85,2 %	85,9 %		
% à temps plein	92,6 %	86,7 %	89,3 %		
% lié à la formation	95,2 %	95,9 %	94,2 %		

* Ces statistiques sont extraites des enquêtes de La Relance du MELS, *plus précisément de la situation au 1er juin 2011.*
Les autres statistiques de ce tableau sont extraites de la situation au 31 mars 2011.

Elle s'inscrit ensuite au DEP d'assistante technique en pharmacie au CFP Bel-Avenir. Là, elle réalise trois stages dans des milieux bien différents : un hôpital, une pharmacie Jean-Coutu et un CLSC. « À l'hôpital, je me suis dit que c'était vraiment là que je voulais travailler. Chaque jour, les tâches sont différentes. Un jour, on prépare des ordonnances, le lendemain, on travaille sur des solutés. »

Ses études terminées, Paméla a été embauchée à l'hôpital Sainte-Marie de Trois-Rivières. Ses horaires sont planifiés un mois à l'avance. **« Mais il y a toujours des imprévus. Ça peut être stressant de préparer des médicaments quand on sait que le patient ne va pas bien. »**

À l'hôpital, Paméla ne voit pas les patients hospitalisés, mais ses interlocuteurs sont nombreux. « On parle avec beaucoup de monde : les médecins, les infirmières... »

Être bien compris

Également, Paméla travaille toujours quelques heures à la pharmacie de ses débuts. Elle y retrouve le contact avec le public. « Ce sont des gens de mon village. Ça me permet de voir du monde dans un contexte moins stressant. »

Les priorités ne sont pas les mêmes qu'à l'hôpital. « Les personnes âgées peuvent avoir du mal à comprendre. Je leur explique, puis je leur demande de me réexpliquer pour être sûre qu'elles ont bien compris. »

Paméla reconnaît avoir beaucoup travaillé pour obtenir son diplôme. « Il faut apprendre le nom des molécules et des médicaments. On apprend aussi à suivre précisément les méthodes, à commencer par les mesures d'hygiène. »

Maintenant qu'elle a son diplôme, la quantité de travail ne diminue pas : « Je dois veiller à ce que tout soit bien fait, sinon ça pourrait être dangereux pour le patient. »

REMARQUE

Les diplômés du DEP Assistance technique en pharmacie peuvent adhérer à l'Association québécoise des assistant(e)s-techniques en pharmacie.

PROGRAMME

Assistance technique en pharmacie (DEP 5302) : 22, 46, 61, 88, 98, 106, 145, 219, 227, 247, 250, 261, 283

CONSEILS DE PRO

« Les pharmaciens recherchent des assistants techniques formés à qui ils peuvent confier des tâches complexes. Cela crée une pénurie pour ce métier. L'assistant technique ne peut pas donner de conseils aux clients, mais ses missions sont nombreuses : de la lecture de l'ordonnance à la fabrication des préparations stériles, en passant par la gestion des livraisons et des inventaires. Il faut avoir la passion des gens et de leur santé. On travaille avec des gens qui, de prime abord, sont malades, donc probablement inquiets voire impatients. C'est un métier stressant, qui n'offre pas de droit à l'erreur. La contrepartie est que ce travail nous attire une bonne reconnaissance par la société. On peut commencer la formation avant l'âge de 18 ans, mais il faut attendre d'avoir la majorité légale pour pouvoir faire un stage en pharmacie. »

Micheline Jutras, enseignante au programme d'assistance technique en pharmacie au CFP Bel-Avenir à Trois-Rivières

VALEUR CARRIÈRE SEPTEMBRE

Insertion sur le marché du travail	✔✔✔✔✔
Maintien en emploi	✔✔✔✔
Encadrement professionnel	✔✔✔✔✔
Mobilité géographique	✔✔✔✔✔
Diversité des milieux de pratique	✔✔
Valeur ajoutée	✔✔✔

Total : 8,2 / 10

ASSISTANT EN ANATOMOPATHOLOGIE

Par Martine Frégeau

Contribuer à l'établissement de diagnostics

Travailler en pathologie, prévient Martin Tremblay, « ça ne se passe pas comme dans une émission de Docteur House! » Par contre, pour ce passionné des sciences, rien n'est plus motivant et gratifiant que d'appliquer toutes les étapes d'analyses en vue de permettre au pathologiste d'établir un diagnostic et, dans bien des cas, de sauver des vies.

D'abord inscrit au DEC en sciences, il apprend qu'il existe un DEC en techniques d'analyses biomédicales. « Ça a piqué ma curiosité et ça a cliqué. Je me suis inscrit sur une liste d'attente. Un an plus tard, je débutais le programme. C'était vraiment fait pour moi! », constate-t-il.

La formation lui permet de travailler au sein de différents départements : biochimie (les fameuses analyses de sang!), prélèvements sanguins et de tissus, hématologie (sang), microbiologie (les bactéries, comme la grippe H1N1), cytologie (étude des cellules), autopsies et examens de prélèvements (anatomopathologie) ou, encore, la pathologie, département où il travaille depuis près de cinq ans, à l'hôpital Cité de la Santé à Laval. Ce qui ne l'empêche pas de prêter main-forte aux équipes des autres départements.

EFFECTIF	PERSPECTIVES	FORMATION	H	%	F	SALAIRE MOYEN D'INSERTION
4 000	*Favorables* **RÉGIONS** *F : 01, 02, 03, 04, 05, 06, 07, 08, 09-10, 12, 13, 14, 15, 16, 17*	*DEC 140.B0 Technologie d'analyses biomédicales*	*21 %*		*79 %*	*Hebdomadaire : 747 $* *Annuel : 38 844 $*

STATISTIQUES D'INSERTION	2009	2010	2011	% CHÔMAGE *	RECHERCHE D'EMPLOI
N^bre personnes diplômées	*247*	*247*	*231*	*0 %*	*1 semaine*
% en emploi *	*90,6 %*	*86,3 %*	*89,4 %*		
% à temps plein	*92,9 %*	*92 %*	*92,3 %*		
% lié à la formation	*95,8 %*	*94,5 %*	*98,5 %*		

* Ces statistiques sont extraites des enquêtes de La Relance du MELS, *plus précisément de la situation au 1er juin 2011. Les autres statistiques de ce tableau sont extraites de la situation au 31 mars 2011.*

Minutie et rapidité d'exécution

En tant que technologiste médical*, ses analyses permettent de diagnostiquer des maladies, dans le cadre du traitement ou de la prévention de ces dernières. « Je peux avoir à analyser tout ce qui peut être enlevé sur un corps, tels les organes, ganglions, grains de beauté, tissus, liquides, fluides, etc. », indique-t-il. Je dois décrire visuellement en détails chaque pièce que je reçois en labo. Je reçois plusieurs spécimens en provenance des salles de chirurgie ou de cliniques. **Je peux également recevoir une partie d'un spécimen à décrire et à disséquer, en cours de chirurgie, par exemple. Dans un tel cas, le chirurgien veut savoir, le plus rapidement possible, si c'est cancéreux.** » Il lui est même arrivé de recevoir des vis par exemple, qui provenaient d'un membre opéré. « Il m'a fallu les décrire ! »

Bien qu'une partie des tâches soit individuelle, il faut travailler constamment en équipe. Être minutieux, organisé et avoir de l'initiative sont des qualités qu'il juge essentielles.

« Étant donné qu'il y a un taux important d'entrées de spécimens, il faut que le travail soit bien fait mais que ça se fasse vite. Dépendamment des spécimens, il arrive qu'il me faille prendre plus de temps, tout en étant conscient des échéances. Quand six à sept cadrans sonnent tour à tour, il faut savoir gérer son stress ! »

---

* À la Cité de la Santé de Laval, on n'utilise pas l'appellation assistant en anatomopathologie, mais plutôt l'appellation technologiste médical pour tous les technologistes médicaux en poste.

PROGRAMME

Technologie d'analyses biomédicales (DEC 140.B0) :
10, 25, 49, 66, 82, 126, 130, 238, 264, 266

CONSEILS DE PRO

« Le programme est exigeant : Il n'y a plus de place pour la vie sociale ! On y compte 26 semaines de stage en centres hospitaliers, dans tous les secteurs. Il faut être minutieux et autonome tout en pouvant travailler individuellement et en équipe. Parce qu'il y a un patient derrière ces analyses, il faut être empathique. Il ne faut pas avoir peur du sang ni avoir du dégoût pour manipuler du matériel biomédical : tout ce qu'on trouve sur un corps, le labo le reçoit ! La porte d'entrée pour les diplômés est le quart du soir, de la nuit, les fins de semaine ou à l'urgence. Dépendamment de ce quart de travail, ils pourront travailler dans trois ou quatre services spécialisés en centre hospitalier. L'évolution rapide des technologies et les demandes médicales étant en hausse, tant le programme d'études que les technologistes doivent se mettre constamment à jour. »

Claude Duplessis, enseignant spécialisé en biochimie, techniques d'analyses biomédicales au Cégep de Saint-Jérôme

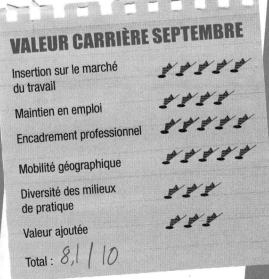

VALEUR CARRIÈRE SEPTEMBRE

Insertion sur le marché du travail ✔✔✔✔✔

Maintien en emploi ✔✔✔✔

Encadrement professionnel ✔✔✔✔✔

Mobilité géographique ✔✔✔✔✔

Diversité des milieux de pratique ✔✔✔

Valeur ajoutée ✔✔✔

Total : 8,1 / 10

OPTICIEN D'ORDONNANCES

Par Martine Frégeau

Savoir marier confort et esthétisme

Jason Therrien est un jeune diplômé déterminé. Intéressé par le métier d'opticien d'ordonnances, il lui manquait les cours de physique pour s'inscrire au DEC d'orthèses visuelles. « Je les ai fait en trois semaines. Après, je me suis inscrit au DEC. J'avais un but : Je voulais partir en affaires absolument », raconte-t-il. Mission accomplie.

« Je suis bon avec les chiffres; j'ai été accepté en comptabilité à l'UQAM. Après un an, je me suis rendu compte que je tournais en rond, explique Jason. Mon père avait un Club vidéo et, parmi ses clients, il y avait les propriétaires de la lunetterie Les Branchés. Ils me trouvaient sociable. Je leur ai dit que j'irais passer une journée avec eux, pour observer, car je ne connaissais rien au métier d'opticien. Résultat? En une journée, j'ai vendu huit paires de lunettes! », lance le jeune propriétaire de la succursale Le Lunetier, à Beloeil. « J'ai mis fin à mes cours à l'université. Moi qui aime beaucoup la mode et les aspects de l'esthétique, de la vente et de la gestion, je savais ce que je voulais faire! »

EFFECTIF	PERSPECTIVES	FORMATION	%		SALAIRE MOYEN D'INSERTION
			H	F	
1 500	Favorables **RÉGIONS** F : 03, 05, 06, 12, 13, 14, 16	DEC 160.A0 Techniques d'orthèses visuelles	8 %	92 %	Hebdomadaire : 691 $ Annuel : 35 932 $

STATISTIQUES D'INSERTION	2008	2009	2010	% CHÔMAGE *	RECHERCHE D'EMPLOI
N^bre personnes diplômées	71	83	103	0 %	1 semaine
% en emploi *	87,5 %	96,4 %	91 %		
% à temps plein	95,2 %	100 %	96,6 %		
% lié à la formation	95, %	100 %	98,2 %		

* Ces statistiques sont extraites des enquêtes de La Relance du MELS, plus précisément de la situation au 1er juin 2011. Les autres statistiques de ce tableau sont extraites de la situation au 31 mars 2011.

Se lancer dans l'aventure de l'achat d'une franchise, c'est très stressant, reconnaît-il. «Mais ça valait le coup! J'étais encore au Collège Édouard-Montpetit et je montais mon bureau d'opticien.» Le propriétaire des franchises Le Lunetier est devenu son mentor. Un plan d'affaires et une étude de marché ont été réalisés. Ses parents l'ont soutenu financièrement, ce qui lui a permis d'obtenir un prêt aux petites entreprises. «L'achat initial des montures, ça fait grimper les coûts. Mais je voulais des montures originales; l'optique, c'est un marché libre. Il y a beaucoup de compétition entre les différents bureaux», dépeint-il.

Conseiller et trouver des solutions

«En tant qu'opticien, je dépends un peu de l'optométriste, qui effectue les ordonnances. Je taille les lentilles, je vends et j'ajuste des lunettes ainsi que des lentilles cornéennes. **Certains nous perçoivent comme des vendeurs, mais nous sommes des conseillers. Il nous faut être intuitifs et aimer les défis: Nous réglons des problèmes toute la journée.** Il nous faut savoir comment aborder chaque client, trouver la solution qui lui convient et s'assurer qu'il soit satisfait», précise-t-il. Jason souligne que les services-conseils comportent l'analyse de l'ancienne lunette, de la prescription ainsi que du changement que celle-ci provoquera. «Quant au choix de monture, certains clients veulent demeurer classique alors que pour d'autres, la lunette est un accessoire de mode, un bijou. Il me faut analyser la personnalité du client et être à son écoute, explique-t-il. L'après-vente est important. Les demandes d'ajustement mineur sont fréquentes. Il faut toujours accueillir les clients avec le sourire.»

CONSEILS DE PRO

«L'opticien d'ordonnances n'émet pas d'ordonnances. Il reçoit les ordonnances de l'optométriste ou de l'ophtalmologiste. Ce travail comporte plusieurs facettes et demande tout autant un esprit scientifique qu'artistique. Les étudiants doivent avoir réussi les maths, la physique et la chimie: par exemple, lorsqu'on travaille à des lentilles cornéennes, nous faisons de la biologie. L'opticien vend des lunettes: Il lui faut avoir le souci du design, aimer la mode et connaître les différentes morphologies de visages. Porter des lunettes, c'est devenu esthétique! Il travaille de ses mains: il répare des montures et taille des verres. Il lui faut être minutieux, il travaille au millimètre près! Et si l'on possède l'esprit d'entreprise, on peut partir en affaires. Les étudiants effectuent un stage obligatoire non rémunéré, dans un bureau d'opticiens, trois jours par semaine, pendant la dernière session.»

Lise Bédard, o.o.d., professeure et coordonnatrice, département d'orthèses visuelles,

REMARQUE

Pour exercer la profession et porter le titre, il faut être membre de l'Ordre des opticiens d'ordonnances du Québec.

PROGRAMME

Techniques d'orthèses visuelles (DEC 160.A0): 55, 269

VALEUR CARRIÈRE SEPTEMBRE

Insertion sur le marché du travail	✔✔✔✔✔
Maintien en emploi	✔✔✔✔
Encadrement professionnel	✔✔✔✔
Mobilité géographique	✔✔
Diversité des milieux de pratique	✔✔✔
Valeur ajoutée	✔✔✔✔

Total : 7,8 / 10

ORTHÉSISTE-PROTHÉSISTE

Par Claudine Hébert

Faciliter la mobilité des gens

Le choix d'une carrière repose bien souvent sur un souvenir d'enfance, un tout petit détail qui a retenu l'attention ou d'un élément marquant qui a fasciné à l'adolescence. Dans le cas de Guillaume Lévesque, l'orthèse de sa tante Chantal constitue l'élément déclencheur qui a changé le cours de sa vie.

« Ma tante a eu recours à des installations d'orthèses et de prothèses pour venir en aide à ses problèmes de hanches. Je me rappelle, adolescent, il fallait absolument que je touche à ses appareils. J'étais intrigué par leur conception et leur fonctionnement », raconte Guillaume Lévesque, aujourd'hui orthésiste chez Équilibrum, à Saint-Eustache.

Attiré par le travail manuel et de nature très empathique envers les gens, Guillaume s'est vite senti interpelé par la profession. Après avoir suivi le programme d'orthésiste-prothésiste au Collège Montmorency, à Laval, Guillaume Lévesque a été embauché par l'entreprise chez qui il a suivi son stage collégial.

« On rencontre toutes sortes de patients. Il n'y a aucun cas identique. En général, beaucoup de gens font appel à nos services pour corriger leurs problèmes de pieds, de genoux », raconte l'orthésiste de 23 ans,

EFFECTIF	PERSPECTIVES	FORMATION	% H	% F	SALAIRE MOYEN D'INSERTION
2 000	Favorables **RÉGIONS** F : 03, 04, 05, 06, 07, 12, 13, 14, 15, 16, 17	DEC 144.B0 Techniques d'orthèses et de prothèses orthopédiques	34 %	66 %	Hebdomadaire : 655 $ Annuel : 34 060 $

STATISTIQUES D'INSERTION	2009	2010	2011	% CHÔMAGE*	RECHERCHE D'EMPLOI
Nbre personnes diplômées	40	38	53	3,3 %	1 semaine
% en emploi*	93,1 %	89,7 %	82,9 %		
% à temps plein	100 %	100 %	93,3 %		
% lié à la formation	92,3 %	84,6 %	92,9 %		

* Ces statistiques sont extraites des enquêtes de La Relance du MELS, plus précisément de la situation au 1er juin 2011. Les autres statistiques de ce tableau sont extraites de la situation au 31 mars 2011.

qui adore autant son travail clinique que ses fonctions à la fabrication.

En effet, Guillaume travaille à la fabrication d'orthèses. Grâce à ses aptitudes, il est devenu le coordonnateur de la fabrication des orthèses dites marginales, celles qui ne concernent ni les genoux ni les pieds.

L'une de ses plus belles réalisations? « J'ai réglé un problème de plagiocéphalie, soit une déformation bénigne du crâne chez un nouveau-né. J'étais assez fier de mon exploit… et de voir le sourire des parents soulagés », dit-il.

Travailler sur mesure au quotidien

« La principale difficulté n'est pas de réaliser l'appareil. Il faut s'assurer qu'une fois en place il fera un parfait accord avec le membre du patient. D'où l'importance d'être à l'écoute des besoins et des réactions non verbales. Chaque appareil est fabriqué sur mesure. L'objectif est de produire une orthèse sans "sur appareiller" les patients », rapporte-t-il.

Conscient que sa profession est en constante évolution, que les demandes et besoins des clients ne vont grimper qu'en flèche, Guillaume Lévesque demeure alerte sur tout ce qui se dit et s'écrit au sujet des orthèses. Il adore participer à des congrès et à des formations continues pour en savoir plus. « J'aime partager avec les autres mes connaissances et m'informer sur ce qui se fait ailleurs. Je veux devenir une personne ressource dans ce domaine. J'aimerais d'ailleurs devenir un jour dirigeant de laboratoire. Qui sait? Peut-être vais-je créer ma propre entreprise… »

CONSEILS DE PRO

« Votre cœur balance entre le métier d'artiste et le milieu scientifique? Avez-vous pensé à devenir orthésiste-prothésiste? Cette profession recherche des candidats qui sont à la fois créatifs, manuels et passionnés à l'idée de solutionner, au quotidien, des problèmes qui ne sont jamais les mêmes d'un patient à l'autre. Que ce soit pour corriger ou remplacer un membre, chaque cas est différent. Évidemment, il faut aimer les défis et avoir du plaisir à travailler avec le public. En effet, le programme québécois permet aux diplômés de travailler en laboratoire et de faire de la consultation. Dire qu'il y à peine 30 ans, cette profession était occupée par les forgerons et ferblantiers. Aujourd'hui, finie cette époque du métier improvisé. Les besoins d'orthésistes-prothésistes explosent. Depuis la création du programme en 1984, le taux de placement a toujours été de 100 %. Et ce dernier devrait rester inchangé pour plusieurs années avec le vieillissement de la population.»

Marie-Claude Bastien, Coordonnatrice Technique d'orthèses et prothèses au Collège Montmorency à Laval

VALEUR CARRIÈRE SEPTEMBRE

Insertion sur le marché du travail	🔥🔥🔥🔥
Maintien en emploi	🔥🔥🔥
Encadrement professionnel	🔥🔥🔥🔥
Mobilité géographique	🔥🔥🔥
Diversité des milieux de pratique	🔥🔥🔥🔥
Valeur ajoutée	🔥🔥🔥

Total : 8,2 / 10

REMARQUE

Les diplômés en Technologie d'orthèses et de prothèses orthopédiques ont la possibilité d'adhérer à l'Ordre des technologues professionnels du Québec.

PROGRAMME

Techniques d'orthèses et de prothèses orthopédiques (DEC 144.B0) : 56, 214

TECHNOLOGUE EN RADIO-ONCOLOGIE

Photo : Alarie Photos

Par Aurore Lehmann

Un métier en constante évolution

Porté à aider les autres, Jean Pelletier a choisi de devenir technologue en radio-oncologie par vocation. « Mes deux grand-pères ont eu le cancer de la prostate. J'avais envie de faire ma part et j'avais le sentiment qu'en étant technologue en radio-oncologie, je pourrais apporter une contribution. Je ne me suis pas trompé ! »

Enthousiaste, Jean Pelletier a trouvé avec sa profession la parfaite réponse à ses aspirations. Après s'être cherché pendant quelques années, celui qui voulait à tout prix travailler dans le domaine de la santé, en relation directe avec le patient, a finalement opté pour le DEC techniques de radio-oncologie au collège Ahuntsic. « J'avais déjà un DEC en soins de santé, il me suffisait donc de compléter ma formation avec les cours de concentration. Je voulais aussi trouver une orientation avec de bonnes perspectives sur le marché de l'emploi. Or, avec le vieillissement de la population, les technologues en radio-oncologie sont de plus en plus demandés. »

EFFECTIF	PERSPECTIVES	FORMATION	H	%	F	SALAIRE MOYEN D'INSERTION
4 500	Très favorables **RÉGIONS** F : 01, 02, 03, 04, 05, 06, 07, 08, 11, 12, 13, 14, 15, 16, 17	DEC 142.CO Techniques de radio-oncologie	33 %		67 %	Hebdomadaire : 772 $ Annuel : 40 144 $

STATISTIQUES D'INSERTION	2008	2009	2010	% CHÔMAGE*	RECHERCHE D'EMPLOI
Nbre personnes diplômées	47	46	43	0 %	1 semaine
% en emploi*	96,7 %	100 %	96,8 %		
% à temps plein	100 %	96,9 %	100 %		
% lié à la formation	100 %	100 %	90,3 %		

* Ces statistiques sont extraites des enquêtes de La Relance du MELS, plus précisément de la situation au 1er juin 2011.
Les autres statistiques de ce tableau sont extraites de la situation au 31 mars 2011.

Depuis qu'il travaille à l'hôpital Notre-Dame, Jean Pelletier apprend continuellement : « Il faut aimer la technologie. Nos appareils sont en constante évolution depuis quelques années. À Notre-Dame, nous travaillons depuis juin 2009 avec le système *CyberKnife*, un robot utilisé pour traiter de manière plus efficace les tumeurs cérébrales. Nous avons été les premiers au Canada à l'avoir. » Il a immédiatement saisi l'opportunité qui lui était présentée : « J'ai eu la chance d'être envoyé en formation d'appoint à San Francisco après seulement deux années de travail. » D'autres ont choisi différentes spécialisations : « On peut aussi travailler en tomothérapie, une technique de radiothérapie guidée par l'image qui est assez récente. J'ai bien hâte de voir où la technologie nous aura amenés dans 10 ans ! »

Empathie et force morale

Technique, mais aussi humain, le métier de technologue en radio-oncologie réclame beaucoup d'empathie et une bonne dose de force morale : « **Il ne faut pas être trop vulnérable. Si le cancer est pour nous une réalité quotidienne, pour les gens que nous traitons c'est un drame** », précise Jean Pelletier. Si la majorité des patients est constituée de personnes de 50 ans et plus, il y a aussi beaucoup d'adultes et d'enfants. « C'est parfois très dur et épuisant, ce pourquoi nous sommes encadrés psychologiquement ». Le métier nécessite aussi de la mobilité : « Seulement 10 hôpitaux au Québec offrent ces services, ce qui veut dire qu'il faut être prêt à aller travailler ailleurs que dans sa ville natale. »

Le secteur offre aussi la possibilité de diversifier ses activités : « Depuis le mois d'août, j'enseigne à temps partiel au collège Ahuntsic. C'est un autre des avantages de travailler dans un domaine hyperspécialisé ! »

CONSEILS DE PRO

« *La profession de technologue en radio-oncologie est exigeante et requiert de multiples qualités. C'est le technologue qui prend la décision d'administrer les traitements de radiation par rayonnement ionisant. Sa fonction comprend donc l'approche du patient, la planification des interventions, du calcul et même la fabrication de certains accessoires, comme des masques par exemple. Pour choisir ce métier, il faut apprécier le travail d'équipe parce qu'on travaille toujours minimalement à deux; avoir une facilité pour la communication et être empathique; être soucieux et rigoureux, respecter les codes d'éthique et avoir une bonne capacité d'analyse. Par ailleurs, il est nécessaire d'avoir de bonnes aptitudes avec l'informatique : aujourd'hui tout passe par des logiciels, qui diffèrent d'un centre hospitalier à l'autre. C'est pourquoi le stage de troisième année est important durant la formation. Le métier est en constante évolution et offre d'excellentes perspectives d'emploi, qu'on choisisse ou non de se spécialiser une fois sur le lieu de travail.* »

Lise Joli, coordonnatrice du programme de radio-oncologie au collège Ahuntsic à Montréal

VALEUR CARRIÈRE SEPTEMBRE

Insertion sur le marché du travail	✈✈✈✈✈
Maintien en emploi	✈✈✈✈
Encadrement professionnel	✈✈✈✈✈
Mobilité géographique	✈✈✈✈
Diversité des milieux de pratique	✈✈
Valeur ajoutée	✈✈✈

Total : 8 | 10

PROGRAMME

Techniques de radio-oncologie (DEC 142.C0) : 49, 123, 130

Photo : Alarie Photos

AUDIOLOGISTE

Par Nathalie Vallerand

Aider les gens à entendre

La surdité affecte grandement le quotidien des gens qui en souffrent. « Comme elle entraîne des problèmes de communication, plusieurs personnes ont tendance à s'isoler, explique l'audiologiste Jonathan Côté. Quand je peux les aider à mieux entendre et qu'elles recommencent à avoir une vie bien remplie, j'éprouve une grande satisfaction. »

Le jeune homme de 29 ans voulait travailler dans le domaine de la santé et c'est l'audiologie qui a attiré son attention. « J'ai longtemps joué de la clarinette. J'aime la musique. Et ma grand-mère a des acouphènes (bourdonnements et sifflements dans les oreilles). L'ouïe, c'est tellement important dans la vie des gens! » Jonathan avait trouvé sa voie.

Depuis la fin de sa maîtrise en audiologie à l'Université de Montréal, il travaille à l'Institut Raymond-Dewar, un centre de réadaptation de Montréal pour les personnes sourdes ou malentendantes. Il aurait pu travailler auprès des enfants ou des adultes, mais il a préféré se spécialiser dans la clientèle des personnes âgées. « La plupart du temps, elles subissent une perte d'audition progressive, à cause

EFFECTIF	PERSPECTIVES	FORMATION	% H	F	SALAIRE MOYEN D'INSERTION
2 000	*Favorables* **RÉGIONS** *F : 02, 03, 06, 07, 11, 12, 13, 15, 16*	*Maîtrise 25123 Orthophonie et audiologie*	—	—	*Hebdomadaire : 923 $* *Annuel : 47 996 $*

STATISTIQUES D'INSERTION	2007	2009	2011	% CHÔMAGE	RECHERCHE D'EMPLOI
N^bre personnes diplômées	*105*	*93*	*134*	*0 %*	*3 semaines*
% en emploi	*93,2 %*	*92,5 %*	*86,7 %*		
% à temps plein	*89,7 %*	*90,3 %*	*87,2 %*		
% lié à la formation	*100 %*	*100 %*	*98,5 %*		

du vieillissement ou parce qu'elles ont été exposées à des bruits forts lorsqu'elles étaient sur le marché du travail», explique-t-il.

Faire la différence

Les patients qui se rendent dans un centre de réadaptation ont pour la plupart déjà consulté un audiologiste en centre hospitalier qui leur a prescrit une prothèse auditive. Mais ils n'arrivent pas à s'adapter à leur prothèse ou alors celle-ci est inefficace. C'est là que Jonathan entre en jeu. D'abord, il évalue le patient. Il lui pose des questions sur ses loisirs, ses rencontres familiales, ses habitudes d'écoute de la télé et sur d'autres aspects de sa vie pour bien cerner l'impact de ses problèmes auditifs sur son quotidien. Il peut aussi lui faire passer des tests d'audition avec des équipements, si nécessaire. Puis, il fait ses recommandations : une nouvelle prothèse, des équipements spécialisés (réveille-matin adapté, système qui détecte la sonnerie de la porte, du téléphone et de l'avertisseur de fumée, etc.), ou plus rarement une opération chirurgicale.

Mais une grande partie du travail de Jonathan consiste à enseigner à la personne malentendante et à sa famille des stratégies et des trucs de communication. La réalisation dont il est le plus fier concerne d'ailleurs cet aspect de la profession : il a rédigé, avec une collègue, le guide «La surdité, ça nous concerne!», destiné à l'entourage des aînés malentendants. Ce document vise à mieux faire comprendre ce handicap et à expliquer comment s'y adapter.

L'aspect le plus difficile de la profession? Travailler avec les limites de la technologie. «Les patients espèrent réentendre comme avant, dit Jonathan. Malheureusement, les prothèses auditives, ce n'est pas la même chose que des lunettes. Elles aident à mieux entendre, mais elles ne redonnent pas une audition normale.»

CONSEILS DE PRO

«*Pour exercer cette profession, il faut vouloir aider les gens. La capacité d'écoute, la facilité à communiquer, l'entregent, la patience et la discrétion sont des qualités essentielles. Il faut aussi avoir envie de travailler avec des équipements technologiques. Les principaux débouchés pour les audiologistes sont les centres hospitaliers, les centres de réadaptation et les bureaux privés. La pratique privée est d'ailleurs un créneau en développement, étant donné les listes d'attente dans le réseau de la santé. La profession offre aussi la possibilité de faire de la recherche, car les problèmes causés par le bruit ainsi que la santé auditive de la population sont des enjeux majeurs. On n'a qu'à penser aux adolescents qui endommagent leur audition en ayant toujours les écouteurs collés sur les oreilles! Pour faire de la recherche, il faut toutefois continuer ses études jusqu'au doctorat. Enfin, signalons que l'Université de Montréal est la seule université québécoise offrant le programme d'audiologie.*»

Benoît Jutras, professeur en audiologie à l'École d'orthophonie et d'audiologie de l'Université de Montréal

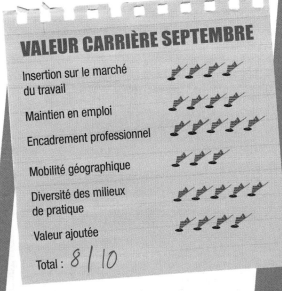

VALEUR CARRIÈRE SEPTEMBRE

Insertion sur le marché du travail	🎷🎷🎷🎷
Maintien en emploi	🎷🎷🎷
Encadrement professionnel	🎷🎷🎷🎷🎷
Mobilité géographique	🎷🎷
Diversité des milieux de pratique	🎷🎷🎷🎷🎷
Valeur ajoutée	🎷🎷🎷🎷

Total : 8 / 10

DENTISTE

Par Alina Pahoncia

Traiter, soulager et rendre le sourire aux gens

Alors qu'elle étudiait les sciences de la nature au Cégep, Patricia Lemelin a su que seulement une carrière dans le domaine de la santé l'intéresserait. « J'ai eu un coup de cœur pour la médecine dentaire. C'est une profession très complète, qui permet de traiter, soulager, prescrire comme les médecins, travailler intellectuellement autant que manuellement et aussi d'avoir sa propre entreprise. »

C'est comme cela que cette jeune femme de 35 ans résume les raisons qui l'ont poussée vers la profession de dentiste. Après avoir eu son diplôme de doctorat en médecine dentaire de l'Université Laval en 2000, lorsqu'elle avait 24 ans, Patricia a décidé de suivre une année en résidence multidisciplinaire à l'Université McGill et l'Hôpital Général Juif à Montréal. C'est une option qui s'offre aux diplômés en médecine dentaire qui veulent toucher à toutes les spécialités du métier en milieu hospitalier. À la fin d'une année, on a le choix de continuer à travailler comme généraliste ou de choisir une spécialité.

« Je recommande à tous les diplômés de faire la résidence multidisciplinaire. La pratique avec les spécialistes et les cas complexes qu'on y rencontre valent de l'or. C'est l'équivalent de six ou sept ans

EFFECTIF	PERSPECTIVES	FORMATION		H	%	F	SALAIRE MOYEN D'INSERTION
5 000

Les statistiques de la Relance du baccalauréat | Favorables
RÉGIONS
F : 03, 04, 05, 06, 07, 08, 12, 13, 14, 15, 16, 17 | Doctorat 1er cycle
15110
Médecine dentaire | | 33 % | | 67 % | Hebdomadaire :
2 095 $

Annuel :
108 940 $ |

STATISTIQUES D'INSERTION	2007	2009	2011	% CHÔMAGE		RECHERCHE D'EMPLOI
Nbre personnes diplômées	147	148	152	0 %		3 semaines
% en emploi	85,4 %	84,1 %	88,3 %			
% à temps plein	75 %	89,2 %	84,3 %			
% lié à la formation	100 %	98,5 %	100 %			

de pratique », dit Patricia, qui à la fin de son année en résidence est restée généraliste. « J'aimais tout ce que je faisais, explique la jeune femme. En plus, comme cela, c'était plus facile d'ouvrir mon propre cabinet. »

« Apprivoiser » les patients

Après avoir pratiqué pendant deux années pour deux autres dentistes, en 2003, Patricia décide que c'est bien le temps de voler de ses propres ailes et démarre sa clinique à Québec. « J'ai toujours eu la fibre d'entrepreneur dans l'âme. L'entrepreneuriat est un volet intéressant à annexer à une profession », dit-elle.

Au niveau des exigences du métier, le dentiste doit être en bonne santé et être capable d'une concentration soutenue pendant de longues heures. « C'est dur pour le dos, c'est dur pour le cou, il faut avoir une excellente forme physique. » Patricia travaille 35 heures par semaine à la chaise, mais la gestion de sa clinique rajoute encore de bonnes heures de travail.

Le métier comporte aussi un côté psychologique. C'est beaucoup d'écoute et d'empathie. « **Lorsque quelqu'un me dit que ça fait dix ans qu'il n'est pas allé voir un dentiste parce qu'il a peur, j'y vois un défi.** Je prends des rendez-vous plus longs, afin d'avoir le temps de l'écouter et de le rassurer, faire de petits traitements plus faciles pour commencer et finalement l'apprivoiser. »

« Il ne faut pas juste que ce soit beau, mais que ce soit bien fait. Traiter, soulager, rendre la confiance et le sourire aux gens », résume Patricia.

CONSEILS DE PRO

« Le dentiste doit premièrement aimer rendre service. On est toujours en contact avec le public, il faut faire preuve de patience et avoir de bonnes habiletés de communication. Ce n'est pas un métier pour les personnes timides, vu qu'on travaille de façon quotidienne dans la plus intime proximité des patients. Pour qu'un candidat soit considéré pour son admission au doctorat en médecine dentaire, nous lui demandons d'avoir passé le test d'aptitudes aux études dentaires de l'Association dentaire canadienne. Le candidat doit avoir obtenu la note minimale de 15 sur 30 au test de perception visuelle et de 5 sur 30 au test d'habileté manuelle pour représenter un objet en 3D. Ensuite, le dossier scolaire compte pour 80 % et l'entrevue structurée vaut pour 20 % de l'évaluation. Il y a de très bonnes perspectives d'emploi dans ce domaine, le taux de placement de nos diplômés est de 100 %. »

Denis Robert, professeur titulaire et responsable de l'admission au programme de doctorat en médecine dentaire, Faculté de médecine dentaire, Université Laval à Québec

VALEUR CARRIÈRE SEPTEMBRE

Insertion sur le marché du travail	✈✈✈✈✈
Maintien en emploi	✈✈✈✈
Encadrement professionnel	✈✈✈✈✈
Mobilité géographique	✈✈✈
Diversité des milieux de pratique	✈✈✈✈
Valeur ajoutée	✈✈✈✈

Total : 8,4 / 10

REMARQUE

Pour exercer la profession et porter le titre de dentiste, il faut être membre de l'Ordre des dentistes du Québec. Des études de deuxième cycle sont nécessaires pour exercer les professions suivantes : chirurgien buccal et maxillo-facial, endodontiste, orthodontiste, parodontiste, pédodontiste, prosthodontiste, spécialiste en médecine buccale. Le programme comprend également une année préparatoire.

PROGRAMME

Médecine dentaire (Doctorat 1er cycle 15110) : 59, 139, 141

Photo : Alarie Photos

THÉRAPEUTE DU SPORT

LAURÉAT

Par Hélène Belzile

Avoir son mérite dans la victoire

« Le thérapeute du sport est le premier répondant quand il y a une urgence sur le terrain, dans l'action, mais il est aussi la personne qui peut faire de la prévention pour éviter les blessures. » Thérapeute du sport pour l'Académie de l'Impact de Montréal, Julie Bertrand adore travailler avec les jeunes joueurs de soccer pour leur permettre d'atteindre leur objectif : tailler leur place chez les professionnels!

La jeune thérapeute sportive de 32 ans considère qu'elle a son rôle à jouer dans l'évolution des joueurs qu'elle soigne ainsi que dans les succès sur le terrain. **« C'est très stimulant de savoir qu'on peut faire la différence parfois entre la victoire et la défaite et il est même possible de sauver des carrières d'athlètes,** exprime avec fierté Julie Bertrand. Personnellement, j'ai un regard critique sur les joueurs et s'ils n'ont pas les bonnes techniques physiques pour aider leurs corps à bien performer, dès que j'ai un moment de libre, je leur enseigne des exercices pour les remettre sur le bon chemin. »

EFFECTIF	PERSPECTIVES	FORMATION		%		SALAIRE MOYEN D'INSERTION
			H		F	
6 000	*Favorables* **RÉGIONS** *F : Ensemble du Québec*	*BAC 15121 Physiothérapie*	*24 %*		*76 %*	*Hebdomadaire : 837 $* *Annuel : 43 524 $*

STATISTIQUES D'INSERTION	2007	2009	2011	% CHÔMAGE	RECHERCHE D'EMPLOI
N^bre personnes diplômées	*159*	*166*	*119*	*0 %*	*1 semaine*
% en emploi	*89,2 %*	*91,9 %*	*82,9 %*		
% à temps plein	*93,9 %*	*95,6 %*	*95,2 %*		
% lié à la formation	*100 %*	*100 %*	*98,3 %*		

Un cheminement graduel

Le choix de carrière de thérapeute du sport s'est fait graduellement pour Julie. Au Cégep, elle a réalisé qu'elle aimait bien tout ce qui touchait à la santé et, aussi, elle avait un intérêt pour le sport. Elle a alors pris la décision d'allier les deux pour en faire un métier. C'est ainsi qu'en 2004, elle a gradué de l'Université Concordia en terminant un baccalauréat en sciences de l'exercice, spécialisation en thérapie du sport. Par la suite, elle a été entraîneur personnel dans des clubs sportifs avant de se joindre à l'équipe de l'Académie de l'Impact de Montréal en janvier 2011. «J'adore ce travail alors que je suis en contact autant avec l'équipe technique de l'Académie qu'avec les jeunes joueurs. Je fais aussi de l'évaluation avec les joueurs, de la prévention et bien sûr, je soigne les blessures. Il m'arrive aussi d'aider lors de tests physiques.»

Quand elle regarde son parcours jusqu'à maintenant, Julie Bertrand est fière de ce qu'elle a accompli. Elle qui se disait timide quand elle a terminé ses études, elle a appris, avec les années, à faire sa place et à entrer en contact avec plusieurs personnes dans le milieu sportif. «Je pense que c'est un domaine dans lequel il faut absolument se créer un bon réseau de contacts, analyse-t-elle. Pour ma part, ma carrière s'est bâtie de fil en aiguille et c'est de cette façon que je me suis rendue jusqu'à l'Académie de l'Impact de Montréal. J'ai toujours été positive et je crois que c'est un pré-requis pour percer dans cette carrière. Et qui sait maintenant où la suite me mènera?»

CONSEILS DE PRO

«Comme le thérapeute du sport doit souvent intervenir en situations d'urgence, il doit avoir une bonne capacité à gérer le stress et bien agir rapidement. Il doit trouver le problème et, surtout, trouver une solution immédiate en attendant que la relève soit prise par d'autres intervenants médicaux. En fait, dans le concret du travail, c'est souvent une question d'action-réaction. Il faut donc avoir confiance en soi pour pouvoir intervenir de la bonne façon. La personne qui se dirige dans le domaine de la thérapie sportive doit aussi être capable de compassion. Les personnes qui ont besoin de soins souffrent souvent. Les thérapeutes sportifs sont généralement des gens dynamiques, des proactifs qui fonctionnent bien sous l'effet de l'adrénaline. Durant le baccalauréat en thérapie du sport, les étudiants sont appelés à participer à des stages soit avec des équipes sportives ou encore en cliniques. Ils sont donc en mesure d'évaluer dans quel domaine de travail ils se sentent le mieux.»

Dr Richard Demont, enseignant associé au département des sciences de l'exercice à l'Université Concordia à Montréal

VALEUR CARRIÈRE SEPTEMBRE

Insertion sur le marché du travail

Maintien en emploi

Encadrement professionnel

Mobilité géographique

Diversité des milieux de pratique

Valeur ajoutée

Total : 8,7 / 10

PROGRAMME

Physiothérapie (BAC 15121): 59, 86, 138, 139, 141

TABLEAU COMPARATIF

LAURÉATS ET MIS EN NOMINATION	EFFECTIF	PERSPEC-TIVES	DEMANDE DANS LES RÉGIONS	FORMATION ET ÉTABLISSEMENTS
SECONDAIRE				
Assistant technique en pharmacie (3414)	18 000	F	F : Ensemble du Québec	Assistance technique en pharmacie (DEP 5302)
Infirmier auxiliaire (3233)	15 000	F	F : Ensemble du Québec	Santé, assistance et soins infirmiers (DEP 5325)
Préposé aux bénéficiaires (3413)	58 000	F	F : 01, 03, 04, 06, 07, 08, 12, 13, 14, 15, 16, 17	Assistance à la personne en établissement de santé (DEP 5316)
COLLÉGIAL				
Ambulancier (3234)	5 000	F	F : Ensemble du Québec	Soins préhospitaliers d'urgence (DEC 181.A0)
Assistant en anatomopathologie (3211)	4 000	F	F : 01, 02, 03, 04, 05, 06, 07, 08, 09-10, 12, 13, 14, 15, 16, 17	Technologie d'analyses biomédicales (DEC 140.B0)
Cytotechnologiste (3211)	4 000	F	F : 01, 02, 03, 04, 05, 06, 07, 08, 09-10, 12, 13, 14, 15, 16, 17	Technologie d'analyses biomédicales (DEC 140.B0)
Denturologiste (3221)	700	F	F : 13, 14, 16	Techniques de denturologie (DEC 110.B0)
Hygiéniste dentaire (3222)	4 500	F	F : 02, 03, 05, 06, 07, 08, 12, 13, 14, 15, 17	Techniques d'hygiène dentaire (DEC 111.A0)
Infirmier (3152)	66 000	F	F : 01, 02, 03, 04, 05, 06, 07, 08, 09-10, 12, 13, 14, 15, 16, 17	Soins infirmiers (DEC 180.A0)
Inhalothérapeute (3214)	3 000	F	F : 01, 02, 03, 04, 05, 06, 07, 12, 13, 14, 15, 16, 17	Techniques d'inhalothérapie (DEC 141.A0)
Opticien d'ordonnances (3231)	1 500	F	F : 03, 05, 06, 12, 13, 14, 16	Techniques d'orthèses visuelles (DEC 160.A0)
Orthésiste-prothésiste (3219)	2 000	F	F : 03, 04, 05, 06, 07, 12, 13, 14, 15, 16, 17	Techniques d'orthèses et de prothèses orthopédiques (DEC 144.B0)
Technicien de laboratoire médical (3212)	6 000	F	F : 01, 02, 03, 04, 05, 07, 08, 11, 12, 13, 14, 15, 16, 17	Technologie d'analyses biomédicales (DEC 140.B0)
Technologiste médical (3212)	6 000	F	F : 01, 02, 03, 04, 05, 07, 08, 11, 12, 13, 14, 15, 16, 17	Technologie d'analyses biomédicales (DEC 140.B0)
Technologue en médecine nucléaire (3215)	4 500	F	F : 01, 02, 03, 04, 05, 06, 07, 08, 11, 12, 13, 14, 15, 16, 17	Technologie de médecine nucléaire (DEC 142.B0)
Technologue en nutrition (3219)	2 000	F	F : 03, 04, 05, 06, 07, 12, 13, 14, 15, 16, 17	Techniques de diététique (DEC 120.A0)
Technologue en radio-oncologie (3215)	4 500	F	F : 01, 02, 03, 04, 05, 06, 07, 08, 11, 12, 13, 14, 15, 16, 17	Techniques de radio-oncologie (DEC 142.C0)
Technologue en radiodiagnostic (3215)	4 500	F	F : 01, 02, 03, 04, 05, 06, 07, 08, 11, 12, 13, 14, 15, 16, 17	Technologie de radiodiagnostic (DEC 142.A0)

Nbre DE PERSONNES DIPLÔMÉES	% H	% F	% EN EMPLOI	% À TEMPS PLEIN	% LIÉ À LA FORMATION	% CHÔMAGE	SALAIRE MOYEN (HEBDOMADAIRE)	RECHERCHE D'EMPLOI (SEMAINES)	VALEUR CARRIÈRE SEPTEMBRE
440	7 %	93 %	85,9 %	89,3 %	94,2 %	1,7 %	550 $	1	8,2/10
1 883	11 %	89 %	87,8 %	69,5 %	92,9 %	4,6 %	673 $	3	8,6/10
2 499	18 %	82 %	84,5 %	75,6 %	91,9 %	3,9 %	594 $	2	7,4/10
118	52 %	48 %	88,5 %	65,1 %	87,5 %	2,3 %	796 $	5	8/10
231	21 %	79 %	89,4 %	92,3 %	98,5 %	0 %	747 $	1	8,1/10
231	21 %	79 %	89,4 %	92,3 %	98,5 %	0 %	747 $	1	8,1/10
30	50 %	50 %	95,5 %	95,2 %	95 %	0 %	823 $	1	7,8/10
282	3 %	97 %	94,6 %	68,3 %	96,8 %	1,7 %	813 $	3	7,7/10
1 963	11 %	89 %	62,4 %	85,8 %	98,2 %	1 %	786 $	1	8,6/10
187	20 %	80 %	94,8 %	82,9 %	98,1 %	1,5 %	773 $	1	8,4/10
103	8 %	92 %	91 %	96,6 %	98,2 %	0 %	691 $	1	7,8/10
53	34 %	66 %	82,9 %	93,3 %	92,9 %	3,3 %	655 $	1	8,2/10
231	21 %	79 %	89,4 %	92,3 %	98,5 %	0 %	747 $	1	8,4/10
231	21 %	79 %	89,4 %	92,3 %	98,5 %	0 %	747 $	1	8,2/10
19	—	—	100 %	93,8 %	100 %	0 %	809 $	2	8,4/10
198	5 %	95 %	79,7 %	72,6 %	74 %	2,8 %	638 $	4	8/10
43	33 %	67 %	96,8 %	100 %	90,3 %	0 %	772 $	1	8/10
228	18 %	82 %	95,7 %	87,3 %	94,9 %	0,7 %	702 $	2	8,4/10

TABLEAU COMPARATIF

LAURÉATS ET MIS EN NOMINATION	EFFECTIF	PERSPEC-TIVES	DEMANDE DANS LES RÉGIONS	FORMATION ET ÉTABLISSEMENTS
UNIVERSITAIRE				
⚙ Audiologiste (3141)	2 000	F	F: 02, 03, 06, 07, 11, 12, 13, 15, 16	Orthophonie et audiologie (Maîtrise 25123)
⚙ Dentiste (3113)*	5 000	F	F: 03, 04, 05, 06, 07, 08, 12, 13, 14, 15, 16, 17	Médecine dentaire (Doctorat 1er cycle 15110)
Ergothérapeute (3143)	3 500	F	F: 01, 02, 03, 04, 05, 06, 07, 11, 12, 13, 14, 15, 16, 17	Ergothérapie (BAC 15120)
Infirmier en chef (3151)	4 000	F	F: 01, 02, 03, 04, 05, 06, 07, 08, 09-10, 12, 13, 14, 15, 17	Sciences infirmières (BAC 15104)
Médecin spécialiste (3111)*	10 000	F	F: 01, 02, 03, 04, 05, 06, 07, 08, 12, 13, 14, 15, 16, 17	Médecine (Doctorat 1er cycle 15106)
Nutritionniste (3132)	2 500	F	F: 01, 03, 06, 07, 12, 13, 14, 15, 16, 17	Diététique et nutrition (BAC 15115)
☆ Omnipraticien (médecin de famille) (3112)*	12 000	F	F: 01, 02, 03, 04, 05, 06, 07, 08, 09-10, 12, 13, 14, 15, 16, 17	Médecine (Doctorat 1er cycle 15106)
Optométriste (3121)*	1 500	F	F: 02, 03, 05, 06, 07, 12, 13, 16, 17	Optométrie (Doctorat 1er cycle 15111)
Orthophoniste (3141)	2 000	F	F: 02, 03, 06, 07, 11, 12, 13, 15, 16	Orthophonie et audiologie (Maîtrise 25123)
★ Pharmacien (3131)	7 000	F	F: Ensemble du Québec	Pharmacie et sciences pharmaceutiques (BAC 15112)
Physiothérapeute (3142)	6 000	F	F: Ensemble du Québec	Physiothérapie (BAC 15121)
☆ ⚙ Thérapeute sportif (3142)	6 000	F	F: Ensemble du Québec	Physiothérapie (BAC 15121)

* Des études de 2e cycle sont nécessaires pour exercer la profession. Les statistiques sont toutefois celles des diplômés du 1er cycle.

★ PALME **D'OR**   ☆ LAURÉAT

★ PALME **D'ARGENT**   ▢ ENTREVUE

★ PALME **DE BRONZE**   ⚙ **Academos** CYBERMENTORAT

Nbre DE PERSONNES DIPLÔMÉES	% H	F	% EN EMPLOI	% À TEMPS PLEIN	% LIÉ À LA FORMATION	% CHÔMAGE	SALAIRE MOYEN (HEBDOMADAIRE)	RECHERCHE D'EMPLOI (SEMAINES)	VALEUR CARRIÈRE SEPTEMBRE
134	—	—	86,7 %	87,2 %	98,5 %	0 %	923 $	3	8/10
152	33 %	67 %	88,3 %	84,3 %	100 %	0 %	2 095 $	3	8,4/10
205	10 %	90 %	83 %	94,9 %	100 %	0,8 %	822 $	1	8,4/10
1 166	7 %	93 %	91,3 %	89,5 %	95,3 %	0,5 %	1 080 $	2	8,4/10
728	37 %	63 %	—	100 %	100 %	0 %	889 $	3	8,4/10
152	—	—	78,8 %	79,5 %	88,7 %	2,5 %	841 $	4	8,1/10
728	37 %	63 %	—	100 %	100 %	0 %	889 $	3	8,7/10
42	12 %	88 %	96,3 %	84,6 %	100 %	0 %	0 $	—	7,8/10
134	—	—	86,7 %	87,2 %	98,5 %	0 %	923 $	3	8,1/10
368	30 %	70 %	81 %	94,6 %	97,9 %	0,5 %	1 701 $	2	8,8/10
119	24 %	76 %	82,9 %	95,2 %	98,3 %	0 %	837 $	1	8,6/10
119	24 %	76 %	82,9 %	95,2 %	98,3 %	0 %	837 $	1	8,7/10

DIÉTÉTISTE/ NUTRITIONNISTE

Incontournables dans le domaine de la santé! Les diététistes/ nutritionnistes contribuent au quotidien à promouvoir un art de vivre par la saine alimentation et le plaisir de manger. Par leur solide bagage scientifique en alimentation et en nutrition ainsi que leurs compétences en relation d'aide, les diététistes/ nutritionnistes participent activement au maintien et au rétablissement de la santé de la population. Faites partie de cette profession en évolution. Ouvrez-vous des portes à de multiples possibilités d'emploi, en milieu clinique, en milieu scolaire, en milieu sportif, en communication, en gestion, et plus encore !

Ordre professionnel des diététistes du Québec

www.opdq.org

CARTE DU QUÉBEC

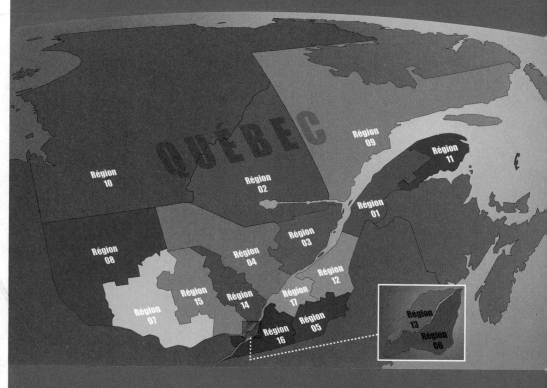

01	BAS-SAINT-LAURENT	10	NORD-DU-QUÉBEC
02	SAGUENAY–LAC-SAINT-JEAN	11	GASPÉSIE–ÎLES-DE-LA-MADELEINE
03	CAPITALE-NATIONALE		
04	MAURICIE	12	CHAUDIÈRE-APPALACHES
05	ESTRIE	13	LAVAL
06	MONTRÉAL	14	LANAUDIÈRE
07	OUTAOUAIS	15	LAURENTIDES
08	ABITIBI-TÉMISCAMINGUE	16	MONTÉRÉGIE
09	CÔTE-NORD	17	CENTRE-DU-QUÉBEC

SPÉCIAL
RÉGIONS

L'équipe éditoriale est fière de vous présenter un « spécial régions » dans cette édition 2012 du *Palmarès des carrières*. C'est grâce à la collaboration des divers économistes régionaux d'Emploi-Québec qui ont été interrogés par notre équipe de journalistes que nous pouvons vous offrir ce dossier. Vous y trouverez une synthèse de la situation de chaque région, leurs grands axes de développement et les implications sur les besoins en main-d'œuvre. À l'occasion, vous pourrez même trouver un top 5 des métiers recherchés dans la région.

Compte tenu de la réalité démographique actuelle, les besoins en main-d'œuvre, faut-il le préciser, vont croissant partout au Québec. On pourrait penser, étant donné le climat économique et social actuel, que les postes offerts seront uniquement ceux laissés vacants par les départs à la retraite des babyboomers.

La lecture des situations régionales présentées dans ce dossier vous fera constater assez rapidement que, si plusieurs emplois seront à pourvoir pour cette raison, plusieurs autres postes le seront pour d'autres raisons. Prenez le temps d'explorer les besoins de main-d'œuvre, les développements prévus et les avantages de chacune des régions pour y découvrir, futur diplômé, les choix qui s'offrent à vous.

Bonne lecture!

Hélène Plourde, c.o.
Directrice de l'édition

Des emplois tournés vers l'avenir

Par Martine Frégeau

Le Bas-Saint-Laurent est un vaste territoire qui s'étend vers le sud jusqu'aux frontières du Nouveau-Brunswick et du Maine (USA). Il est bordé à l'ouest par la région de Chaudière-Appalaches et, à l'est, par la Gaspésie. On y retrouve plusieurs types d'habitats naturels : marais et eaux salées, îlots rocheux, forêts boréales, feuillus, nombreux lacs et montagnes. Les zones rurales sont fortement tributaires des secteurs de l'agriculture et de la forêt. Quant aux quatre pôles urbains, soit Rivière-du-Loup, La Pocatière, Matane et Rimouski, ils se tournent vers des créneaux d'avenir.

Ainsi, ils mettent le cap sur les secteurs de la transformation alimentaire, du matériel de transport et des technologies de l'information pour générer une grande proportion des emplois. « En visionnaire, Rivière-du-Loup mise sur les engrais et autres produits spécialisés dérivés de la tourbe. La Pocatière, par l'entremise de son centre de recherche, met en œuvre des projets visant le développement de nouvelles technologies de fabrication pour l'usine de Bombardier. Matane se positionne avec l'énergie éolienne, tant en fabrication qu'en maintenance. Elle développe également d'autres secteurs comme la transformation alimentaire, la construction navale et les nouvelles technologies », énumère Marie-Josée Jean, économiste à la Direction régionale d'Emploi-Québec.

Technologies et biotechnologies marines

« Quant à Rimouski, centre urbain et capitale régionale, elle table sur les technologies et biotechnologies marines, en raison de sa localisation stratégique sur l'estuaire du Saint-Laurent. C'est d'ailleurs à Rimouski que se situe la plus grande concentration d'institutions publiques du savoir dans le domaine maritime au Québec. De plus, elle mise sur les Technologies de l'information et des communications (TIC); Telus, le plus gros employeur privé de la ville a contribué à l'émergence d'une industrie régionale des TIC », poursuit madame Jean. Par ailleurs, Rimouski compte plusieurs maisons d'enseignement et de bureaux régionaux de ministères, ce qui la place en bonne position pour recruter dans le secteur des services.

Parmi les professions présentant des perspectives très favorables ou favorables de 2011 à 2015, au niveau de la formation universitaire, on souligne notamment les omnipraticiens, les ingénieurs mécaniciens, les ingénieurs électriciens, les médecins spécialistes, les ingénieurs civils et les vérificateurs comptables.

Au niveau de la formation technique au collégial, on cible notamment les infirmiers, les éducateurs et aides-éducateurs à l'enfance, les opérateurs en informatique, les opérateurs réseau et techniciens Web, les technologues et techniciens en architecture, les technologues en radiation médicale, les inhalothérapeutes, perfusionnistes cardio-vasculaires et technologues cardio-pulmonaires.

Au niveau de la Formation professionnelle, les ajusteurs de machines, les aide-infirmiers, les aides-soignants, les préposés aux bénéficiaires, les infirmiers auxiliaires, les machinistes et vérificateurs d'usinage et d'outillage, les mouleurs, noyauteurs et fondeurs de métaux et les bouchers industriels sont des exemples de métiers recherchés pour l'avenir dans le Bas-Saint-Laurent.

SAGUENAY– LAC-SAINT-JEAN

Prêts à relever le défi de l'emploi

Par Louise Potvin

Le Saguenay–Lac-Saint-Jean regroupe 49 municipalités réparties en quatre municipalités régionales de comté (MRC). La région a dû se relever les manches pour améliorer la croissance économique et attirer du sang neuf pour pallier le déclin démographique. « À la fin des années 1990, la région enregistrait un taux de chômage de 12 % à 14 %. Aujourd'hui, il oscille entre 8 % et 9 % », résume Marc-Antoine Tremblay, économiste à la Direction régionale Emploi-Québec Saguenay–Lac-Saint-Jean.

Et les nouvelles sont plus que bonnes pour ceux qui prendront la relève dans les prochaines années. « Environ 24 000 postes seront à combler d'ici cinq ans », confirme monsieur Tremblay.

Une région, deux poumons

Le Saguenay–Lac-Saint-Jean, c'est 95 893 km² de territoire, du nord du lac Saint-Jean jusqu'à l'embouchure du fjord de la rivière Saguenay, pour une population de 273 000 habitants, selon les chiffres de 2009. Les principaux secteurs d'activité de cette vaste région sont l'aluminium (on y produit plus de 35 % de la production canadienne), l'hydroélectricité, la forêt, le secteur des métaux et de la métallurgie et dans une moindre mesure le tourisme d'aventure et l'écotourisme.

« On dit que la région a deux poumons économiques : la forêt et l'aluminium. Il nous faudra s'assurer d'avoir une bonne relève répondant aux compétences exigées par les employeurs », poursuit l'économiste d'Emploi-Québec. Par exemple, en foresterie, le site de l'IMT (pour Information sur le marché du travail) une bible concoctée par Emploi-Québec pour chacune des régions, parle de besoin d'opérateurs, de débroussailleurs, de planteurs, d'ingénieurs et de techniciens forestiers, notamment.

« Dans le secteur de l'aluminium, nous n'assisterons pas nécessairement à la création d'une manne de nouveaux postes, mais nous consolidons ceux que nous avons », indique Marc-Antoine Tremblay. Un bel exemple à Jonquière : le Centre technologique AP60 de Rio Tinto Alcan – dont la première coulée de métal est attendue au début de 2013 – est synonyme d'emplois stables et bien rémunérés.

Penser tourisme, santé et chantier

Autre avenue possible : l'écotourisme. Selon le site Internet de Place aux jeunes en région, une autre vitrine en matière d'emploi, l'industrie touristique de la belle région du bleuet prend du galon. Plusieurs centres de villégiature se refont une beauté et de nombreuses innovations s'ajoutent à l'offre existante.

Aussi, plusieurs grands chantiers génèrent déjà une importante demande de main-d'œuvre ualifiée. Selon l'IMT, le secteur tertiaire se taille la part du lion du marché de l'emploi avec 75,8 %, suivi par la fabrication, la construction et le secteur primaire.

Par ailleurs, le vieillissement de la population frappe cette région de plein fouet plaçant les besoins de main-d'œuvre dans le secteur de la santé en tête de liste.

Les services toujours en tête

Par Martine Frégeau

La Capitale-Nationale est le berceau du Québec. On y retrouve presque tous les services gouvernementaux. Québec, seule ville fortifiée au nord du Mexique, est riche en histoire et en culture. Son rayonnement est international. Quant à ses environs, ils sont tout aussi charmants. On y retrouve des sites touristiques à couper le souffle.

En ce qui concerne l'emploi, il sera en hausse dans 20 secteurs d'activité économique, explique-t-on à la Direction régionale d'Emploi-Québec. Entre 2011 et 2015, 122 professions présenteront des perspectives intéressantes. Pendant cette période, on s'attend à avoir besoin de main d'œuvre qualifiée afin de pourvoir à plus de 3 000 postes par année.

« C'est toutefois le secteur des services qui tiendra le haut du pavé, compte tenu de sa prédominance dans l'économie de la Capitale-Nationale. En 2010, ce secteur regroupait, à lui seul, un peu plus de 87 % de l'emploi régional comparativement à 78 % à l'échelle provinciale », relate l'économiste Martine Roy. Ces services sont les soins de santé et l'assistance sociale, les services professionnels, scientifiques et techniques, le commerce en général, la finance et les assurances, l'hébergement et la restauration, l'information, la culture et les loisirs ainsi que les services aux entreprises.

On s'attend également à ce que de nouveaux emplois soient créés dans les secteurs de la construction, de la fabrication d'aliments et boissons ainsi que la fabrication de produits métalliques.

« La majorité des emplois à combler au cours des prochaines années le seront par des jeunes qui ne sont pas encore sur le marché du travail, précise l'économiste Martine Roy. Plus des trois quarts de ces métiers ou professions seront de niveau de compétence professionnelle exigeant une formation universitaire, ou de compétence technique, exigeant une formation professionnelle ou technique ».

Potentiel récréotouristique

Le secteur du tourisme a été identifié comme un créneau d'excellence dans la Capitale-Nationale. L'accroissement de la vocation de Québec en tant que port international, de même que le développement de produits touristiques tels le patrimoine, la culture et la nature ont été ciblés. Le 400e de la Ville de Québec en est un bel exemple. C'est à la suite de son éloquent succès que la Ville a mis en place le Fonds des grands événements dans la région, qui se terminera en 2013, afin de bonifier l'offre touristique. « On veut faire de la culture un moteur de développement économique », note madame Roy. Cependant, une large part des emplois dans les secteurs reliés au domaine récréotouristique sont à temps partiel. Une partie importante de ces emplois sont d'ailleurs occupés par les 15 à 24 ans. Plusieurs de ces emplois étant saisonniers, cela s'avère être un défi en soi.

La Mauricie, pleine de ressources!

Par Louise Potvin

Hydroélectricité, pâtes et papiers, exploitation forestière et agricole : l'économie de la région de la Mauricie s'est bâtie autour de l'exploitation et de la transformation des ressources naturelles. Pas surprenant que la transformation et la mise en valeur de ces ressources occupent toujours une place prépondérante dans l'économie.

La région administrative 04 est aussi le berceau de l'industrialisation au Québec. Grande entreprises et PME dynamiques, innovantes et productives sont toujours à la recherche d'une main-d'œuvre qualifiée.

La Mauricie compte six municipalités régionales de comté (MRC) pour une population de 260 200 habitants et quelque 115 200 emplois.

Si la tendance se maintient...

Les vents semblent favorables aux travailleurs mauriciens. « Les résultats extraits des perspectives professionnelles pour la Mauricie indiquent qu'il faudra combler 26 600 postes, principalement des départs à la retraite, d'ici 2015 », expose Bertrand Barré, conseiller en communication et adjoint à la Direction régionale d'Emploi-Québec en Mauricie.

Les carrières de choix? Infirmières autorisées, physiothérapeutes, pharmaciennes, ambulanciers, machinistes, éducatrices à la petite enfance, ingénieurs civils et mécaniques, vérificateurs comptables, spécialistes en ressources humaines et gestionnaires de systèmes informatiques, donne en exemple Bertrand Barré.

Courtiser la relève

Afin d'attirer cette précieuse relève, le Forum Jeunesse Mauricie et le Carrefour emploi-jeunesse local ont fait front commun dans le projet Destination jeunesse, une stratégie qui parle d'emploi et de qualité de vie.

« Nous sommes situés au cœur du Québec, près des frontières américaines et près de la nature comme du centre-ville de Trois-Rivières et sa riche vie culturelle », dépeint tout de go Isabelle Bordeleau, directrice générale, Forum jeunesse Mauricie. « De plus, en marge de la création de la Vallée de l'énergie, on a notamment vu émerger des initiatives uniques, dont l'Institut de recherche de l'hydrogène à l'Université du Québec à Trois-Rivières. Les programmes de formation, qui visent la conception et l'amélioration du stockage de l'hydrogène, présentent de belles opportunités de carrière dans les technologies vertes. »

L'ouverture en 2009 du Centre d'excellence en efficacité énergétique de Shawinigan, pour la valorisation des résidus du bois, s'inscrit dans cette même mouvance, explique Mme Bordeleau.

Bienvenue en Mauricie!

Autre possibilité à explorer : le tourisme, confirme Bertrand Barré. La création de la Cité de l'Énergie a donné un coup de fouet à toute cette industrie déjà bien pourvue en établissements hôteliers de renommée internationale et riche en activités comme la Classique internationale de canots, le Festival western de Saint-Tite et le Grand Prix de Trois-Rivières.

Deux options s'offrent aux internautes désireux d'en savoir plus sur les opportunités d'emploi en Mauricie :

- Le nouvel Atlas Emploi Mauricie (www.atlasemploimauricie.com.)

- Le site d'Information sur le marché du travail (IMT) de la Direction régionale d'Emploi-Québec en Mauricie (www.emploiquebecmauricie.net)

L'innovation au service du développement

Par Martine Frégeau

Destination de villégiature, la région estrienne fait rêver, avec ses montagnes, ses lacs et ses rivières. Sherbrooke, ville-centre et ville universitaire, contribue grandement à son essor économique. Elle est devenue un terrain fertile pour la recherche et le développement d'entreprises. Elle bénéficie du rayonnement, tant au plan national qu'au plan international du Pôle universitaire. De plus, elle jouit d'une situation géographique privilégiée par sa proximité à des villes telles que Montréal, Québec, Boston et New York.

La croissance de l'emploi, selon les perspectives sectorielles 2010-2014 de la Direction régionale d'Emploi-Québec, se fera sentir principalement dans le secteur des services. Trois sous-secteurs croîtront plus rapidement, soit les services professionnels, scientifiques et techniques, les services aux entreprises et les services d'hébergement et restauration.

Les services professionnels, scientifiques et techniques gagnent des points de façon très marquée. « La région mise de plus en plus sur l'innovation », relate l'économiste Hubert Létourneau. On y remarque une hausse des activités dans les technologies de l'information et de la communication (TIC) : plusieurs entreprises embauchent. Un investissement de 31 millions $ au Centre de recherche clinique Étienne-Le Bel permettra la création de 250 emplois. Des investissements au sein de centres de recherche liés à l'Université de Sherbrooke, dont le Centre des technologies avancées (CTA) BRP-Université de Sherbrooke, sont également porteurs d'emplois.

En hébergement et restauration, on s'attend à d'importantes retombées économiques en raison de l'ouverture du Centre de foires de Sherbrooke et de la tenue des Jeux du Canada, dans cette même ville, en 2013.

Comme partout au Québec, le secteur soins de santé et assistance sociale gagnera du terrain en Estrie. Sherbrooke compte d'ailleurs un Centre hospitalier universitaire (CHUS).

Le DEC technique et le DEP en tête

Les emplois exigeant un DEC technique ou un DEP connaîtront la plus forte croissance d'ici 2014 : près de deux postes sur trois nécessiteront l'un des deux diplômes. Ce sera notamment le cas dans les secteurs d'activité de la construction, de la fabrication de produits métalliques ainsi que de la fabrication de produits en plastique et caoutchouc. D'ailleurs, l'Estrie compte une plus forte proportion d'emplois du secteur de la fabrication par rapport à d'autres régions du Québec.

Quant aux emplois exigeant un BAC, les secteurs des services professionnels, scientifiques et techniques, de même que les soins de santé et assistance sociale seront principalement prisés.

Le secteur manufacturier a connu de beaux jours dans la région. « Certains sous-secteurs connaîtront une croissance de l'emploi jusqu'en 2014, notamment la fabrication de produits métalliques et la fabrication de machines. Toutefois, la proportion de l'emploi manufacturier continuera de décroître en raison de l'accroissement du nombre d'emplois dans le secteur des services », conclut monsieur Létourneau.

Pouvoir d'attraction

Par Louise Potvin

On l'aime pour son intense activité culturelle, ses grands parcs-nature et pour sa qualité de vie, une des meilleures parmi les grandes villes nord-américaines. Plaque tournante des échanges commerciaux mondiaux, l'île de Montréal est le cœur de l'activité économique du Québec.

Avec ses 19 arrondissements et 15 villes liées, la métropole compte près de 2 millions d'habitants. C'est le quart de toute la population du Québec. Les arrondissements de Ville-Marie et de Saint-Laurent accaparent à eux seuls plus du tiers du marché de l'emploi de toute l'agglomération.

Plein feu sur l'emploi

La manne d'emplois qui s'annonce devrait opérer un pouvoir d'attraction sur la relève. « Selon les récentes perspectives professionnelles et sectorielles, estimées à partir des données de Statistique Canada et des prévisions économiques du Conference Bord of Canada, on prévoit qu'il faudra combler 150 000 postes d'ici 2015 dont 52 000 sont de nouveaux emplois », indique Hugues Leroux, économiste principal d'Emploi-Québec pour l'Île-de-Montréal. Ces estimations sont fondées sur la région du lieu de résidence des personnes « alors que 7 % des résidents de l'Île travaillent ailleurs au Québec et que le tiers des emplois sur l'île sont occupés par des non résidents », nuance l'économiste.

Ainsi, le secteur des services professionnels scientifiques et techniques présente un excellent taux de croissance moyen évalué à 2 %. Idem pour l'aérospatiale et l'aéronautique. Le secteur du transport et entreposage et celui des finances et assurances sont aussi en bonne posture.

« Les entreprises montréalaises nous disent avoir déjà peine à combler leurs besoins : ingénieurs et gestionnaires de projet en aérospatiale; médecins spécialistes; chargés de projet, ingénieurs mécaniques, civils et miniers dans le domaine du génie-conseil; programmeurs spécialisés, designers, administrateurs de réseaux; professeurs universitaires (spécialités verticales : bancaire et finance) », atteste Christian Bernard, économiste principal chez Montréal International, agence de promotion économique du Grand Montréal.

TIC : on engage!

Les professionnels du jeu vidéo et des technologies de l'information et des communications (TIC) s'ajoutent à cette liste, poursuit Christian Bernard. TECHNOCompétences, le Comité sectoriel de main-d'œuvre en TIC, confirme. « Avec les récentes annonces des THQ, Funcom, Ubisoft et Eidos Montréal on sait pertinemment qu'il y aura beaucoup d'appelés et beaucoup d'élus, tout particulièrement chez les détenteurs d'un diplôme universitaire qui sont très recherchés par les employeurs », convient Vincent Corbeil, gestionnaire de projet.

Relève entrepreneuriale : code rouge

De 2010 à 2015, on prévoit que 43 000 entrepreneurs se retireront des affaires au Québec. Là aussi, la relève est bien loin d'être au rendez-vous. Pour qui désire développer sa fibre entrepreneuriale, la Chaire de recherche des HEC de Montréal propose ce site : www.durevealareleve.com.

Une adresse à retenir pour qui s'intéresse aux TIC : www.technocompetences.qc.ca.

Une région refuge

Par Claudine Hébert

Il existe de multiples raisons pour choisir l'Outaouais comme lieu de travail. L'autoroute 50 est en voie d'être complétée d'ici la fin de l'année; la région dispose du plus beau réseau cyclable au Québec (avec des voies fermées aux automobilistes tous les dimanches de l'été); mais surtout, ce territoire, bordé par Ottawa, affiche une stabilité de l'emploi, même en temps de crise.

Alors que le spectre d'une autre récession inquiète beaucoup les économistes de la planète, le moral demeure très positif en Outaouais. «La région constitue une zone refuge pour les années à venir», soutient Ghislain Régis Yoka, économiste d'Emploi-Québec de la région Outaouais.

Un sentiment protecteur qui provient principalement de la place qu'occupe l'administration publique et parapublique (fédérale, provinciale et municipale) en matière d'emplois. Ces divers paliers procurent près de la moitié des emplois disponibles dans la région. «Il se peut que les gouvernements réduisent leur nombre d'emplois par attrition au cours des prochaines années. Mais ces coupes ne se feront pas à coup de pertes massives comme cela se produit généralement lors d'une fermeture d'entreprise», explique Ghislain Régis Yoka.

Forte proportion d'immigrants

Autre facteur qui favorise l'Outaouais sur le plan de l'emploi : l'immigration. Gatineau est la seconde ville québécoise comptant en proportion le plus d'immigrants au sein de sa population après Montréal. Monsieur Yoka souligne que beaucoup d'efforts sont faits pour attirer ceux-ci dans la région. Des activités promotionnelles ont justement lieu au moins une fois par mois à Montréal à cet effet.

Cela dit, près de 100 professions affichent des perspectives favorables d'ici 2015. Plusieurs de ces emplois relèvent du secteur de la santé et de l'industrie de la langue. Rappelons que l'Outaouais accueille plusieurs locaux du Bureau de la traduction, le plus gros employeur de professionnels de la langue au Canada. Au fait, être bilingue dans l'Outaouais rend les possibilités d'emplois à meilleurs salaires encore plus vastes.

L'avenir s'annonce également très bien pour des emplois tels qu'analystes financiers, infirmières auxiliaires, éducateurs spécialisés, paramédics, ingénieurs civils, techniciens de réseau informatique, mécaniciens d'équipement lourd et techniciens en architecture.

Au total, plus de 33 000 emplois seront créés d'ici quatre ans, annonce l'étude sur les perspectives d'emploi. Et contrairement à plusieurs régions du Québec, où ces emplois relèvent à plus de 75 % des départs à la retraite, une forte proportion de ces derniers (40 %) viendra répondre à la croissance des entreprises.

Le top 5 des emplois en Outaouais

1. **Traducteur**
2. **Analyste financier**
3. **Conducteur d'autobus**
4. **Mécanicien de chantier**
5. **Travailleur social**

ABITIBI-TÉMISCAMINGUE

Employés recherchés

Par Claudine Hébert

En connaissez-vous beaucoup des régions où le quart des pages des journaux locaux sont remplies d'offres d'emplois? Des régions où les entreprises payent les frais de déplacements pour rencontrer leurs candidats en entrevue? Bienvenue en Abitibi-Témiscamingue!

Malgré la crise agricole dans le Témiscamingue et les difficultés de l'industrie forestière, la région connaît une vitalité économique qui ne s'était pas vue depuis longtemps, et ce, grâce à l'activité minière. Avec la vigueur du prix de l'or dont l'once se vend à un prix record, de nouveaux restos et de nouvelles boutiques voient le jour. Les festivals pullulent. Même les transporteurs Air Transat et Sunwing y atterrissent. Bref, ça bouge dans le nord-ouest de la province.

L'an dernier, pour la première fois en 25 ans, le taux de chômage est passé sous la barre des 6 %, soit à 5,9 %. « Il s'agissait du plus bas taux de chômage de la région depuis 1987, année où Emploi-Québec a commencé à tenir ce type de bases de données », indique Francis Riou, directeur régional Emploi-Québec pour l'Abitibi-Témiscamingue.

Cette baisse du chômage s'explique notamment par une hausse fulgurante du nombre d'emplois disponibles, passé de 68 700 à 75 200. Liée en partie à l'extraction minière qui se fait de plus en plus à ciel ouvert, cette vigueur est également attribuable aux besoins croissants de personnel en construction et pour les services professionnels.

« La région fait face à une rareté de main-d'œuvre », reconnaît Ann Brunet Beaudry, analyste du marché du travail chez Emploi-Québec pour l'Abitibi-Témiscamingue. Selon les perspectives d'Emploi-Québec, près de 12 700 postes devront être comblés d'ici 2015, dont plus de 80 % seront dus à des départs à la retraite.

Cette raréfaction de la main-d'œuvre incite les entreprises à recourir à des approches plus innovantes pour fidéliser et attirer les travailleurs. Plusieurs vont multiplier les facteurs d'attraction, offrir des salaires accrus, souligne M. Riou.

Le CLD de la Vallée-de-l'Or a justement mis sur pied, l'automne dernier, un fonds de séduction de 75 000 $ pour aider les PME de moins de 99 employés à recruter des candidats à l'extérieur de la région. En plus d'aider ces entreprises à couvrir les frais de déplacement, ce fonds prévoit une aide financière pour subvenir aux frais de déménagement des candidats s'ils sont embauchés.

Notez que le solde migratoire demeure encore négatif, mais l'hémorragie tend à baisser. À tel point que l'Abitibi-Témiscamingue demeure la seule région éloignée du Québec qui ait connu depuis cinq ans une hausse de sa population.

Le top 5 des emplois en Abitibi-Témiscamingue

1. **Technologue en radiation médicale**
2. **Foreur au diamant**
3. **Plombier**
4. **Technicien en génie civil**
5. **Mécanicien automobile**

Un marché de l'emploi en pleine effervescence

Par Louise Potvin

Manicouagan, l'Archipel-de-Mingan, Tadoussac… La Côte-Nord, pays de Gilles Vigneault avec ses grands espaces et ses baleines, fait bonne figure parmi les grandes régions touristiques du Québec. La Côte-Nord est aussi synonyme d'industrie minière et forestière, d'aluminerie et d'hydroélectricité. Cette région est présentement en pleine effervescence. Grands projets, aide à l'entrepreneuriat, développement majeur, perspectives du Plan Nord : tous les ingrédients sont dans la soupe pour qui songe faire carrière au-delà du 49e parallèle.

La Côte-Nord peine déjà à recruter son monde. La situation va aller en s'accentuant d'ici 2015 car, si la tendance se maintient, la croissance économique y sera supérieure à la moyenne québécoise et le taux de chômage fléchira de 6,9 % à 6,1 %. « D'ici cinq ans, ce sont quelque 10 500 postes qu'il faudra combler », tranche l'économiste d'Emploi-Québec, André Lepage.

Le marché de l'emploi est en effet en excellente santé sur ce territoire de 237 000 km^2 qui comptait une population de 96 000 habitants, en 2010. Une panoplie de postes sera à pourvoir d'ici 2015 : ingénieurs civils, ingénieurs électriciens, électroniciens, technologues et techniciens en géologie et minéralogie, omnipraticiens, mécaniciens de chantier, industriels et d'équipements lourds, surveillants de l'exploitation des mines et des carrières, principalement.

Le Plan Nord du gouvernement provincial laisse présager des investissements majeurs dans la région, ce qui se traduira en milliers d'emplois supplémentaires pour mener à bien les actuels et futurs projets. « Dans le secteur minier, New Millennium (Sept-Îles), ArcelorMittal (Fermont), Cliffs Natural Ressources (Lac Bloom) seront parmi nos grands générateurs d'emplois à court terme », donne en exemple monsieur Lepage.

Corpus à la rescousse

Si, selon les données de 2007, on évaluait que 70 % des emplois disponibles en Côte-Nord étaient destinés à la main-d'œuvre hautement qualifiée, ce n'est plus aussi vrai aujourd'hui. Il y aura de la place pour les détenteurs d'un diplôme technique au collégial et même d'un diplôme d'études professionnelles, selon les besoins.

Par ailleurs, les établissements d'enseignement entendent les besoins du marchés et adaptent leur corpus et innovent. Au banc des programmes uniques en Amérique du Nord, notons le TACH, pour Techniques d'aménagement cynégétique et halieutique, offert par le Cégep de Baie-Comeau. On y formera des techniciens en aménagement et en gestion intégrée des ressources fauniques et de leurs habitats.

« Et attention!, prévient André Lepage. Le ralentissement du secteur de la forêt a fait en sorte que les étudiants ont massivement boudé ce type de formation. Les signaux s'allument de partout aujourd'hui : techniciens et ingénieurs de la forêt, professionnels de la voirie forestière, opérateurs de machinerie… Les candidats sont rares alors que la reprise s'annonce. »

La rareté de la main-d'œuvre se fera aussi sentir dans le secteur du commerce, de l'hébergement et de la restauration.

Un marché en effer- vescence

Par Martine Frégeau

Plus grande région du Québec, la région administrative du Nord-du-Québec couvre 55 % de la superficie de la province, soit 840 000 km^2, indique la Direction régionale d'Emploi-Québec. Par contre, elle est la moins densément peuplée. Trois communautés y habitent : les Cris, les Inuits et les Jamésiens, ces derniers étant les résidents non autochtones. Entourée en bonne partie par des plans d'eau, soit la baie James, la baie d'Hudson et la baie d'Ungava, la région est reconnue entre autres grâce à l'un des plus importants aménagements hydro-électriques au monde, le complexe La Grande, près de la baie James. Elle l'est également pour son exploitation des ressources minières et forestières.

Le secteur minier est sans contredit le secteur de l'heure. « Nous sommes en plein marché d'effervescence avec la venue du Plan Nord. Nous comptons plusieurs ouvertures de postes, et ce, dans presque tous les types de professions », explique l'économiste Cyrille Djoman. Une tendance pour les 20 prochaines années. « Quand on parle du secteur minier, il n'y a pas que des mineurs à embaucher ! Il y a également de la demande pour des cuisiniers, des informaticiens, des gestionnaires, des spécialistes en ressources humaines, du personnel d'entretien, des technologues de tous les horizons, des comptables et bien d'autres », spécifie-t-il. Les salaires y sont élevés et les conditions reliées à l'emploi sont avantageuses, ajoute-t-il.

Quant au secteur forestier, fragilisé, le taux de roulement des travailleurs est en fonction de l'évolution du marché, constate monsieur Djoman. Certains travailleurs ayant les qualifications requises pour effectuer un changement de cap, se tournent vers le secteur minier. Le Plan Nord ciblant également la forêt comme un secteur important, la région fonde beaucoup d'espoir sur les projets de développement qui en découleront. En 2003, le territoire forestier couvrait 10 % du territoire de la région, dont 99 % en forêt publique et 1 % en forêt privée.

Une route qui ouvre la voie

Le secteur de la construction n'est pas en reste. Il demeure un enjeu important. La construction de la route 167, projet découlant du Plan Nord, qui permettra d'accéder facilement à trois sites miniers, générera beaucoup de demande de main-d'œuvre qualifiée. La route 167 ouvrira également la voie à divers projets, tant dans le secteur minier que dans les secteurs forestier, faunique, énergétique ou récréotouristique tels le tourisme nordique (arctique) et d'aventures. « Un secteur au potentiel immense, dont les projets sont à l'état embryonnaire », précise monsieur Djoman. Conséquemment, le secteur du commerce de détail, de restauration et d'hébergement, qui connaît déjà des problèmes d'embauche sans précédent, fera appel à de la main-d'œuvre qualifiée pour répondre aux besoins.

De la pénurie d'emplois... à la pénurie de main-d'œuvre

Par Claudine Hébert

Depuis le milieu des années 2000, la région Gaspésie–Îles-de-la-Madeleine vit une transformation sur le plan économique.

Il est vrai que la région affiche encore les moins belles statistiques de la province en matière de taux de chômage (13 %) et de revenu personnel disponible par habitant (18 % de moins que le revenu moyen de l'ensemble du Québec). Mais attention. La péninsule a amorcé sa remontée. La région compte actuellement 38 000 emplois pour ses 100 000 habitants. « Il faut retourner à la fin des années 80 pour obtenir une donnée semblable », rapporte fièrement Marc Groleau, directeur général du Bureau d'Emploi-Québec de la Gaspésie–Îles-de-la-Madeleine.

Même le solde migratoire (la différence entre les arrivées et les départs d'habitants) est redevenu positif, ce qui ne s'était pas vu depuis 20 ans dans la région. Finie l'époque où la Gaspésie perdait plus de 2000 habitants par année, l'équivalent d'un village.

Certes, la région a eu sa part d'écueils. « La région a été victime de l'écroulement de ses principales activités économiques, le bois, les mines et surtout la pêche », indique Marc Groleau. Mais le vent souffle. Littéralement.

La péninsule voit débarquer une toute nouvelle génération de professionnels liés à l'industrie des éoliennes. Des ingénieurs civils, mécaniques et en foresterie, des urbanistes, des biologistes en environnement, des agronomes... Des jeunes âgés dans la vingtaine qui viennent (ou reviennent) s'établir sur le littoral gaspésien avec la ferme intention d'y rester. Et d'y élever leur famille.

Longtemps dépendante de la mer et de la forêt, l'économie de la Gaspésie s'ouvre également à l'ère des communications. Grâce à son réseau communautaire de fibre optique, qui ceinture les quelque 1000 km de la péninsule, la Gaspésie est, à ce jour, l'une des régions les plus branchées au Québec. Plusieurs centres d'appels ont justement vu le jour dans la région.

Il y a aussi la Commission jeunesse qui multiplie les activités en milieu scolaire, secondaire et collégial. Elle organise également chaque année des campagnes de sensibilisation, des activités qui permettent de démontrer à des dizaines de jeunes venus d'ailleurs qu'il existe de nombreuses possibilités d'emplois au cœur d'un terrain de jeux grandeur nature. Un territoire bordé par la mer et les montagnes au sein duquel loisirs et milieu de vie motivant font partie du quotidien.

Au total, près de 9000 emplois (dont plus de 90 % seront dus à des départs de retraite) seront à combler au cours des quatre prochaines années. « Nous sommes passés de la pénurie d'emplois... à une pénurie de main-d'œuvre », conclut M. Groleau.

Le top 5 des emplois en Gaspésie–Îles-de-la-Madeleine

1. **Pharmacien**
2. **Travailleur social**
3. **Éducateur**
4. **Technologue ou technicien en génie électronique et électrique**
5. **Emplois liés à la restauration et l'hébergement**

CHAUDIÈRE-APPALACHES

Le royaume de la PME a besoin de vous

Par Claudine Hébert

Côtoyant le fleuve, la ville de Québec et la frontière américaine, la région de Chaudière-Appalaches regorge de multiples paysages spectaculaires, de territoires giboyeux (pour amateurs de chasse et pêche) et surtout d'offres d'emplois. Le marché du travail y est si dynamique que la région affiche l'un des plus bas taux de chômage au Québec depuis plus de 20 ans.

« Et ce n'est pas demain matin que la région perdra cette envieuse position », souligne Dominique Boies, économiste chez Emploi-Québec en Chaudière-Appalaches. Malgré la forte dépendance de la région envers le secteur manufacturier – responsable de plus de 20 % des emplois – les perspectives d'emplois demeurent très positives au royaume de la PME.

« D'ci 2015, plus de 40 000 postes devront être comblés. Plus de 80 % de ces emplois sont liés à des départs à la retraite », indique M. Boies, optimiste. Autrement dit, même si le secteur manufacturier devait connaître un ralentissement, voire une croissance presque nulle, les départs à la retraite, eux, laissent présager une pénurie de main-d'œuvre dans la région. Ajoutez à cela une diminution de la population en âge de travailler qui se veut plus significative qu'ailleurs au Québec, voilà de quoi mettre la table.

Autre argument qui joue en faveur de la région, l'accès à la propriété. Près du trois quart des gens de la Chaudière-Appalaches sont propriétaires de leur propre résidence.

Faire de ses forces des pôles d'expertise mondiale

Selon les perspectives, l'emploi sera en hausse dans 23 secteurs d'activité économique, dont les finances, l'immobilier, l'hébergement, la restauration, ainsi que les services professionnels, scientifiques et techniques. Remarquez, en plus d'être active dans le secteur manufacturier, la région l'est aussi en agriculture et en tourisme. La région mise également sur la recherche et le développement de produits novateurs pour assurer son avenir.

À ce propos, Chaudière-Appalaches dispose de cinq centres collégiaux de transferts technologiques et de trois campus universitaires (UQAR, ETS, Université Laval). Ces institutions travaillent, pour la plupart, en concert avec les principales forces manufacturières de la région, soit les matériaux de textiles techniques, la valorisation du bois dans l'habitation, les matériaux composites et plastiques ainsi que les équipements et technologies de l'industrie agroalimentaire.

En fait, non seulement la région de Chaudière-Appalaches est déterminée à préserver les acquis dans de ses traditionnels secteurs économiques, elle compte en faire des pôles d'expertise mondiale.

Le top 5 des emplois en Chaudière-Appalaches

1. Spécialiste en ressources humaines
2. Ingénieur civil
3. Analyste informatique
4. Designer graphique en commercialisation
5. Représentant de ventes

Trois réalités, une vision de développement économique concertée

Par Martine Frégeau

Laval, c'est à la fois une île, une ville et une région. Sa proximité de Montréal et des Laurentides fait d'elle la région centrale dont l'économie s'avère diversifiée et aux multiples attraits. À proximité des principaux axes routiers, dotée d'un service de transport en commun efficace, du train de banlieue et du prolongement du métro de Montréal, Laval rayonne.

Et elle est fière de sa particularité qui fait d'elle l'un des pôles majeurs de l'agglomération de Montréal : ses quartiers résidentiels et ses espaces verts côtoient des secteurs commerciaux, industriels et d'affaires en pleine effervescence. Mais encore, 30 % de son territoire est toujours consacré à la production agricole, vouée aux marchés québécois, ontarien et américain, précise Laval Technopole.

L'économie lavalloise est divisée en cinq pôles : l'Agropôle (production et transformation alimentaire/production horticole), le Biopôle (biotechnologie, pharmaceutique), l'e-pôle (les TIC), le Pôle industriel (essentiellement composé de PME, on y trouve 83 % des entreprises manufacturières lavalloises et 200 sous-traitants industriels) et le Pôle récréotouristique (d'affaires et de loisirs et de culture).

« Sur la période de 2011 à 2015, 44 % des besoins (en matière d'emploi) de la région seront pour répondre à la croissance prévue de l'emploi et 56 % des besoins seront pour répondre au remplacement prévu lié à la retraite », spécifie Jean-Olivier Guillemette, économiste à la Direction régionale d'Emploi-Québec.

Il ne fait aucun doute que le secteur des services professionnels, scientifiques et techniques, de même que celui de la finance, des assurances, de l'immobilier, de la location et de la gestion en feront partie.

Les technologies de l'information et de la communication (TIC), qui ont la cote chez bien des jeunes, sont appelées à croître, étant un des créneaux de développement économique ciblés par la ville-région.

Le secteur des produits métalliques est également voué à un bel avenir : Laval compte plusieurs sous-traitants en industrie aérospatiale, notamment, qui peuvent travailler pour des compagnies voisines telles Bombardier et Bell Helicopter.

Par ailleurs, le secteur de l'industrie touristique est prometteur. Celui-ci connaît une importante croissance au cours des dernières années. Laval est au premier rang des destinations de tourisme d'affaires au Québec alors que le secteur du récréotourisme se diversifie tout en innovant, met en lumière Tourisme Laval.

D'autres secteurs tels que ceux de la construction, des restaurants et du commerce de détail et de gros auront également à faire appel à de la main-d'œuvre qualifiée.

L'e-Pôle

Populaire auprès des jeunes, les technologies de l'information et de la communication (TIC) s'inscrivent dans les stratégies de développement économique de la ville. On y compte plus de 230 entreprises représentant 4 500 emplois spécialisés. Plusieurs d'entre elles connaissent des succès d'affaires internationaux.

Services et tourisme en expansion

Par Martine Frégeau

Située dans la grande région de Montréal, la région de Lanaudière est l'une des plus riches régions agricoles du Québec. On la surnomme la Région verte : elle compte sur son territoire plusieurs entreprises agricoles et de transformation. De plus, elle possède un important potentiel de développement touristique avec ses décors champêtres et ses produits du terroir.

Conséquemment, on y retrouve plusieurs programmes de formation de l'agriculture, de l'alimentation et du tourisme. Mais encore, la région détient un créneau Accord Agroalimentaire et bioproduits végétaux, regroupant des entreprises en vue de créer des chaînes de valeur, fait-on valoir à la Direction régionale d'Emploi-Québec.

C'est donc dire que les secteurs de l'agrotourisme, de l'écotourisme et du bioalimentaire sont des créneaux de développement prometteurs pour la région. Les exploitants agricoles, les bouchers industriels, les opérateurs dans la transformation des aliments ainsi que les vendeurs font d'ailleurs partie des 123 professions présentant des perspectives favorables pour 2011-2115.

Parmi ces professions dites « favorables » et exigeant une formation universitaire, on y retrouve les ingénieurs civils, les enseignants au niveau secondaire, les analystes et consultants en informatique, les vérificateurs comptables et autres agents financiers, ainsi que les omnipraticiens. Au niveau de la formation technique au collégial, on cible notamment les éducateurs et aides-éducateurs à la petite enfance, les éducateurs spécialisés, les opérateurs en informatique, les opérateurs réseau et techniciens Web, les technologues et techniciens en génie civil, les hygiénistes et thérapeutes dentaires, ainsi que les infirmiers.

Finalement, en formation professionnelle, il est possible de se diriger, par exemple, vers les métiers de mécaniciens, de soudeurs et opérateurs de machines, de vendeurs et de commis-vendeurs, d'aides-infirmiers, d'aides-soignants, de préposés aux bénéficiaires ou d'infirmiers auxiliaires.

En croissance égale ou supérieure

Certains secteurs d'activité économique devraient connaître une croissance de l'emploi égale ou supérieure à la moyenne régionale de 2001 à 2015. « Essentiellement, à moyen terme, les secteurs des services devraient être les locomotives en ce qui a trait à la création d'emplois », souligne l'économiste Roger Pedneault. On parle des services professionnels, scientifiques et techniques; services aux entreprises; soins de santé et assistance sociale; information, culture et loisirs; commerce; finance, assurances, immobilier et location; transport; hébergement et restauration. Par ailleurs, le secteur des aliments et boissons ainsi que le secteur de la construction participeront également à la croissance de l'emploi.

Un autre secteur retient l'attention : il existe dans la région un créneau Accord qui est associé au secteur des produits métalliques, ce qui démontre son importance. De plus, le réseau de l'éducation offre certains programmes de formation en lien direct avec ce secteur. La demande de main-d'œuvre qualifiée vise notamment les soudeurs et les techniciens en dessin.

Une région aux mille et un visages

Par Louise Potvin

Les Laurentides constituent un joyau naturel du Québec mis en valeur par l'industrie du tourisme de villégiature et l'agrotourisme, deux grands générateurs d'emplois, il va sans dire. Saint-Jérôme, Blainville, Saint-Eustache, Mont-Laurier, Mirabel et les autres. On dénombre 83 municipalités sur ce territoire de 22 000 kilomètres carrés s'étendant sur la rive nord du fleuve Saint-Laurent et où vivent 518 000 personnes.

Le marché du travail y est en progression. « Emploi-Québec prévoit que 61 700 emplois seront à pourvoir entre 2011 et 2015 dans la région des Laurentides : 42 % des besoins seront directement liés à la croissance de l'économie (création de 25 700 emplois) », dépeint Robert Gareau, économiste principal, Emploi-Québec Laurentides.

« Dans les Laurentides comme au Québec, le secteur tertiaire, qui domine la structure économique avec environ trois emplois sur quatre, demeurera un chef de file en termes de création d'emplois d'ici 2015 », commente l'économiste.

« Dans notre région, nous devons combler plusieurs emplois saisonniers à faible niveau de compétence. Cependant, beaucoup requièrent une formation plus spécialisée : opérateur de machinerie dans les centres de ski, chefs cuisinier, par exemple », fait valoir Roger Hotte, directeur général de la Conférence régionale des élus des Laurentides.

« Et pour qui sent monter la fibre entrepreneuriale, la région permet certainement d'ouvrir la boîte à idées pour développer des produits de niche dont sont friands les nombreux touristes internationaux qui visitent la région », ajoute M. Hotte.

Une économie en santé

« Certaines caractéristiques de l'économie régionale suggèrent que la situation à moyen terme continuera d'être parmi les plus avantageuses au Québec », une information encourageante tirée du Plan d'action régional 2011-2012 d'Emploi-Québec.

Donc, si la tendance demeure, d'ici 2018, le taux d'emploi chez les 15 à 64 ans passera de 71,8 % à 75,3 % alors que le chômage perdra du terrain pour atteindre 5,5 %.

Selon l'Institut de la statistique du Québec, la région des Laurentides connaîtra la croissance démographique la deuxième plus forte au Québec au cours des 20 prochaines années avec 34 %, devancée seulement par Lanaudière, à 38 %.

La démographie conjuguée à l'amélioration globale de l'emploi fera pression sur les services à la consommation, mais aussi sur l'hébergement et la restauration, les loisirs, le commerce (qui représente actuellement un emploi sur cinq) et les services personnels.

« Dans le secteur de la santé, par exemple, on devra notamment pourvoir aux besoins d'une population vieillissante. Le phénomène démographique touchera aussi les carrières dans l'enseignement et l'éducation à la petite enfance. Dans ce tableau, avocats, comptables, arpenteurs géomètres et autres professions liées aux services professionnels, scientifiques et techniques devraient être en demande de candidats », conclut Robert Gareau.

Une place pour tous

Par Louise Potvin

La Montérégie, seconde région la plus populeuse après l'Île-de-Montréal avec ses 1 400 000 habitants, est bordée par le fleuve Saint-Laurent et est traversée par la rivière Richelieu. La Montérégie, c'est un havre pour la biodiversité avec le lac Saint-Pierre, la réserve naturelle Gault, le parc du Mont-Saint-Bruno. Cette région porte aussi l'empreinte de grands artistes tels Ozias Leduc, Paul-Émile Borduas, et autres Jordi Bonet qui y ont vécu.

Avec 700 000 emplois, la Montérégie monte sur la seconde marche du podium québécois. «Quelque 135 000 emplois seront à pourvoir entre 2011 et 2015. On se classe tout juste derrière Montréal (148 000) et loin devant Québec (65 000)», dit d'emblée Régis Martel, économiste principal pour Emploi-Québec Montérégie.

Là encore, la rareté de la main-d'œuvre se trame à l'horizon. Les besoins en remplacement constitueront 70 % de la demande. Le secteur des services, un domaine qui fournit près de trois emplois sur quatre, accuse déjà le choc : services professionnels, scientifiques et techniques, services aux entreprises, soins de santé et les services sociaux, le commerce de détail, auront fort à faire pour trouver leur monde.

« Wanted! »

Les bacheliers – agents en valeur mobilière, ingénieurs civils, urbanistes, mathématiciens avec certificat en enseignant (avis aux intéressés, les enseignants de niveau secondaire et collégial sont déjà une denrée rare!) – seront entre autres recherchés.

Les détenteurs d'un DEC – opticiens d'ordonnances, éducateurs pour la petite enfance, inhalothérapeutes, designers d'intérieur, technologues en génie industriel, etc. – ne seront pas en reste.

La formation professionnelle? Pourquoi pas, suggère monsieur Martel. «Il s'y trouve de belles opportunités de carrière : aides-infirmiers, préposés aux bénéficiaires, électromécaniciens, mécaniciens d'équipement lourd et machinistes à commande numérique seront tout particulièrement en grande demande.»

La Montérégie est la grande championne du secteur de la transformation des métaux. Les départs à la retraite y seront nombreux. Le Comité sectoriel de main-d'œuvre de la métallurgie met les bouchées doubles pour susciter l'intérêt des recrues, notamment les femmes encore peu attirées par ces carrières qui leur seraient pourtant accessibles.

«Lors des États généraux de la métallurgie, en décembre 2011 à Saint-Hyacinthe, ArcelorMittal, Rio Tinto, Xstrata Copper Canada, des chefs de file de cette industrie, sont venus témoigner à l'effet que la rareté de main-d'œuvre se fait déjà sentir, et ce, à tous les niveaux de compétences. Au point où nous envisageons avoir recours au recrutement étranger pour combler la demande», prévoit l'économiste d'Emploi-Québec, Régis Martel.

Tout pour réussir

Cet outil a été conçu pour aider les jeunes à prendre les bonnes décisions pour leur avenir. Cette campagne à laquelle collabore Emploi-Québec est en cours pour la huitième année en Montérégie. Une adresse :

www.toutpourreussir.com

Une pluie d'emplois

Par Claudine Hébert

Considéré comme la plus manufacturière des régions de la province (plus d'un emploi sur quatre relève de ce secteur), le Centre-du-Québec est habitué de faire face à de gros défis. Mais voilà, les Centricois s'apprêtent à vivre le plus grand challenge de leur histoire : attirer suffisamment de main-d'œuvre dans leur cour pour pourvoir les 22 000 emplois disponibles d'ici 2015.

« Jamais la région n'a fait face à de telles possibilités d'emplois. C'est un emploi sur cinq dans la région que l'on devra combler », souligne Éric Lampron, analyste du marché du travail chez Emploi-Québec pour le Centre-du-Québec. Et déjà que la région affiche un taux de chômage sous la moyenne québécoise.

Comme la plupart des régions, le Centre-du-Québec n'échappe pas aux conjonctures démographiques alors que plus de 80 % des postes à pourvoir relèveront directement de départs à la retraite.

Près d'un emploi sur huit, soit environ 3 000, nécessiteront une formation universitaire. Environ le même nombre de postes exigeront une formation technique au collégial. Ce sont les diplômés d'études professionnelles qui toucheront le gros lot avec un poste sur trois.

Les secteurs porteurs? Le textile, le vêtement, le meuble, le bois et le recyclage des matières. L'industrie bioalimentaire, qui représente un emploi sur six dans la région, compte également pour beaucoup dans cette quête de nouvelle main-d'oeuvre. Plusieurs de ces emplois sont liés aux fermes, mais également à la transformation alimentaire ainsi qu'à la fabrication de machinerie agricole.

« La majorité de nos entreprises manufacturières ont su résister et s'adapter aux fluctuations du marché. Plusieurs d'entre elles sont d'ailleurs de propriété locale.

Par conséquent, leurs propriétaires sont moins portés à déménager leurs actifs ailleurs », rapporte l'économiste Lampron.

Remarquez, deux villes du Centre-du-Québec (Drummondville et Victoriaville) se trouvent au sein du top 10 des villes québécoises les plus dynamiques en matière d'entrepreneuriat, selon la Fédération canadienne de l'entreprise indépendante (FCEI).

Bordée par le fleuve Saint-Laurent, parcourue par les autoroutes 20 et 55, située à moins de 150 km de Montréal et Québec, la région dispose d'une localisation géographique très enviable. Ajoutez-y un réseau de télécommunication à haute vitesse qui couvre l'ensemble des municipalités de la région, des terrains de golf où la saison dure plus longtemps qu'ailleurs et la présence de la plus grande halte migratoire de sauvagines en Amérique du nord (de quoi plaire aux chasseurs et observateurs d'oiseaux), le Centre-du-Québec propose plus qu'un emploi. Cette région centrale propose une chouette qualité de vie.

Le top 5 des emplois dans le Centre-du-Québec

1. Aide-infirmier, aide-soignant, préposé bénéficiaire
2. Autres manœuvres des services de transformation
3. Vendeur et commis-vendeur/ commerce de détail
4. Serveur au comptoir, aide de cuisine et personnel assimilé
5. Cuisinier

CIBLEZ
VOTRE EMPLOI
en explorant le marché du travail avec IMT en ligne

emploiquebec.gouv.qc.ca

**Dans la section IMT en ligne,
trouvez de l'information sur le marché du travail :
perspectives d'emploi, salaires, programmes de formation,
répertoire d'entreprises.**

TROUVE UN MÉTIER FAIT POUR TOI

Près de 140 métiers d'avenir à découvrir sur
ToutPourReussir.com

- Commission des partenaires du marché du travail
- Emploi-Québec
- Ministère de l'Éducation, du Loisir et du Sport

MiNi-PALMARÈS

Qui gagne le meilleur salaire parmi les diplômés du secondaire professionnel? Quelles sont les programmes d'études les plus choisis par les femmes? Quel est le programme de formation qui permet de se trouver un emploi le plus rapidement?

Les réponses à ces questions et à bien d'autres se trouvent dans les pages qui suivent. Une série de mini-palmarès ont été élaborés à partir des statistiques fournies dans le *Palmarès* pour les métiers et professions mis en nomination et lauréats. Il est intéressant de voir ce qui s'en dégage!

LE TOP 10 DES PROFESSIONS DE LA FORMATION PROFESSIONNELLE DONT LA VALEUR CARRIÈRE SEPTEMBRE EST LA PLUS ÉLEVÉE

1	Mécanicien d'engins de chantier	8,8/10
2	Mécanicien de moteurs diesels	8,8/10
3	Infirmier auxiliaire	8,6/10
4	Assistant technique en pharmacie	8,2/10
5	Mécanicien d'équipement lourd	8/10
6	Représentant de commerce	8/10
7	Dessinateur en construction mécanique	7,9/10
8	Auxiliaire familial et social	7,6/10
9	Dessinateur d'architecture	7,6/10
10	Responsable du soutien technique en micro-informatique	7,5/10

LE TOP 10 DES PROFESSIONS DE LA FORMATION TECHNIQUE DONT LA VALEUR CARRIÈRE SEPTEMBRE EST LA PLUS ÉLEVÉE

1	Conseiller en sécurité financière	9/10
2	Gestionnaire de réseaux informatiques	9/10
3	Technicien en architecture	8,9/10
4	Technologue en génie civil	8,9/10
5	Technologue en mécanique du bâtiment	8,8/10
6	Technicien en santé animale	8,7/10
7	Infirmier	8,6/10
8	Technologue en génie mécanique	8,6/10
9	Inhalothérapeute	8,4/10
10	Programmeur	8,4/10

LE TOP 10 DES PROFESSIONS DE LA FORMATION UNIVERSITAIRE DONT LA VALEUR CARRIÈRE SEPTEMBRE EST LA PLUS ÉLEVÉE

1	Consultant en informatique	9/10
2	Ingénieur en génie civil	8,9/10
3	Pharmacien	8,8/10
4	Administrateur de serveur	8,7/10
5	Analyste en informatique	8,7/10
6	Omnipraticien (médecin de famille)	8,7/10
7	Thérapeute du sport	8,7/10
8	Comptable	8,6/10
9	Physiothérapeute	8,6/10
10	Travailleur social	8,6/10

LE TOP 10 DES PROGRAMMES DONT L'ENSEMBLE DES STATISTIQUES D'INSERTION SUR LE MARCHÉ DU TRAVAIL SONT LES MEILLEURES (SELON LA VALEUR CARRIÈRE SEPTEMBRE)

1	Technologie de médecine nucléaire (DEC)
2	Techniques de bureautique, spécialisation Coordination du travail de bureau (DEC)
3	Technologie de l'estimation et de l'évaluation du bâtiment, spécialisation Estimation en construction (DEC)
4	Techniques de radio-oncologie (DEC)
5	Techniques de denturologie (DEC)
6	Montage de lignes électriques (DEP)
7	Conseil en assurances et en services financiers (DEC)
8	Informatique (BAC)
9	Génie civil (BAC)
10	Technologie du génie civil (DEC)

LE TOP 10 LES PROFESSIONS AVEC LES PLUS GRANDS EFFECTIFS

1	Conseiller-vendeur en décoration intérieure	162 000
2	Conseiller technique (automobile) (6421)	162 000
3	Commis-vendeur (6421)	162 000
4	Gérant de commerce de détail (0621)	71 000
5	Éducateur en service de garde (4214)	69 000
6	Infirmier (3152)	66 000
7	Commis à la comptabilité (1431)	60 000
8	Préposé aux bénéficiaires (3413)	58 000
9	Orthopédagogue (4142)	53 000
10	Cuisinier (6242)	56 000

Source : Emploi-Québec (statistiques reposant sur les regroupements professionnels de la Classification nationale des professions (CNP), dont les codes apparaissent entre parenthèses).

LE TOP 10 DES PROGRAMMES AVEC LE PLUS GRAND POURCENTAGE D'EMPLOI À TEMPS PLEIN LORS DE L'INSERTION SUR LE MARCHÉ DU TRAVAIL

1	Techniques de radio-oncologie (DEC)	100 %
2	Montage de lignes électriques (DEP)	100 %
3	Mécanique de machines fixes (DEP)	100 %
4	Service-conseil à la clientèle en équipement motorisé (DEP)	100 %
5	Mécanique de moteurs diesels et de contrôles électroniques (ASP)	100 %
6	Technologie de l'estimation et de l'évaluation du bâtiment, spécialisation Estimation en construction (DEC)	100 %
7	Technologie de la transformation des aliments (DEC)	100 %
8	Gestion et exploitation d'entreprise agricole, spécialisation Productions animales (DEC)	100 %
9	Technologie de maintenance industrielle (DEC)	100 %
10	Techniques de génie chimique (DEC)	100 %

Source : La Relance
ASP : Attestation de spécialisation professionnelle
DEP : Diplôme d'études professionnelles
DEC : Diplôme d'études collégiales

LE TOP 10 DES PROGRAMMES AVEC LE PLUS GRAND NOMBRE DE DIPLÔMÉS PAR COHORTE

1	Assistance à la personne en établissement de santé (DEP)	2 499
2	Administration (BAC)	2 316
3	Charpenterie-menuiserie (DEP)	1 965
4	Soins infirmiers (DEC)	1 963
5	Santé, assistance et soins infirmiers (DEP)	1 883
6	Comptabilité (DEP)	1 346
7	Comptabilité et sciences comptables (BAC)	1 236
8	Psychologie (BAC)	1 186
9	Sciences infirmières (BAC)	1 166
10	Techniques d'éducation spécialisée (DEC)	1 155

LE TOP 10 DES PROGRAMMES DONT LE TAUX DE CHÔMAGE EST LE PLUS BAS LORS DE L'INSERTION SUR LE MARCHÉ DU TRAVAIL

1	Technologie de médecine nucléaire (DEC)	0 %
2	Techniques de radio-oncologie (DEC)	0 %
3	Techniques de denturologie (DEC)	0 %
4	Techniques d'orthèses visuelles (DEC)	0 %
5	Soins infirmiers (pour infirmières ou infirmiers auxiliaires) (DEC)	0 %
6	Technologie d'analyses biomédicales (DEC)	0 %
7	Environnement, hygiène et sécurité au travail (DEC)	0 %
8	Conseil en assurances et en services financiers (DEC)	0 %
9	Techniques de génie chimique (DEC)	0 %
10	Technologie de l'électronique, spécialisation Télécommunications (DEC)	0 %

Source : La Relance

LE TOP 10 DES PROGRAMMES AVEC LE PLUS GRAND POURCENTAGE D'EMPLOI LIÉ À LA FORMATION

1	Technologie de médecine nucléaire (DEC)	100 %
2	Soins infirmiers (pour infirmières ou infirmiers auxiliaires) (DEC)	100 %
3	Technologie de la transformation des aliments (DEC)	100 %
4	Médecine (Doctorat 1er cycle)	100 %
5	Médecine dentaire (Doctorat 1er cycle)	100 %
6	Médecine vétérinaire (Doctorat 1er cycle)	100 %
7	Optométrie (Doctorat 1er cycle)	100 %
8	Orthophonie et audiologie (Maîtrise)	100 %
9	Ergothérapie (BAC)	100 %
10	Sciences géomatiques (BAC)	100 %

Source : La Relance

LE TOP 10 DES PROGRAMMES DONT LE PLUS GRAND POURCENTAGE DE DIPLÔMÉS POURSUIVENT LEURS ÉTUDES

1	Technologie physique (DEC)	75 %
2	Technologie du génie industriel (DEC)	70,4 %
3	Intervention en sécurité incendie (DEP)	69,3 %
4	Techniques de construction aéronautique (DEC)	60 %
5	Gestion de commerces (DEC)	56,9 %
6	Techniques de l'informatique, spécialisation Informatique de gestion (DEC)	56,4 %
7	Techniques de comptabilité et de gestion (DEC)	55,4 %
8	Techniques de génie mécanique (DEC)	50,8 %
9	Techniques policières (DEC)	46,7 %
10	Technologie du génie civil (DEC)	45,1 %

Source : La Relance
DEP : Diplôme d'études professionnelles
DEC : Diplôme d'études collégialesSource : La Relance

LE TOP 10 DES PROGRAMMES DONT LE PLUS PETIT POURCENTAGE DE DIPLÔMÉS POURSUIVENT LEURS ÉTUDES

1	Mécanique de machines fixes (DEP)	0 %
2	Techniques de radio-oncologie (DEC)	0 %
3	Service-conseil à la clientèle en équipement motorisé (DEP)	0 %
4	Conduite de grues (DEP)	0 %
5	Techniques de denturologie (DEC)	0 %
6	Technologie de médecine nucléaire (DEC)	0 %
7	Secrétariat médical (ASP)	0,7 %
8	Arpentage et topographie (DEP)	1,2 %
9	Technologie de radiodiagnostic (DEC)	1,4 %
10	Techniques d'inhalothérapie (DEC) (DEC)	2,2 %

Source : La Relance
ASP : Attestation de spécialisation professionnelle
DEP : Diplôme d'études professionnelles
DEC : Diplôme d'études collégiales

LE TOP 10 DES DEP ET DES ASP OFFRANT LES MEILLEURS SALAIRES HEBDOMADAIRES LORS DE L'INSERTION SUR LE MARCHÉ DU TRAVAIL

1	Conduite de grues (DEP)	1 601 $
2	Montage de lignes électriques (DEP)	1 175 $
3	Restauration de maçonnerie (ASP)	1 019 $
4	Arpentage et topographie (DEP)	935 $
5	Mécanique de machines fixes (DEP)	902 $
6	Mécanique d'entretien en commandes industrielles (ASP)	841 $
7	Mécanique d'engins de chantier (DEP)	828 $
8	Mécanique industrielle de construction et d'entretien (DEP)	806 $
9	Charpenterie-menuiserie (DEP)	799 $
10	Mécanique de véhicules lourds routiers (DEP)	768 $

Source : La Relance
ASP : Attestation de spécialisation professionnelle
DEP : Diplôme d'études professionnelles

LE TOP 10 DES DEC OFFRANT LES MEILLEURS SALAIRES HEBDOMADAIRES LORS DE L'INSERTION SUR LE MARCHÉ DU TRAVAIL

1	Techniques de génie chimique	875 $
2	Technologie du génie civil	871 $
3	Technologie de maintenance industrielle	870 $
4	Soins infirmiers (pour infirmières ou infirmiers auxiliaires)	840 $
5	Technologie de l'électronique industrielle	839 $
6	Techniques de denturologie	823 $
7	Techniques d'hygiène dentaire	813 $
8	Technologie de médecine nucléaire	809 $
9	Soins préhospitaliers d'urgence	796 $
10	Technologie de la transformation des aliments	790 $

Source : La Relance
DEC : Diplôme d'études collégiales

LE TOP 10 DES DIPLÔMES UNIVERSITAIRES OFFRANT LES MEILLEURS SALAIRES HEBDOMADAIRES LORS DE L'INSERTION SUR LE MARCHÉ DU TRAVAIL

1	Médecine dentaire (Doctorat 1er cycle)	2 095 $
2	Pharmacie et sciences pharmaceutiques (BAC)	1 701 $
3	Médecine vétérinaire (Doctorat 1er cycle)	1 320 $
4	Génie des matériaux et de la métallurgie (BAC)	1 149 $
5	Sciences infirmières (BAC)	1 080 $
6	Actuariat (BAC)	1 064 $
7	Mathématiques et informatique (BAC)	1 025 $
8	Génie mécanique (BAC)	1 008 $
9	Génie civil (BAC)	1 008 $
10	Génie de la construction (BAC)	1 008 $

Source : La Relance

LE TOP 10 DES DEP ET DES ASP POUR LESQUELS LA RECHERCHE D'EMPLOI EST LA PLUS COURTE LORS DE L'INSERTION SUR LE MARCHÉ DU TRAVAIL

Semaines

1	Assistance technique en pharmacie (DEP)	1
2	Sommellerie (ASP)	1
3	Mécanique agricole (DEP)	1
4	Mécanique de moteurs diesels et de contrôles électroniques (ASP)	1
5	Conduite de grues (DEP)	1
6	Assistance à la personne en établissement de santé (DEP)	2
7	Cuisine (DEP)	2
8	Vente-conseil (DEP)	2
9	Boucherie de détail (DEP)	2
10	Arpentage et topographie (DEP)	2

Source : La Relance
ASP : Attestation de spécialisation professionnelle
DEP : Diplôme d'études professionnelles

LE TOP 10 DES DEC POUR LESQUELS LA RECHERCHE D'EMPLOI EST LA PLUS COURTE LORS DE L'INSERTION SUR LE MARCHÉ DU TRAVAIL

Semaines

1	Soins infirmiers	1
2	Techniques d'éducation à l'enfance	1
3	Techniques juridiques	1
4	Technologie d'analyses biomédicales	1
5	Techniques d'inhalothérapie	1
6	Techniques de bureautique, spécialisation Coordination du travail de bureau	1
7	Gestion et exploitation d'entreprise agricole, spécialisation Productions animales	1
8	Technologie de la mécanique du bâtiment	1
9	Conseil en assurances et en services financiers	1
10	Techniques d'orthèses visuelles	1

Source : La Relance
DEC : Diplôme d'études collégiales

LE TOP 10 DES DIPLÔMES UNIVERSITAIRES POUR LESQUELS LA RECHERCHE D'EMPLOI EST LA PLUS COURTE LORS DE L'INSERTION SUR LE MARCHÉ DU TRAVAIL

		Semaines
1	Ergothérapie (BAC)	1
2	Physiothérapie (BAC)	1
3	Médecine vétérinaire (Doctorat 1er cycle)	1
4	Sciences infirmières (BAC)	2
5	Adaptation scolaire et sociale (BAC)	2
6	Pharmacie et sciences pharmaceutiques (BAC)	2
7	Orthophonie et audiologie (Maîtrise)	2
8	Enseignement au secondaire (BAC)	3
9	Médecine (Doctorat 1er cycle)	3
10	Psychoéducation (Maîtrise)	3

Source : La Relance

LE TOP 10 DES PROGRAMMES DONT LE POURCENTAGE DES DIPLÔMÉS DE SEXE FÉMININ EST LE PLUS ÉLEVÉ

1	Secrétariat médical (ASP)	100 %
2	Techniques d'éducation à l'enfance (DEC)	98,4 %
3	Décoration intérieure et présentation visuelle (DEP)	97,9 %
4	Techniques d'hygiène dentaire (DEC)	97,2 %
5	Techniques de diététique (DEC)	94,9 %
6	Techniques de santé animale (DEC)	94,5 %
7	Criminologie (BAC)	93,9 %
8	Assistance technique en pharmacie (DEP)	93,4 %
9	Adaptation scolaire et sociale (BAC)	93,3 %
10	Sciences infirmières (BAC)	92,8 %

Source : La Relance
ASP: Attestation de spécialisation professionnelle
DEP : Diplôme d'études professionnelles
DEC : Diplôme d'études collégiales

LE TOP 10 DES PROFESSIONS DONT LES PERSPECTIVES SONT LES PLUS FAVORABLES DANS LA RMR DE MONTRÉAL QUI PRÉSENTENT LES MEILLEURES VALEURS CARRIÈRE SEPTEMBRE

1	Conseiller en sécurité financière	9/10
2	Gestionnaire de réseaux informatiques	9/10
3	Consultant en informatique	9/10
4	Ingénieur en génie civil	8,9/10
5	Technologue en génie civil	8,9/10
6	Technicien en architecture	8,9/10
7	Pharmacien	8,8/10
8	Technologue en mécanique du bâtiment	8,8/10
9	Omnipraticien (médecin de famille)	8,7/10
10	Thérapeute du sport	8,7/10

Source : Emploi-Québec (statistiques reposant sur les regroupements professionnels de la Classification nationale des professions (CNP)
RMR : Région métropolitainre de recensement

LE TOP 10 DES PROGRAMMES DONT LE POURCENTAGE DES DIPLÔMÉS DE SEXE MASCULIN EST LE PLUS ÉLEVÉ

1	Briquetage-maçonnerie (DEP)	100 %
2	Montage de lignes électriques (DEP)	100 %
3	Restauration de maçonnerie (ASP)	100 %
4	Mécanique d'entretien en commandes industrielles (ASP)	100 %
5	Gestion d'une entreprise de la construction (ASP)	100 %
6	Intervention en sécurité incendie (DEP)	99 %
7	Charpenterie-menuiserie (DEP)	98,5 %
8	Mécanique de véhicules lourds routiers (DEP)	98,5 %
9	Mécanique industrielle de construction et d'entretien (DEP)	97,4 %
10	Mécanique automobile (DEP)	96,2 %

Source : La Relance
ASP : Attestation de spécialisation professionnelle
DEP : Diplôme d'études professionnelles

LE TOP 10 DES PROFESSIONS DONT LES PERSPECTIVES SONT FAVORABLES DANS LE PLUS DE RÉGIONS DU QUÉBEC

		Nombre de régions
1	Conseiller en sécurité financière	16
2	Pharmacien	16
3	Thérapeute du sport	16
4	Infirmier auxiliaire	16
5	Physiothérapeute	16
6	Travailleur social	16
7	Assistant technique en pharmacie	16
8	Agent en assurances de dommages	16
9	Ambulancier	16
10	Gestionnaire de réseaux informatiques	15

Source : Emploi-Québec (statistiques reposant sur les regroupements professionnels de la Classification nationale des professions (CNP)

LE TOP 10 DES PROFESSIONS DONT LES PERSPECTIVES SONT LES PLUS FAVORABLES DANS LA RMR DE QUÉBEC QUI PRÉSENTENT LES MEILLEURES VALEURS CARRIÈRE SEPTEMBRE

1	Conseiller en sécurité financière	9/10
2	Gestionnaire de réseaux informatiques	9/10
3	Consultant en informatique	9/10
4	Ingénieur en génie civil	8,9/10
5	Technologue en génie civil	8,9/10
6	Technicien en architecture	8,9/10
7	Pharmacien	8,8/10
8	Mécanicien de moteurs diesels	8,8/10
9	Mécanicien d'engins de chantier	8,8/10
10	Technologue en mécanique du bâtiment	8,8/10

Source : Emploi-Québec (statistiques reposant sur les regroupements professionnels de la Classification nationale des professions (CNP)
RMR : Région métropolitainre de recensement

INDEX DES ANNONCEURS

Index des établissements

Les programmes et les établissements de cet index sont uniquement ceux associés aux 150 professions du *Palmarès des carrières 2012* (palmes, lauréats et mises en nomination).

Pour la liste complète des programmes et des établissements, consultez : **www.monemploi.com**.

RÉGION 01
BAS-SAINT-LAURENT

CS DE KAMOURASKA – RIVIÈRE-DU-LOUP

1. C.F.P. Pavillon de l'Avenir
65, rue Sainte-Anne
Rivière-du-Loup (Québec) G5R 1P3
Tél. : 418 862-8204
Téléc. : 418 868-3479
foisym@cskamloup.qc.ca
www.pavillondelavenir.qc.ca

5195	Soudage-montage (DEP)
5223	Techniques d'usinage (DEP)
5224	Usinage sur machines-outils à commande numérique (ASP)
5227	Secrétariat médical (ASP)
5229	Soutien informatique (DEP)
5231	Comptabilité (DEP)
5259	Mécanique de moteurs diesels et de contrôles électroniques (ASP)
5268	Boucherie de détail (DEP)
5311	Cuisine (DEP)
5317	Assistance à la personne à domicile (DEP)
5319	Charpenterie-menuiserie (DEP)
5321	Vente-conseil (DEP)
5323	Représentation (ASP)
5325	Santé, assistance et soins infirmiers (DEP)
5330	Mécanique de véhicules lourds routiers (DEP)
5331	Mécanique d'engins de chantier (DEP)

CS DES MONTS-ET-MARÉES

2. C.F.P. d'Amqui
87, rue d'Auteuil
Amqui (Québec) G5J 1V7
Tél. : 418 629-6200, poste 6500
Téléc. : 418 629-5958
cfpamqui@csmm.qc.ca
www.csmm.qc.ca/cfpamqui

5231	Comptabilité (DEP)
5260	Mécanique industrielle de construction et d'entretien (DEP)
5311	Cuisine (DEP)
5316	Assistance à la personne en établissement de santé (DEP)
5317	Assistance à la personne à domicile (DEP)
5325	Santé, assistance et soins infirmiers (DEP)

3. C.F.P. de Matane
271, boul. du Père-Lamarche
Matane (Québec) G4W 0C3
Tél. : 418 566-2500, poste 2503
Téléc. : 418 566-2075
cfpmatane@csmm.qc.ca
www.csmm.qc.ca/cfpmatane

5195	Soudage-montage (DEP)
5223	Techniques d'usinage (DEP)
5231	Comptabilité (DEP)
5298	Mécanique automobile (DEP)
5316	Assistance à la personne en établissement de santé (DEP)
5317	Assistance à la personne à domicile (DEP)
5325	Santé, assistance et soins infirmiers (DEP)

CS DES PHARES

4. C.F.P. Mont-Joli – Mitis
1414, rue des Érables
Mont-Joli (Québec) G5H 4A8
Tél. : 418 775-7577
Téléc. : 418 775-8262
fp@csphares.qc.ca
www.csphares.qc.ca/cfpmm/

5070	Mécanique agricole (DEP)
5195	Soudage-montage (DEP)
5227	Secrétariat médical (ASP)
5231	Comptabilité (DEP)
5234	Soudage haute pression (ASP)
5319	Charpenterie-menuiserie (DEP)

5. C.F.P. Rimouski-Neigette (C.F.R.N.)
424, av. Ross, C.P. 3424
Rimouski (Québec) G5L 7P3
Tél. : 418 722-4922
Sans frais : 1 800 263-3435
Téléc. : 418 724-0392
admcfm@csphares.qc.ca
www.cfrn-edu.qc.ca

5225	Dessin industriel (DEP)
5229	Soutien informatique (DEP)
5231	Comptabilité (DEP)
5250	Dessin de bâtiment (DEP)
5298	Mécanique automobile (DEP)
5316	Assistance à la personne en établissement de santé (DEP)
5303	Briquetage-maçonnerie (DEP)
5321	Vente-conseil (DEP)
5325	Santé, assistance et soins infirmiers (DEP)

CS DU FLEUVE-ET-DES-LACS

6. **C.F.P. du Fleuve-et-des-Lacs**
Point de service de Cabano
71, rue Pelletier
Cabano (Québec) G0L 1E0
Tél. : 418 854-0720
Téléc. : 418 854-7799
simarda@csfl.qc.ca

5227 Secrétariat médical (ASP)
5231 Comptabilité (DEP)
5316 Assistance à la personne en établissement de santé (DEP)
5317 Assistance à la personne à domicile (DEP)
5319 Charpenterie-menuiserie (DEP)

7. **C.F.P. du Fleuve-et-des-Lacs**
Point de service de Trois-Pistoles
9, rue Notre-Dame Est
Trois-Pistoles (Québec) G0L 4K0
Tél. : 418 851-3123
Téléc. : 418 851-3450
beaulieus@csfl.qc.ca

5316 Assistance à la personne en établissement de santé (DEP)
5317 Assistance à la personne à domicile (DEP)
5319 Charpenterie-menuiserie (DEP)

8. **Cégep de La Pocatière**
140, 4e Avenue
La Pocatière (Québec) G0R 1Z0
Tél. : 418 856-1525, poste 2202
Téléc. : 418 856-4589
information@cegeplapocatiere.qc.ca
www.cegeplapocatiere.qc.ca

— Éducation à l'enfance (AEC)
145.A0 Techniques de santé animale (DEC)
180.A0 Soins infirmiers (DEC)
244.A0 Technologie physique (DEC)
351.A0 Techniques d'éducation spécialisée (DEC)
410.B0 Techniques de comptabilité et de gestion (DEC)
420.AA Techniques de l'informatique, spécialisation Informatique de gestion (DEC)

9. **Cégep de Matane**
616, av. Saint-Rédempteur
Matane (Québec) G4W 1L1
Tél. : 418 562-1240, poste 2186
Téléc. : 418 566-2115
communication@cegep-matane.qc.ca
www.cegep-matane.qc.ca

Voir page 80

152.AA Gestion et exploitation d'entreprise agricole, spécialisation Productions animales (DEC)
180.A0 Soins infirmiers (DEC)
243.C0 Technologie de l'électronique industrielle (DEC)
410.B0 Techniques de comptabilité et de gestion (DEC)
414.AB Techniques de tourisme, spécialisation Mise en valeur de produits touristiques (DEC)
420.AA Techniques de l'informatique, spécialisation Informatique de gestion (DEC)
574.B0 Techniques d'animation 3D et de synthèse d'images (DEC)
582.A1 Techniques d'intégration multimédia (DEC)

10. **Cégep de Rimouski**
60, rue de l'Évêché Ouest
Rimouski (Québec) G5L 4H6
Tél. : 418 723-1880, poste 2158
Téléc. : 418 724-4961
infoscol@cegep-rimouski.qc.ca
www.cegep-rimouski.qc.ca

— Éducation à l'enfance (AEC)
120.A0 Techniques de diététique (DEC)
140.B0 Technologie d'analyses biomédicales (DEC)
142.A0 Technologie de radiodiagnostic (DEC)
180.A0 Soins infirmiers (DEC)
221.A0 Technologie de l'architecture (DEC)
221.B0 Technologie du génie civil (DEC)
221.C0 Technologie de la mécanique du bâtiment (DEC)
241.A0 Techniques de génie mécanique (DEC)
241.D0 Technologie de maintenance industrielle (DEC)
243.BA Technologie de l'électronique, spécialisation Télécommunications (DEC)
310.A0 Techniques policières (DEC)
351.A0 Techniques d'éducation spécialisée (DEC)
388.A0 Techniques de travail social (DEC)
410.B0 Techniques de comptabilité et de gestion (DEC)
410.D0 Gestion de commerces (DEC)
412.AB Techniques de bureautique, spécialisation Micro-édition et hypermédia (DEC)
LCA.6A Assurance de dommages (AEC)

11. **Cégep de Rivière-du-Loup**
80, rue Frontenac
Rivière-du-Loup (Québec) G5R 1R1
Tél. : 418 862-6903, poste 2293
Téléc. : 418 862-4959
infoscol@cegep-rdl.qc.ca
www.cegep-rdl.qc.ca

180.A0 Soins infirmiers (DEC)
181.A0 Soins préhospitaliers d'urgence (DEC)
243.C0 Technologie de l'électronique industrielle (DEC)
322.A0 Techniques d'éducation à l'enfance (DEC)
410.B0 Techniques de comptabilité et de gestion (DEC)
420.AA Techniques de l'informatique, spécialisation Informatique de gestion (DEC)
570.A0 Graphisme (DEC)

12. **Centre matapédien d'études collégiales**
92, rue Desbiens
Amqui (Québec) G5J 3P6
Tél. : 418 629-4190, poste 221
Téléc. : 418 629-3114
secretariat@centre-matapedien.qc.ca
www.centre-matapedien.qc.ca

410.B0 Techniques de comptabilité et de gestion (DEC)

13. **Institut de technologie agroalimentaire (ITA)**
Campus de La Pocatière
401, rue Poiré
La Pocatière (Québec) G0R 1Z0
Tél. : 418 856-1110, poste 1208
Téléc. : 418 856-1719
scitalp@mapaq.gouv.qc.ca
www.ita.qc.ca

154.A0 Technologie de la transformation des aliments (DEC)
152.AA Gestion et exploitation d'entreprise agricole, spécialisation Productions animales (DEC)

14. **Université du Québec à Rimouski (UQAR)**
300, allée des Ursulines
Rimouski (Québec) G5L 3A1
Tél. : 418 723-1986 Numéro général
418 724-1433 Bureau des admissions
Sans frais : 1 800 511-3382
Information sur les programmes
Téléc. : 418 724-1525
admission@uqar.ca
www.uqar.ca

15104 Sciences infirmières (BAC)
15340 Informatique (BAC)
15359 Génie électrique (BAC)

15360 Génie mécanique (BAC)
15477 Service social (BAC)
15706 Adaptation scolaire et sociale (BAC)
15708 Enseignement au secondaire (BAC)
15800 Administration (BAC)
15802 Comptabilité et sciences comptables (BAC)
15804 Administration des affaires, concentration finance (BAC)
15804 Administration, concentration services financiers (BAC)
15809 Marketing et relations publiques (BAC)
15815 Administration : Gestion des ressources humaines (BAC)

RÉGION 02 SAGUENAY – LAC-SAINT-JEAN

CS DE LA JONQUIÈRE

15.   C.F.P. Jonquière
Édifice du Royaume
3450, boul. du Royaume
Jonquière (Québec) G7S 5T2
Tél. : 418 695-5195, poste 5228
Téléc. : 418 695-3156
cfpj-royaume@csjonquiere.qc.ca
www.cfpjonquiere.com

5006   Mécanique d'entretien en commandes industrielles (ASP)
5225   Dessin industriel (DEP)
5238   Arpentage et topographie (DEP)
5260   Mécanique industrielle de construction et d'entretien (DEP)
5286   Plâtrage (DEP)
5303   Briquetage-maçonnerie (DEP)
5309   Gestion d'une entreprise de la construction (ASP)
5315   Réfrigération (DEP)
6319   Charpenterie-menuiserie (DEP)

16.   C.F.P. Jonquière
Édifice Mellon
2215, boul. Mellon
Jonquière (Québec) G7S 3G4
Tél. : 418 548-4689
Téléc. : 418 548-0159
cfpj-mellon@csjonquiere.qc.ca
www.cfpjonquiere.com

5268   Boucherie de détail (DEP)
5311   Cuisine (DEP)

17.   C.F.P. Jonquière
Édifice Saint-Germain
3829, rue Saint-Germain
Jonquière (Québec) G7X 2W1
Tél. : 418 542-8760
Téléc. : 418 542-3720
cfpj-st-germain@csjonquiere.qc.ca
www.cfpjonquiere.com

5231   Comptabilité (DEP)
5327   Décoration intérieure et présentation visuelle (DEP)

CS DES RIVES-DU-SAGUENAY

18.   C.F. en Équipement motorisé
980, rue Georges-Vanier
Chicoutimi (Québec) G7H 4M3
Tél. : 418 698-5199, poste 6650
Téléc. : 418 693-0163
cfem@csrsaguenay.qc.ca
www.csrsaguenay.qc.ca/fpsaguenay/

5258   Service-conseil à la clientèle en équipement motorisé (DEP)
5330   Mécanique de véhicules lourds routiers (DEP)
5298   Mécanique automobile (DEP)

19.   C.F.P. en Métallurgie et Multiservices
847, rue Georges-Vanier
Chicoutimi (Québec) G7H 4M1
Tél. : 418 615-0083, poste 6300
Téléc. : 418 698-5307
centre.metallurgie@csrsaguenay.qc.ca
www.csrsaguenay.qc.ca/cfpmm

5195   Soudage-montage (DEP)
5234   Soudage haute pression (ASP)

20.   C.F.P. l'Oasis
624, av. Lafontaine
Chicoutimi (Québec) G7H 4V4
Tél. : 418 698-5012, poste 2226
Téléc. : 418 698-5254
information.oasis@csrsaguenay.qc.ca
www.csrsaguenay.qc.ca/oasis

5227   Secrétariat médical (ASP)
5231   Comptabilité (DEP)
5316   Assistance à la personne en établissement de santé (DEP)
5317   Assistance à la personne à domicile (DEP)
5321   Vente-conseil (DEP)
5323   Représentation (ASP)
5325   Santé, assistance et soins infirmiers (DEP)

CS DU LAC-SAINT-JEAN

21.   C.F.P. Alma
Pavillon Auger
1550, boul. Auger Ouest
Alma (Québec) G8C 1H8
Tél. : 418 669-6041, poste 4106
Téléc. : 418 669-6342
jean.picard@cslsj.qc.ca
www.depasse-toi.com

5223   Techniques d'usinage (DEP)
5224   Usinage sur machines-outils à commande numérique (ASP)

22.   C.F.P. Alma
Pavillon Bégin
850, avenue Bégin Sud
Alma (Québec) G8B 5W2
Tél. : 418 669-6041, poste 4106
Téléc. : 418 669-6341
jean.picard@cslsj.qc.ca
www.depasse-toi.com

5195   Soudage-montage (DEP)
5229   Soutien informatique (DEP)
5231   Comptabilité (DEP)
5250   Dessin de bâtiment (DEP)
5302   Assistance technique en pharmacie (DEP)
5316   Assistance à la personne en établissement de santé (DEP)
5317   Assistance à la personne à domicile (DEP)
5325   Santé, assistance et soins infirmiers (DEP)

CS DU PAYS-DES-BLEUETS

23.   C.F.P. de Dolbeau-Mistassini
400, 2e Avenue
Dolbeau-Mistassini (Québec) G8L 3C6
Tél. : 418 276-8654, poste 4800
Sans frais : 1 866 610-8654
Téléc. : 418 276-2298
cfp_reception@cspaysbleuets.qc.ca
www.toncfp.com

5195   Soudage-montage (DEP)
5231   Comptabilité (DEP)
5325   Santé, assistance et soins infirmiers (DEP)

24. C.F.P. Roberval – Saint-Félicien
181, boul. de la Jeunesse
Roberval (Québec) G8H 2N9
Tél. : 418 275-5546, poste 1800
Sans frais : 1 866 610-8654
Téléc. : 418 275-5634
cfp_rs@cspaysbleuets.qc.ca
www.toncfp.com

5231	Comptabilité (DEP)
5298	Mécanique automobile (DEP)
5321	Vente-conseil (DEP)
5331	Mécanique d'engins de chantier (DEP)

25. Cégep de Chicoutimi
534, rue Jacques-Cartier Est
Chicoutimi (Québec) G7H 1Z6
Tél. : 418 549-9520
Téléc. : 418 549-1315
www.cegep-chicoutimi.qc.ca

111.A0	Techniques d'hygiène dentaire (DEC)
120.A0	Techniques de diététique (DEC)
140.B0	Technologie d'analyses biomédicales (DEC)
141.A0	Techniques d'inhalothérapie (DEC)
180.A0	Soins infirmiers (DEC)
180.B0	Soins infirmiers (pour infirmières ou infirmiers auxiliaires) (DEC)
181.A0	Soins préhospitaliers d'urgence (DEC)
221.A0	Technologie de l'architecture (DEC)
221.B0	Technologie du génie civil (DEC)
243.BA	Technologie de l'électronique, spécialisation Télécommunications (DEC)
243.C0	Technologie de l'électronique industrielle (DEC)
410.B0	Techniques de comptabilité et de gestion (DEC)
412.AB	Techniques de bureautique, spécialisation Micro-édition et hypermédia (DEC)
420.AA	Techniques de l'informatique, spécialisation Informatique de gestion (DEC)
420.AC	Techniques de l'informatique, spécialisation Gestion de réseaux informatiques (DEC)

26. Cégep de Jonquière
2505, rue Saint-Hubert
Jonquière (Québec) G7X 7W2
Tél. : 418 547-2191, poste 254 ou 218
Téléc. : 418 547-9763
marie-andree.couture@cjonquiere.qc.ca
http://cegepjonquiere.ca

—	Éducation à l'enfance (AEC)
180.A0	Soins infirmiers (DEC)
210.C0	Techniques de génie chimique (DEC)
221.C0	Technologie de la mécanique du bâtiment (DEC)
235.B0	Technologie du génie industriel (DEC)
241.A0	Techniques de génie mécanique (DEC)
243.BA	Technologie de l'électronique, spécialisation Télécommunications (DEC)
243.BB	Technologie de l'électronique, spécialisation Ordinateurs et réseaux (DEC)
243.C0	Technologie de l'électronique industrielle (DEC)
260.B0	Environnement, hygiène et sécurité au travail (DEC)
322.A0	Techniques d'éducation à l'enfance (DEC)
351.A0	Techniques d'éducation spécialisée (DEC)
388.A0	Techniques de travail social (DEC)
410.B0	Techniques de comptabilité et de gestion (DEC)
410.D0	Gestion de commerces (DEC)
412.AA	Techniques de bureautique, spécialisation Coordination du travail de bureau (DEC)
420.AA	Techniques de l'informatique, spécialisation Informatique de gestion (DEC)
582.A1	Techniques d'intégration multimédia (DEC)

27. Cégep de Saint-Félicien
1105, boul. Hamel, C.P. 7300
Saint-Félicien (Québec) G8K 2R8
Tél. : 418 679-5412, poste 296
Téléc. : 418 679-9661
info@cstfelicien.qc.ca
www.cstfelicien.qc.ca

145.A0	Techniques de santé animale (DEC)
180.A0	Soins infirmiers (DEC)
410.B0	Techniques de comptabilité et de gestion (DEC)
414.AB	Techniques de tourisme, spécialisation Mise en valeur de produits touristiques (DEC)
420.AA	Techniques de l'informatique, spécialisation Informatique de gestion (DEC)

28. Collège d'Alma
675, boul. Auger Ouest
Alma (Québec) G8B 2B7
Tél. : 418 668-2387
Téléc. : 418 668-3806
college@calma.qc.ca
www.calma.qc.ca

152.AA	Gestion et exploitation d'entreprise agricole, spécialisation Productions animales (DEC)
180.A0	Soins infirmiers (DEC)
310.A0	Techniques policières (DEC)
410.B0	Techniques de comptabilité et de gestion (DEC)
420.AA	Techniques de l'informatique, spécialisation Informatique de gestion (DEC)

29. Université du Québec à Chicoutimi (UQAC)
555, boul. de l'Université
Chicoutimi (Québec) G7H 2B1
Tél. : 418 545-5005 Bureau du registraire et admissions / 418 545-5030 Information sur les programmes
Sans frais : 1 800 463-9880
Téléc. : 418 545-5012
www.uqac.ca

15104	Sciences infirmières (BAC)
15340	Informatique (BAC)
15340	Informatique de gestion (BAC)
15358	Génie civil (BAC)
15359	Génie électrique (BAC)
15360	Génie mécanique (BAC)
15380	Éducation physique (BAC)
15380	Kinésiologie (BAC)
15373	Génie informatique (BAC)
15420	Psychologie (BAC)
15477	Service social (BAC)
15705	Enseignement des arts plastiques (BAC)
15706	Adaptation scolaire et sociale (BAC)
15708	Enseignement au secondaire (BAC)
15800	Administration (BAC)
15802	Comptabilité et sciences comptables (BAC)
15804	Administration des affaires, concentration finance (BAC)
15809	Marketing et relations publiques (BAC)
15815	Administration : Gestion des ressources humaines (BAC)
15971	Design graphique (BAC)

RÉGION 03 CAPITALE-NATIONALE

30. Aviron (Québec) inc.
270, boul. Charest Est
Québec (Québec) G1K 3H1
Tél. : 418 529-1321
Téléc. : 418 529-1322
info@avironquebec.com
www.avironquebec.com

| 5195 | Soudage-montage (DEP) |
| 5225 | Dessin industriel (DEP) |

218

5298 Mécanique automobile (DEP)
5319 Charpenterie-menuiserie (DEP)

31. Collège CDI
Campus de Québec
905, avenue Honoré-Mercier, bur. 20
Québec (Québec) G1R 5M6
Tél. : 418 694-0211
Téléc. : 418 694-9082
www.cdicollege.ca

5325 Santé, assistance et soins infirmiers (DEP)

CS CENTRAL QUEBEC

32. Centre de formation Eastern Québec
3005, rue William-Stuart
Québec (Québec) G1W 1V4
Tél. : 418 654-0537
Téléc. : 418 654-3670
eqlc@cqsb.qc.ca
www.cqsb.qc.ca/eqlc

5231 Comptabilité (DEP)
5317 Assistance à la personne à domicile (DEP)
5321 Vente-conseil (DEP)

CS DE CHARLEVOIX

33. C.E.A.F.P. de Charlevoix
Pavillon Les Cimes
88, rue des Cimes, C.P. 200
La Malbaie (Québec) G5A 1T3
Tél. : 418 665-4487, poste 3307
Téléc. : 418 665-7831
france.mailloux@cscharlevoix.qc.ca
www.cscharlevoix.qc.ca

5231 Comptabilité (DEP)
5298 Mécanique automobile (DEP)
5311 Cuisine (DEP)
5325 Santé, assistance et soins infirmiers (DEP)

34. C.E.A.F.P. de Charlevoix
Pavillon Saint-Aubin
50-1, rue Racine
Baie-Saint-Paul (Québec) G3Z 2R2
Tél. : 418 435-6805, poste 2302
Téléc. : 418 435-6535
marie-claude.harvey@cscharlevoix.qc.ca
www.cscharlevoix.qc.ca

5195 Soudage-montage (DEP)
5317 Assistance à la personne à domicile (DEP)

CS DE LA CAPITALE

35. C.F.P. de Limoilou
2050, 8e Avenue
Québec (Québec) G1J 3P1
Tél. : 418 686-4040, poste 7300
Téléc. : 418 525-8724
cfplimoilou@cscapitale.qc.ca
www.cfpdelimoilou.com

5231 Comptabilité (DEP)

36. C.F.P. de Neufchâtel
3400, av. Chauveau
Québec (Québec) G2C 1A1
Tél. : 418 686-4040, poste 7100
Téléc. : 418 847-7119
cfpn@cscapitale.qc.ca
www.cfpn.qc.ca

5223 Techniques d'usinage (DEP)
5224 Usinage sur machines-outils à commande numérique (ASP)
5225 Dessin industriel (DEP)
5231 Comptabilité (DEP)
5238 Arpentage et topographie (DEP)
5250 Dessin de bâtiment (DEP)
5322 Intervention en sécurité incendie (DEP)

37. C.F.P. de Québec
1925, rue Mgr-Plessis
Québec (Québec) G1M 1A4
Tél. : 418 686-4040, poste 7400
Téléc. : 418 525-8193
cfpquebec@cscapitale.qc.ca
http://cfpquebec.ca

5146 Mécanique de machines fixes (DEP)
5195 Soudage-montage (DEP)
5315 Réfrigération (DEP)

38. C.F.P. Wilbrod-Bherer
5, rue Robert-Rumilly
Québec (Québec) G1K 2K5
Tél. : 418 686-4040, poste 7500
Téléc. : 418 525-8133
cfpwbherer@cscapitale.qc.ca
www.cfpwb.com

5258 Service-conseil à la clientèle en équipement motorisé (DEP)
5298 Mécanique automobile (DEP)
5330 Mécanique de véhicules lourds routiers (DEP)
5331 Mécanique d'engins de chantier (DEP)

39. École des métiers et occupations de l'industrie de la construction de Québec (EMOICQ)
1060, rue Borne
Québec (Québec) G1N 1L9
Tél. : 418 681-3512
Téléc. : 418 681-2410
emoicq@cscapitale.qc.ca
www.emoicq.qc.ca

5286 Plâtrage (DEP)
5303 Briquetage-maçonnerie (DEP)
5309 Gestion d'une entreprise de la construction (ASP)
5319 Charpenterie-menuiserie (DEP)

40. École hôtelière de la Capitale
7, rue Robert-Rumilly
Québec (Québec) G1K 2K5
Tél. : 418 686-4040, poste 7600
Téléc. : 418 525-8958
ehc@cscapitale.qc.ca
www.ehcapitale.qc.ca

5268 Boucherie de détail (DEP)
5311 Cuisine (DEP)
5314 Sommellerie (ASP)

CS DE PORTNEUF

41. Centre de formation générale et profession-nelle de la Croisée – Donnacona
312, rue de l'Église
Donnacona (Québec) G3M 1Z9
Tél. : 418 285-2600
Téléc. : 418 285-0195
lacroisee@csportneuf.qc.ca
www.csportneuf.qc.ca/croisee

5195 Soudage-montage (DEP)
5223 Techniques d'usinage (DEP)
5224 Usinage sur machines-outils à commande numérique (ASP)
5231 Comptabilité (DEP)
5260 Mécanique industrielle de construction et d'entretien (DEP)
5316 Assistance à la personne en établissement de santé (DEP)
5317 Assistance à la personne à domicile (DEP)

42. Centre de formation générale et profession- nelle de la Croisée – Saint-Raymond
380, boul. Cloutier
Saint-Raymond (Québec) G3L 3M8
Tél. : 418 337-6770
Téléc. : 418 337-6796
lacroisee@csportneuf.qc.ca
www.csportneuf.qc.ca/croisee

5298   Mécanique automobile (DEP)

CS DES DÉCOUVREURS

43. C.F.P. Marie-Rollet
3000, boul. Hochelaga
Québec (Québec) G1V 3Y4
Tél. : 418 652-2159
Téléc. : 418 652-2161
cfpmr@cfpmr.com
www.cfpmr.com

5229   Soutien informatique (DEP)
5231   Comptabilité (DEP)
5327   Décoration intérieure et présentation visuelle (DEP)

44. C.F.P. Maurice-Barbeau
920, rue Noël-Carter, C.P. 9214
Québec (Québec) G1V 4B1
Tél. : 418 652-2184
Téléc. : 418 652-3316
info@cfpmb.com
www.cfpmb.com

5321   Vente-conseil (DEP)
5323   Représentation (ASP)
5250   Dessin de bâtiment (DEP)

CS DES PREMIÈRES-SEIGNEURIES

45. C.F.P. Samuel-De Champlain
2740, av. Saint-David
Québec (Québec) G1E 4K7
Tél. : 418 666-4000
Téléc. : 418 666-4585
cfpsc@csdps.qc.ca
www.cfpsc.qc.ca

Voir page 139

5231   Comptabilité (DEP)
5321   Vente-conseil (DEP)
5323   Représentation (ASP)

46. Fierbourg, Centre de formation professionnelle
800, rue de la Sorbonne
Québec (Québec) G1H 1H1
Tél. : 418 622-7821
Sans frais : 1 877 992-3782
Téléc. : 418 622-7823
fierbourg.infos@csdps.qc.ca
www.fierbourg.com

Voir page 44

5227   Secrétariat médical (ASP)
5229   Soutien informatique (DEP)
5302   Assistance technique en pharmacie (DEP)
5316   Assistance à la personne en établissement de santé (DEP)
5317   Assistance à la personne à domicile (DEP)
5325   Santé, assistance et soins infirmiers (DEP)

47. Fierbourg, Centre spécia- lisé en alimentation et tourisme
337, 76ᵉ Rue Ouest
Québec (Québec) G1H 4R4
Tél. : 418 622-7821
Sans frais : 1 877 992-3782
Téléc. : 418 622-7874
fierbourg.infos@csdps.qc.ca
www.fierbourg.com

Voir page 44

5311   Cuisine (DEP)

48. Campus Notre-Dame-de-Foy
5000, rue Clément-Lockquell
Saint-Augustin-de-Desmaures
(Québec) G3A 1B3
Tél. : 418 872-8041
Sans frais : 1 800 463-8041
Téléc. : 418 872-3448
info@cndf.qc.ca
www.cndf.qc.ca

5322   Intervention en sécurité incendie (DEP)
—   Éducation à l'enfance (AEC)
180.A0 Soins infirmiers (DEC)
181.A0 Soins préhospitaliers d'urgence (DEC)
310.A0 Techniques policières (DEC)
322.A0 Techniques d'éducation à l'enfance (DEC)

49. Cégep de Sainte-Foy
2410, chemin Sainte-Foy
Québec (Québec) G1V 1T3
Tél. : 418 659-6600, poste 3653
Téléc. : 418 659-6615
admissions@cegep-ste-foy.qc.ca
www.cegep-ste-foy.qc.ca

—   Éducation à l'enfance (AEC)
140.B0 Technologie d'analyses biomédicales (DEC)

141.A0 Techniques d'inhalothérapie (DEC)
142.A0 Technologie de radiodiagnostic (DEC)
142.C0 Techniques de radio-oncologie (DEC)
180.A0 Soins infirmiers (DEC)
181.A0 Soins préhospitaliers d'urgence (DEC)
322.A0 Techniques d'éducation à l'enfance (DEC)
351.A0 Techniques d'éducation spécialisée (DEC)
388.A0 Techniques de travail social (DEC)
410.B0 Techniques de comptabilité et de gestion (DEC)
410.C0 Conseil en assurances et en services financiers (DEC)
410.D0 Gestion de commerces (DEC)
420.AA Techniques de l'informa-tique, spécialisation Informatique de gestion (DEC)
570.A0 Graphisme (DEC)
570.C0 Techniques de design industriel (DEC)
582.A1 Techniques d'intégration multimédia (DEC)
LCA.6A Assurance de dommages (AEC)

50. Cégep Limoilou Campus de Charlesbourg
7600, 3ᵉ Avenue Est
Québec (Québec) G1H 7L4
Tél. : 418 647-6612 Infoprogrammes
Téléc. : 418 780-3673
infolimoilou@climoilou.qc.ca
www.climoilou.qc.ca

120.A0 Techniques de diététique (DEC)
221.B0 Technologie du génie civil (DEC)
221.C0 Technologie de la mécanique du bâtiment (DEC)
410.B0 Techniques de comptabilité et de gestion (DEC)
410.D0 Gestion de commerces (DEC)
414.AB Techniques de tourisme, spécialisation Mise en valeur de produits touristiques (DEC)

51. Cégep Limoilou Campus de Québec
1300, 8ᵉ Avenue
Québec (Québec) G1J 5L5
Tél. : 418 647-6612 Infoprogrammes
Téléc. : 418 780-3673
infolimoilou@climoilou.qc.ca
www.climoilou.qc.ca

180.A0 Soins infirmiers (DEC)
235.B0 Technologie du génie industriel (DEC)
241.A0 Techniques de génie mécanique (DEC)

15804 Administration des affaires, concentration finance (BAC)
15804 Administration, concentration services financiers (BAC)
15809 Marketing et relations publiques (BAC)
15815 Administration : Gestion des ressources humaines (BAC)
15816 Relations industrielles (BAC)
15971 Design graphique (BAC)
18000 Mathématiques et informatique (BAC)
25473 Psychoéducation (Maîtrise)

RÉGION 04
MAURICIE

CS DE L'ÉNERGIE

60.   C.F.P. Carrefour Formation Mauricie
5105, av. Albert-Tessier
Shawinigan (Québec) G9N 7A3
Tél. : 819 539-2265
Sans frais : 1 800 567-8655
Téléc. : 819 539-1945
cfm@csenergie.qc.ca
www.csenergie.qc.ca/cfm

5006 Mécanique d'entretien en commandes industrielles (ASP)
5223 Techniques d'usinage (DEP)
5224 Usinage sur machines-outils à commande numérique (ASP)
5231 Comptabilité (DEP)
5250 Dessin de bâtiment (DEP)
5260 Mécanique industrielle de construction et d'entretien (DEP)
5321 Vente-conseil (DEP)
5323 Représentation (ASP)
5330 Mécanique de véhicules lourds routiers (DEP)
5331 Mécanique d'engins de chantier (DEP)

61.   C.F.P. Bel-Avenir
3750, rue Jean-Bourdon
Trois-Rivières (Québec) G8Y 2A5
Tél. : 819 691-3366
Téléc. : 819 840-0418
belavenir.info@csduroy.qc.ca
www.csduroy.qc.ca/bel-avenir

5227 Secrétariat médical (ASP)
5229 Soutien informatique (DEP)
5231 Comptabilité (DEP)
5268 Boucherie de détail (DEP)
5302 Assistance technique en pharmacie (DEP)
5311 Cuisine (DEP)
5314 Sommellerie (ASP)

5316 Assistance à la personne en établissement de santé (DEP)
5317 Assistance à la personne à domicile (DEP)
5325 Santé, assistance et soins infirmiers (DEP)

62.   C.F.P. Qualitech
500, rue des Érables
Trois-Rivières (Québec) G8T 9S4
Tél. : 819 373-1422
Téléc. : 819 373-5262
cfp-reception@csduroy.qc.ca
http://qualitech.csduroy.qc.ca

5195 Soudage-montage (DEP)
5234 Soudage haute pression (ASP)
5298 Mécanique automobile (DEP)
5303 Briquetage-maçonnerie (DEP)
5309 Gestion d'une entreprise de la construction (ASP)
5319 Charpenterie-menuiserie (DEP)

63.   Cégep de Trois-Rivières
3500, rue De Courval, C.P. 97
Trois-Rivières (Québec) G9A 5E6
Tél. : 819 376-1721, poste 2131
Téléc. : 819 693-8023
infoprog@cegeptr.qc.ca
www.cegeptr.qc.ca

111.A0 Techniques d'hygiène dentaire (DEC)
120.A0 Techniques de diététique (DEC)
180.A0 Soins infirmiers (DEC)
221.A0 Technologie de l'architecture (DEC)
221.B0 Technologie du génie civil (DEC)
221.C0 Technologie de la mécanique du bâtiment (DEC)
235.B0 Technologie du génie industriel (DEC)
241.A0 Techniques de génie mécanique (DEC)
241.D0 Technologie de maintenance industrielle (DEC)
243.BA Technologie de l'électronique, spécialisation Télécommunications (DEC)
243.BB Technologie de l'électronique, spécialisation Ordinateurs et réseaux (DEC)
243.C0 Technologie de l'électronique industrielle (DEC)
310.A0 Techniques policières (DEC)
388.A0 Techniques de travail social (DEC)
410.B0 Techniques de comptabilité et de gestion (DEC)
410.D0 Gestion de commerces (DEC)
420.AA Techniques de l'informatique, spécialisation Informatique de gestion (DEC)

64.   Collège Ellis
Campus Trois-Rivières
90, Dorval
Trois-Rivières (Québec) G8T 5X7
Tél. : 819 691-2600
Téléc. : 819 374-9309
fcossette@ecc.qc.ca
www.ellis.qc.ca

141.A0 Techniques d'inhalothérapie (DEC)
310.C0 Techniques juridiques (DEC)
410.D0 Gestion de commerces (DEC)
412.AA Techniques de bureautique, spécialisation Coordination du travail de bureau (DEC)

65.   Collège Laflèche
1687, boul. du Carmel
Trois-Rivières (Québec) G8Z 3R8
Tél. : 819 375-7346
Téléc. : 819 375-7347
college@clafleche.qc.ca
www.clafleche.qc.ca

—   Éducation à l'enfance (AEC)
142.A0 Technologie de radiodiagnostic (DEC)
145.A0 Techniques de santé animale (DEC)
322.A0 Techniques d'éducation à l'enfance (DEC)
351.A0 Techniques d'éducation spécialisée (DEC)

66.   Collège Shawinigan
2263, avenue du Collège, C.P. 610
Shawinigan (Québec) G9N 6V8
Tél. : 819 539-6401
Téléc. : 819 539-8819
information@collegeshawinigan.qc.ca
www.collegeshawinigan.qc.ca

—   Éducation à l'enfance (AEC)
140.B0 Technologie d'analyses biomédicales (DEC)
180.A0 Soins infirmiers (DEC)
210.AA Techniques de laboratoire, spécialisation Biotechnologies (DEC)
241.A0 Techniques de génie mécanique (DEC)
322.A0 Techniques d'éducation à l'enfance (DEC)
410.B0 Techniques de comptabilité et de gestion (DEC)
412.AB Techniques de bureautique, spécialisation Micro-édition et hypermédia (DEC)
420.AA Techniques de l'informatique, spécialisation Informatique de gestion (DEC)

67. **Université du Québec à Trois-Rivières (UQTR)**
3351, boul. des Forges, C.P. 500
Trois-Rivières (Québec) G9A 5H7
Tél. : 819 376-5045 Bureau du registraire et des admissions
Sans frais : 1 800 365-0922
Téléc. : 819 376-5210
registraire@uqtr.qc.ca
www.uqtr.ca

15104 Sciences infirmières (BAC)
15120 Ergothérapie (BAC)
15340 Informatique (BAC)
15356 Génie chimique (BAC)
15359 Génie électrique (BAC)
15360 Génie mécanique (BAC)
15363 Génie industriel (BAC)
15373 Génie informatique (BAC)
15380 Éducation physique (BAC)
15380 Kinésiologie (BAC)
15420 Psychologie (BAC)
15571 Traduction (BAC)
15705 Enseignement des arts plastiques (BAC)
15706 Adaptation scolaire et sociale (BAC)
15708 Enseignement au secondaire (BAC)
15800 Administration (BAC)
15802 Comptabilité et sciences comptables (BAC)
15804 Administration des affaires, concentration finance (BAC)
15809 Marketing et relations publiques (BAC)
15815 Administration : Gestion des ressources humaines (BAC)
18000 Mathématiques et informatique (BAC)
25473 Psychoéducation (Maîtrise)

RÉGION 05
ESTRIE

68. **CDE Collège**
Campus de Sherbrooke
37, rue Wellington Nord
Sherbrooke (Québec) J1H 5A9
Tél. : 819 346-5000
Sans frais : 1 877 478-8877
Téléc. : 819 346-4463
infosherbrooke@cde-college.com
www.cde-college.com

5227 Secrétariat médical (ASP)
5229 Soutien informatique (DEP)
5231 Comptabilité (DEP)

69. **Collège de comptabilité et de secrétariat du Québec Campus de Sherbrooke inc.**
265, rue du Cégep
Sherbrooke (Québec) J1E 2J8
Tél. : 819 821-2199
Sans frais : 1 866 821-2199
Téléc. : 819 821-2781
sherbrooke@ccsq.ca
www.ccsq.ca

5227 Secrétariat médical (ASP)
5231 Comptabilité (DEP)
5321 Vente-conseil (DEP)

CS DE LA RÉGION-DE-SHERBROOKE

70. **C.F.P. 24-Juin**
639, rue du 24-Juin
Sherbrooke (Québec) J1E 1H1
Tél. : 819 822-5420, poste 17018
Téléc. : 819 822-2162
24juin@csrs.qc.ca
http://24juin.csrs.qc.ca

5227 Secrétariat médical (ASP)
5231 Comptabilité (DEP)
5259 Mécanique de moteurs diesels et de contrôles électroniques (ASP)
5298 Mécanique automobile (DEP)
5303 Briquetage-maçonnerie (DEP)
5315 Réfrigération (DEP)
5316 Assistance à la personne en établissement de santé (DEP)
5317 Assistance à la personne à domicile (DEP)
5319 Charpenterie-menuiserie (DEP)
5325 Santé, assistance et soins infirmiers (DEP)
5330 Mécanique de véhicules lourds routiers (DEP)
5331 Mécanique d'engins de chantier (DEP)

71. **C.F.P. 24-Juin**
Pavillon des techniques industrielles
2965, boul. de l'Université
Sherbrooke (Québec) J1K 2X6
Tél. : 819 822-5508, poste 17416
Téléc. : 819 822-6879
http://24juin.csrs.qc.ca

5195 Soudage-montage (DEP)
5223 Techniques d'usinage (DEP)
5224 Usinage sur machines-outils à commande numérique (ASP)
5225 Dessin industriel (DEP)
5234 Soudage haute pression (ASP)
5250 Dessin de bâtiment (DEP)

72. **C.F.P. 24-Juin**
Pavillon du Vieux-Sherbrooke
164, rue Wellington Nord
Sherbrooke (Québec) J1H 5C5
Tél. : 819 822-5484, poste 17516
Téléc. : 819 822-5486
http://24juin.csrs.qc.ca

5268 Boucherie de détail (DEP)
5311 Cuisine (DEP)
5314 Sommellerie (ASP)
5321 Vente-conseil (DEP)
5323 Représentation (ASP)

CS DES HAUTS-CANTONS

73. **C.F.P de Coaticook CRIFA**
125, rue Morgan
Coaticook (Québec) J1A 1V6
Tél. : 819 849-9588, poste 2300
Téléc. : 819 849-3682
dircrifa@cshc.qc.ca
http://crifa.cshc.qc.ca

5070 Mécanique agricole (DEP)
5231 Comptabilité (DEP)
5298 Mécanique automobile (DEP)
5317 Assistance à la personne à domicile (DEP)

74. **C.F.P. Le Granit**
3409, rue Laval
Lac-Mégantic (Québec) G6B 1A5
Tél. : 819 583-5773, poste 2200
Téléc. : 819 583-6144
cgranit@cshc.qc.ca
http://legranit.cshc.qc.ca

5231 Comptabilité (DEP)

75. **Maison familiale rurale du Granit**
105, rue du Couvent
Saint-Romain (Québec) G0Y 1L0
Tél. : 819 583-5910, poste 1600
Téléc. : 819 486-2718
mfrgranit@cshc.qc.ca
www.mfrgranit.com

5321 Vente-conseil (DEP)

CS DES SOMMETS

76. **Centre d'excellence en formation industrielle – Pavillon Boisjoli**
100, rue Boisjoli
Windsor (Québec) J1S 2X8
Tél. : 819 845-5402
Téléc. : 819 845-1001
cfpwindsor@csdessommets.qc.ca
www.csdessommets.qc.ca

5231 Comptabilité (DEP)

5260 Mécanique industrielle de construction et d'entretien (DEP)
5303 Briquetage-maçonnerie (DEP)

77. Centre d'excellence en formation industrielle – Pavillon Morilac
36, 6e Avenue
Windsor (Québec) J1S 3A2
Tél. : 819 845-5402
Téléc. : 819 845-1001
cfpwindsor@csdessommets.qc.ca
www.csdessommets.qc.ca

5195 Soudage-montage (DEP)
5316 Assistance à la personne en établissement de santé (DEP)

78. Centre intégré en formation industrielle
Parc industriel de Magog
520, boul. Poirier
Magog (Québec) J1X 0A1
Tél. : 819 868-1808
Téléc. : 819 868-3392
cifi@csdessommets.qc.ca
www.csdessommets.qc.ca

5258 Service-conseil à la clientèle en équipement motorisé (DEP)

79. C.F.P. de l'Asbesterie
340, boul. Morin
Asbestos (Québec) J1T 3C2
Tél. : 819 879-0769
Téléc. : 819 879-0474
cfpasbestos@csdessommets.qc.ca
www.csdessommets.qc.ca

5195 Soudage-montage (DEP)
5223 Techniques d'usinage (DEP)
5224 Usinage sur machines-outils à commande numérique (ASP)
5231 Comptabilité (DEP)
5316 Assistance à la personne en établissement de santé (DEP)

80. C.F.P. de Memphrémagog
1255, boul. des Étudiants
Magog (Québec) J1X 3Y6
Tél. : 819 868-1808
Téléc. : 819 868-3392
cfpmagog@csdessommets.qc.ca
www.csdessommets.qc.ca

5231 Comptabilité (DEP)
5316 Assistance à la personne en établissement de santé (DEP)

CS EASTERN TOWNSHIPS

81. Lennoxville Vocational Training Centre
1700, rue Collège
Sherbrooke (Québec) J1M 0C8
Tél. : 819 563-5627
Téléc. : 819 820-0500
fournierd@etsb.qc.ca
www.lvtc.ca

5195 Soudage-montage (DEP)
5223 Techniques d'usinage (DEP)
5231 Comptabilité (DEP)
5316 Assistance à la personne en établissement de santé (DEP)
5317 Assistance à la personne à domicile (DEP)
5321 Vente-conseil (DEP)
5323 Représentation (ASP)
5325 Santé, assistance et soins infirmiers (DEP)

82. Cégep de Sherbrooke
475, rue du Cégep
Sherbrooke (Québec) J1E 4K1
Tél. : 819 564-6350
Téléc. : 819 564-1579
communications@cegepsherbrooke.qc.ca
http://cegepsherbrooke.qc.ca

— Éducation à l'enfance (AEC)
140.B0 Technologie d'analyses biomédicales (DEC)
141.A0 Techniques d'inhalothérapie (DEC)
145.A0 Techniques de santé animale (DEC)
152.AA Gestion et exploitation d'entreprise agricole, spécialisation Productions animales (DEC)
180.A0 Soins infirmiers (DEC)
210.AA Techniques de laboratoire, spécialisation Biotechnologies (DEC)
221.B0 Technologie du génie civil (DEC)
241.A0 Techniques de génie mécanique (DEC)
241.D0 Technologie de maintenance industrielle (DEC)
243.BA Technologie de l'électronique, spécialisation Télécommunications (DEC)
243.C0 Technologie de l'électronique industrielle (DEC)
310.A0 Techniques policières (DEC)
322.A0 Techniques d'éducation à l'enfance (DEC)
351.A0 Techniques d'éducation spécialisée (DEC)
388.A0 Techniques de travail social (DEC)
410.B0 Techniques de comptabilité et de gestion (DEC)
410.D0 Gestion de commerces (DEC)

412.AA Techniques de bureautique, spécialisation Coordination du travail de bureau (DEC)
420.AA Techniques de l'informatique, spécialisation Informatique de gestion (DEC)
420.AC Techniques de l'informatique, spécialisation Gestion de réseaux informatiques (DEC)
570.A0 Graphisme (DEC)

83. Champlain Regional College
Campus de Lennoxville
Champlain Building, C.P. 5003
Sherbrooke (Québec) J1M 2A1
Tél. : 819 564-3666, poste 274
Téléc. : 819 564-5171
www.crc-lennox.qc.ca

351.A0 Techniques d'éducation spécialisée (DEC)
410.B0 Techniques de comptabilité et de gestion (DEC)
420.AA Techniques de l'informatique, spécialisation Informatique de gestion (DEC)

84. Séminaire de Sherbrooke
195, rue Marquette
Sherbrooke (Québec) J1H 1L6
Tél. : 819 563-2050
Téléc. : 819 562-8261
courrier@seminaire-sherbrooke.qc.ca
www.seminaire-sherbrooke.qc.ca

221.A0 Technologie de l'architecture (DEC)
310.C0 Techniques juridiques (DEC)

85. Université Bishop's
2600, rue Collège
Sherbrooke (Québec) J1M 1Z7
Tél. : 819 822-9600, poste 2681
Bureau du recrutement
Sans frais : 1 877 822-8200, poste 2681
Téléc. : 819 822-9661
recruitment@ubishops.ca
www.ubishops.ca

15340 Informatique (BAC)
15340 Sciences de l'image et des médias numériques (BAC)
15420 Psychologie (BAC)
15705 Enseignement des arts plastiques (BAC)
15708 Enseignement au secondaire (BAC)
15800 Administration (BAC)
15802 Comptabilité et sciences comptables (BAC)
15804 Administration des affaires, concentration finance (BAC)

15809 Marketing et relations publiques (BAC)
15815 Administration : Gestion des ressources humaines (BAC)
18076 Études de l'environnement (BAC)

86. Université de Sherbrooke
2500, boul. de l'Université
Sherbrooke (Québec) J1K 2R1
Tél. : 819 821-7688
Service de l'admission
Sans frais : 1 800 267-UdeS (8337)
Information sur les programmes
www.USherbrooke.ca/information

Voir 2e carton / verso

15104 Sciences infirmières (BAC)
15106 Médecine (Doctorat 1er cycle)
15120 Ergothérapie (BAC)
15121 Physiothérapie (BAC)
15211 Microbiologie (BAC)
15340 Informatique (BAC)
15340 Informatique de gestion (BAC)
15340 Sciences de l'image et des médias numériques (BAC)
15356 Génie chimique (BAC)
15358 Génie civil (BAC)
15359 Génie électrique (BAC)
15360 Génie mécanique (BAC)
15371 Sciences géomatiques (BAC)
15373 Génie informatique (BAC)
15380 Éducation physique (BAC)
15380 Kinésiologie (BAC)
15410 Communication (BAC)
15420 Psychologie (BAC)
15477 Service social (BAC)
15479 Information et orientation professionnelles (BAC)
15571 Traduction (BAC)
15600 Droit (BAC)
15706 Adaptation scolaire et sociale (BAC)
15708 Enseignement au secondaire (BAC)
15800 Administration (BAC)
15802 Comptabilité et sciences comptables (BAC)
15804 Administration des affaires, concentration finance (BAC)
15809 Marketing et relations publiques (BAC)
15815 Administration : Gestion des ressources humaines (BAC)
25473 Psychoéducation (Maîtrise)

RÉGION 06 MONTRÉAL

87. Collège CDI
Campus de Montréal
416, boul. de Maisonneuve Ouest, suite 700
Montréal (Québec) H3A 1L2
Tél. : 514 849-4757
Téléc. : 514 849-9034
www.cdicollege.com

— Éducation à l'enfance (AEC)
322.A0 Techniques d'éducation à l'enfance (DEC)
5325 Santé, assistance et soins infirmiers (DEP)

88. Collège Herzing (Montréal)
1616, boul. René-Lévesque Ouest
Montréal (Québec) H3H 1P8
Tél. : 514 935-7494
Sans frais : 1 800 818-9688
Téléc. : 514 933-6182
info@mtl.herzing.edu
www.herzing.ca/fr/montreal

5302 Assistance technique en pharmacie (DEP)

89. Collège supérieur de Montréal
800, boul. De Maisonneuve Est, 5e étage
Montréal (Québec) H2L 4L8
Tél. : 514 932-1122
Téléc. : 514 932-9433
admission@collegecsm.com
www.collegecsm.com

5231 Comptabilité (DEP)

CS DE LA POINTE-DE-L'ÎLE

90. Centre Anjou
5515, rue de l'Aréna
Anjou (Québec) H1K 4C9
Tél. : 514 354-0120
Téléc. : 514 353-7708
centre-anjou@cspi.qc.ca
www.cspi.qc.ca/centre-anjou

5195 Soudage-montage (DEP)
5223 Techniques d'usinage (DEP)
5224 Usinage sur machines-outils à commande numérique (ASP)
5234 Soudage haute pression (ASP)

91. Centre Antoine-de-Saint-Exupéry
8585, rue du Pré-Laurin
Saint-Léonard (Québec) H1R 3P3
Tél. : 514 325-0201
Téléc. : 514 325-2694
centre-st-exupery@cspi.qc.ca
www.cspi.qc.ca/centre-st-exupery

5316 Assistance à la personne en établissement de santé (DEP)
5317 Assistance à la personne à domicile (DEP)

92. Centre Daniel-Johnson
1100, boul. du Tricentenaire
Montréal (Québec) H1B 3A8
Tél. : 514 642-0245
Téléc. : 514 642-6122
cdj@cspi.qc.ca
www.cspi.qc.ca/cdj

5227 Secrétariat médical (ASP)
5231 Comptabilité (DEP)
5298 Mécanique automobile (DEP)
5321 Vente-conseil (DEP)
5323 Représentation (ASP)

93. Centre de formation professionnelle Calixa-Lavallée
4555, rue d'Amos
Montréal-Nord (Québec) H1H 1P9
Tél. : 514 955-4555
Téléc. : 514 955-4550
centre-calixa-lavallee@cspi.qc.ca
www.cspi.qc.ca/calixa-lavallee

5268 Boucherie de détail (DEP)
5311 Cuisine (DEP)

CS DE MONTRÉAL

94. École des métiers de l'aérospatiale de Montréal
5300, rue Chauveau
Montréal (Québec) H1N 3V7
Tél. : 514 596-2376
Téléc. : 514 596-3450
emam@csdm.qc.ca
www.emam.ca

5223 Techniques d'usinage (DEP)
5224 Usinage sur machines-outils à commande numérique (ASP)

95. École des métiers de l'équipement motorisé de Montréal
5455, rue Saint-Denis
Montréal (Québec) H2J 4B7
Tél. : 514 596-5855
Téléc. : 514 596-5857
ema@csdm.qc.ca
www.ememm.ca

5258	Service-conseil à la clientèle en équipement motorisé (DEP)
5298	Mécanique automobile (DEP)
5330	Mécanique de véhicules lourds routiers (DEP)
5331	Mécanique d'engins de chantier (DEP)

96. École des métiers de l'informatique, du commerce et de l'administration de Montréal (ÉMICA)
3955, rue de Bellechasse
Montréal (Québec) H1X 1J6
Tél. : 514 596-4150
Téléc. : 514 596-4155
emica@csdm.qc.ca
www.emica.ca

5227	Secrétariat médical (ASP)
5229	Soutien informatique (DEP)
5231	Comptabilité (DEP)
5321	Vente-conseil (DEP)
5323	Représentation (ASP)

97. École des métiers de la construction de Montréal
5205, rue Parthenais
Montréal (Québec) H2H 2H4
Tél. : 514 596-4590
Téléc. : 514 596-7145
www.emcm.ca

5195	Soudage-montage (DEP)
5215	Restauration de maçonnerie (ASP)
5234	Soudage haute pression (ASP)
5286	Plâtrage (DEP)
5303	Briquetage-maçonnerie (DEP)
5309	Gestion d'une entreprise de la construction (ASP)
5319	Charpenterie-menuiserie (DEP)

98. École des métiers des Faubourgs de Montréal
2185, rue Ontario Est
Montréal (Québec) H2K 1V7
Tél. : 514 596-4600
Téléc. : 514 596-5717
desfaubourgs@csdm.qc.ca
www.faubourgs.ca

5302	Assistance technique en pharmacie (DEP)
5316	Assistance à la personne en établissement de santé (DEP)
5317	Assistance à la personne à domicile (DEP)
5325	Santé, assistance et soins infirmiers (DEP)

99. École des métiers du Sud-Ouest de Montréal
717, rue Saint-Ferdinand
Montréal (Québec) H4C 3L7
Tél. : 514 596-6835
Téléc. : 514 596-7416
emsom@csdm.qc.ca
http://www2.csdm.qc.ca/emsom

5006	Mécanique d'entretien en commandes industrielles (ASP)
5225	Dessin industriel (DEP)
5238	Arpentage et topographie (DEP)
5250	Dessin de bâtiment (DEP)
5260	Mécanique industrielle de construction et d'entretien (DEP)

100. École des métiers du tourisme de Montréal
1111, rue Berri
Montréal (Québec) H2L 4C5
Tél. : 514 350-8042
Téléc. : 514 350-8043

5311	Cuisine (DEP)

CS ENGLISH-MONTREAL

101. John F. Kennedy Business Centre
3030, rue Villeray
Montréal (Québec) H2A 1E7
Tél. : 514 374-2888
Téléc. : 514 374-2226
JFKBusinessCentre@emsb.qc.ca
www.emsb.qc.ca/jfkbusinesscentre

5231	Comptabilité (DEP)
5321	Vente-conseil (DEP)
5323	Représentation (ASP)

102. Laurier Macdonald Vocational Centre
5025, Jean-Talon Est
Saint-Léonard (Québec) H1S 3G6
Tél. : 514 374-4278
Téléc. : 514 374-4403
lmacadult@emsb.qc.ca
www.emsb.qc.ca/lauriercareer

5298	Mécanique automobile (DEP)

103. Rosemount Technology Centre
3737, av. Beaubien Est
Montréal (Québec) H1X 1H2
Tél. : 514 376-4725
Téléc. : 514 376-9736
info@rosemount-technology.qc.ca
www.rosemount-technology.qc.ca

5223	Techniques d'usinage (DEP)
5224	Usinage sur machines-outils à commande numérique (ASP)
5225	Dessin industriel (DEP)

104. Shadd Business Center
1000, av. Old Orchard
Montréal (Québec) H4A 3A4
Tél. : 514 484-0485
Téléc. : 514 484-5788
info@shadd.com
www.shadd.com

5231	Comptabilité (DEP)

105. St. Pius X Culinary Institute
9955, av. Papineau
Montréal (Québec) H2B 1Z9
Tél. : 514 381-5440
Téléc. : 514 381-1124
stpiusadult@emsb.qc.ca
www.emsb.qc.ca/stpiusculinary

5311	Cuisine (DEP)

CS LESTER-B.-PEARSON

106. Pearson Adult & Career Centre (PACC)
8310, rue George
LaSalle (Québec) H8P 1E5
Tél. : 514 363-6213 ou
514 732-7766 Admission
Téléc. : 514 364-1953
pacc@lbpsb.qc.ca
http://paccadult.lbpsb.qc.ca

5227	Secrétariat médical (ASP)
5229	Soutien informatique (DEP)
5231	Comptabilité (DEP)
5250	Dessin de bâtiment (DEP)
5268	Boucherie de détail (DEP)
5298	Mécanique automobile (DEP)
5302	Assistance technique en pharmacie (DEP)

5311	Cuisine (DEP)	
5316	Assistance à la personne en établissement de santé (DEP)	
5317	Assistance à la personne à domicile (DEP)	
5325	Santé, assistance et soins infirmiers (DEP)	
5327	Décoration intérieure et présentation visuelle (DEP)	

107. West Island Career Centre (WICC)

13700, boul. Pierrefonds
Pierrefonds (Québec) H9A 1A7
Tél. : 514 620-0707 ou
514 732-7766 Admission
Téléc. : 514 620-5335
www.pearsonskills.com

5231	Comptabilité (DEP)
5250	Dessin de bâtiment (DEP)
5298	Mécanique automobile (DEP)
5316	Assistance à la personne en établissement de santé (DEP)
5317	Assistance à la personne à domicile (DEP)
5321	Vente-conseil (DEP)
5325	Santé, assistance et soins infirmiers (DEP)

CS MARGUERITE-BOURGEOYS

108. Centre de formation professionnelle de l'Ouest-de-Montréal
Édifice Kirkland

3501, boul. Saint-Charles
Kirkland (Québec) H9H 4S3
Tél. : 514 333-8886
Téléc. : 514 695-1197
http://www2.csmb.qc.ca/cfpom

5316	Assistance à la personne en établissement de santé (DEP)
5317	Assistance à la personne à domicile (DEP)
5325	Santé, assistance et soins infirmiers (DEP)

109. Centre de formation professionnelle de l'Ouest-de-Montréal
Édifice Saint-Laurent

3200, boul. de la Côte-Vertu
Saint-Laurent (Québec) H4R 1P8
Tél. : 514 333-8886
Téléc. : 514 333-5619
http://www2.csmb.qc.ca/cfpom

5229	Soutien informatique (DEP)
5231	Comptabilité (DEP)
5321	Vente-conseil (DEP)

110. Centre de formation professionnelle de Lachine
Édifice Dalbé-Viau

750, rue Esther-Blondin
Lachine (Québec) H8S 4C4
Tél. : 514 855-4185
Téléc. : 514 637-2569
direction.cfp_lachine@csmb.qc.ca
www.cfpl.ca

5146	Mécanique de machines fixes (DEP)
5315	Réfrigération (DEP)

111. Centre de formation professionnelle de Lachine
Édifice de la Rive

46, 16e Avenue
Lachine (Québec) H8S 3M4
Tél. : 514 855-4189
Téléc. : 514 637-3751
direction.cfp_lachine@csmb.qc.ca
www.cfpl.ca

5327	Décoration intérieure et présentation visuelle (DEP)

112. Centre de formation professionnelle Verdun

3010, boul. Gaétan-Laberge
Verdun (Québec) H4G 3C1
Tél. : 514 765-7683
Téléc. : 514 761-8002
dir.cfpv_verdun@csmb.qc.ca
http://www2.csmb.qc.ca/cfpv

5258	Service-conseil à la clientèle en équipement motorisé (DEP)
5298	Mécanique automobile (DEP)

113. Centre intégré de mécanique, de métallurgie et d'électricité (CIMME)

1100, rue Ducas
LaSalle (Québec) H8N 3E6
Tél. : 514 364-5300
Téléc. : 514 364-6228
direction.cimme@csmb.qc.ca
www.cimme.ca

5195	Soudage-montage (DEP)
5223	Techniques d'usinage (DEP)
5224	Usinage sur machines-outils à commande numérique (ASP)
5225	Dessin industriel (DEP)
5250	Dessin de bâtiment (DEP)
5260	Mécanique industrielle de construction et d'entretien (DEP)

114. Collège d'informatique et d'administration Verdun-LaSalle

1240, rue Moffat
Verdun (Québec) H4H 1Y9
Tél. : 514 761-8022
Téléc. : 514 761-8030
direction.cia_verdun.lasalle@csmb.qc.ca

5229	Soutien informatique (DEP)
5231	Comptabilité (DEP)
5321	Vente-conseil (DEP)

115. Institut de tourisme et d'hôtellerie du Québec – ITHQ

3535, rue Saint-Denis
Montréal (Québec) H2X 3P1
Tél. : 514 282-5113
Sans frais : 1 800 361-5111, poste 5113
Téléc. : 514 282-5126
registrariat@ithq.qc.ca
www.ithq.qc.ca

5311	Cuisine (DEP)
5314	Sommellerie (ASP)
414.AB	Techniques de tourisme, spécialisation Mise en valeur de produits touristiques (DEC)

116. Institut technique Aviron de Montréal

5460, boul. Royalmount
Ville Mont-Royal (Québec) H4P 1H7
Tél. : 514 739-3010
Téléc. : 514 739-4060
www.avirontech.com

5195	Soudage-montage (DEP)
5225	Dessin industriel (DEP)
5298	Mécanique automobile (DEP)

117. Campus Ubisoft

740, rue Notre-Dame Ouest, 6e étage
Montréal (Québec) H3C 3X6
infogenerale@campusubisoft.com
www.ubisoftcampus.com

—	Animation 3D orientée jeu (AEC)

118. Cegep@distance

6300, 16e Avenue
Montréal (Québec) H1X 2S9
Tél. : 514 864-6464
Sans frais : 1 800 665-6400
Téléc. : 514 864-6400
infoscol@cegepadistance.ca
www.cegepadistance.ca/monemploi

—	Éducation à l'enfance (AEC)
410.B0	Techniques de comptabilité et de gestion (DEC)

119. Cégep André-Laurendeau
1111, rue Lapierre
LaSalle (Québec) H8N 2J4
Tél. : 514 364-3320
Téléc. : 514 364-7130
courrier@claurendeau.qc.ca
www.claurendeau.qc.ca

180.A0 Soins infirmiers (DEC)
221.A0 Technologie de l'architecture (DEC)
221.B0 Technologie du génie civil (DEC)
243.C0 Technologie de l'électronique industrielle (DEC)
244.A0 Technologie physique (DEC)
410.B0 Techniques de comptabilité et de gestion (DEC)
410.D0 Gestion de commerces (DEC)
412.AA Techniques de bureautique, spécialisation Coordination du travail de bureau (DEC)
420.AA Techniques de l'informatique, spécialisation Informatique de gestion (DEC)

120. Cégep de Saint-Laurent
625, av. Sainte-Croix
Saint-Laurent (Québec) H4L 3X7
Tél. : 514 747-6521, poste 7277
Téléc. : 514 748-1249
www.cegep-st-laurent.qc.ca

180.A0 Soins infirmiers (DEC)
221.A0 Technologie de l'architecture (DEC)
241.A0 Techniques de génie mécanique (DEC)
243.BA Technologie de l'électronique, spécialisation Télécommunications (DEC)
260.B0 Environnement, hygiène et sécurité au travail (DEC)

121. Cégep du Vieux Montréal
255, rue Ontario Est
Montréal (Québec) H2X 1X6
Tél. : 514 982-3437
Téléc. : 514 982-3432
www.cvm.qc.ca

180.A0 Soins infirmiers (DEC)
221.A0 Technologie de l'architecture (DEC)
241.A0 Techniques de génie mécanique (DEC)
241.D0 Technologie de maintenance industrielle (DEC)
243.BA Technologie de l'électronique, spécialisation Télécommunications (DEC)
243.C0 Technologie de l'électronique industrielle (DEC)
322.A0 Techniques d'éducation à l'enfance (DEC)
351.A0 Techniques d'éducation spécialisée (DEC)

388.A0 Techniques de travail social (DEC)
410.B0 Techniques de comptabilité et de gestion (DEC)
410.C0 Conseil en assurances et en services financiers (DEC)
410.D0 Gestion de commerces (DEC)
570.A0 Graphisme (DEC)
570.C0 Techniques de design industriel (DEC)
574.B0 Techniques d'animation 3D et de synthèse d'images (DEC)
LCA.6A Assurance de dommages (AEC)

122. Cégep Marie-Victorin
7000, rue Marie-Victorin
Montréal (Québec) H1G 2J6
Tél. : 514 325-0150
Téléc. : 514 328-3830
promotion@collegemv.qc.ca
www.collegemv.qc.ca

— Éducation à l'enfance (AEC)
322.A0 Techniques d'éducation à l'enfance (DEC)
351.A0 Techniques d'éducation spécialisée (DEC)
388.A0 Techniques de travail social (DEC)
570.A0 Graphisme (DEC)

123. Collège Ahuntsic
9155, rue Saint-Hubert
Montréal (Québec) H2M 1Y8
Tél. : 514 389-5921, poste 2223
Sans frais : 1 866 389-5921
Téléc. : 514 389-4554
information@collegeahuntsic.qc.ca
www.collegeahuntsic.qc.ca

Voir page 1

142.A0 Technologie de radiodiagnostic (DEC)
142.B0 Technologie de médecine nucléaire (DEC)
142.C0 Techniques de radio-oncologie (DEC)
181.A0 Soins préhospitaliers d'urgence (DEC)
210.AA Techniques de laboratoire, spécialisation Biotechnologies (DEC)
221.B0 Technologie du génie civil (DEC)
221.C0 Technologie de la mécanique du bâtiment (DEC)
235.B0 Technologie du génie industriel (DEC)
243.BA Technologie de l'électronique, spécialisation Télécommunications (DEC)
243.BB Technologie de l'électronique, spécialisation Ordinateurs et réseaux (DEC)
243.C0 Technologie de l'électronique industrielle (DEC)
310.A0 Techniques policières (DEC)

310.C0 Techniques juridiques (DEC)
410.B0 Techniques de comptabilité et de gestion (DEC)
410.D0 Gestion de commerces (DEC)
420.AA Techniques de l'informatique, spécialisation Informatique de gestion (DEC)
420.AC Techniques de l'informatique, spécialisation Gestion de réseaux informatiques (DEC)
570.A0 Graphisme (DEC)

124. Collège de Bois-de-Boulogne
10555, av. de Bois-de-Boulogne
Montréal (Québec) H4N 1L4
Tél. : 514 332-3000
Téléc. : 514 332-8781
admission@bdeb.qc.ca
www.bdeb.qc.ca

Voir page 2

180.A0 Soins infirmiers (DEC)
180.B0 Soins infirmiers (pour infirmières ou infirmiers auxiliaires) (DEC)
420.AA Techniques de l'informatique, spécialisation Informatique de gestion (DEC)
420.AC Techniques de l'informatique, spécialisation Gestion de réseaux informatiques (DEC)
574.B0 Techniques d'animation 3D et de synthèse d'images (DEC)

125. Collège de Maisonneuve
3800, rue Sherbrooke Est
Montréal (Québec) H1X 2A2
Tél. : 514 254-7131
Téléc. : 514 251-3681
communic@cmaisonneuve.qc.ca
www.cmaisonneuve.qc.ca

111.A0 Techniques d'hygiène dentaire (DEC)
120.A0 Techniques de diététique (DEC)
180.A0 Soins infirmiers (DEC)
243.BA Technologie de l'électronique, spécialisation Télécommunications (DEC)
310.A0 Techniques policières (DEC)
410.B0 Techniques de comptabilité et de gestion (DEC)
410.D0 Gestion de commerces (DEC)
420.AA Techniques de l'informatique, spécialisation Informatique de gestion (DEC)
420.AC Techniques de l'informatique, spécialisation Gestion de réseaux informatiques (DEC)
582.A1 Techniques d'intégration multimédia (DEC)

126. Collège de Rosemont
6400, 16e Avenue
Montréal (Québec) H1X 2S9
Tél. : 514 376-1620
Téléc. : 514 376-1440
registrariat@crosemont.qc.ca
www.crosemont.qc.ca

140.B0 Technologie d'analyses
         biomédicales (DEC)
141.A0 Techniques d'inhalothérapie
         (DEC)
410.B0 Techniques de comptabilité
         et de gestion (DEC)
410.D0 Gestion de commerces (DEC)
412.AB Techniques de bureautique,
         spécialisation Micro-édition
         et hypermédia (DEC)
420.AA Techniques de l'informa-
         tique, spécialisation
         Informatique de gestion
         (DEC)
420.AC Techniques de
         l'informatique, spécialisation
         Gestion de réseaux
         informatiques (DEC)

127. Collège Gérald-Godin
15615, boul. Gouin Ouest
Sainte-Geneviève (Québec) H9H 5K8
Tél. : 514 626-2666
Téléc. : 514 626-8508
www.cgodin.qc.ca

—   Éducation à l'enfance (AEC)
322.A0 Techniques d'éducation à
         l'enfance (DEC)
410.B0 Techniques de comptabilité
         et de gestion (DEC)
420.AA Techniques de l'informa-
         tique, spécialisation
         Informatique de gestion
         (DEC)

128. Collège LaSalle
2000, rue Sainte-Catherine Ouest
Montréal (Québec) H3H 2T2
Tél. : 514 939-2006
Sans frais : 1 800 363-3541
Téléc. : 514 939-2015
www.collegelasalle.com

Voir Encart à volets (fin)

5311   Cuisine (DEP)
—   Éducation à l'enfance (AEC)
322.A0 Techniques d'éducation à
         l'enfance (DEC)
351.A0 Techniques d'éducation
         spécialisée (DEC)
410.B0 Techniques de comptabilité
         et de gestion (DEC)
410.C0 Conseil en assurances et en
         services financiers (DEC)
410.D0 Gestion de commerces (DEC)
420.AA Techniques de l'informa-
         tique, spécialisation
         Informatique de gestion
         (DEC)

420.AC Techniques de
         l'informatique, spécialisation
         Gestion de réseaux
         informatiques (DEC)

**129. Collège O'Sullivan de
        Montréal inc.**
1191, rue de la Montagne
Montréal (Québec) H3G 1Z2
Tél. : 514 866-4622
Sans frais : 1 800 621-8055
Téléc. : 514 866-6663
admission@osullivan.edu
www.osullivan.edu

310.C0 Techniques juridiques (DEC)
LCA.6A Assurance de dommages
         (AEC)

130. Dawson College
3040, rue Sherbrooke Ouest
Westmount (Québec) H3Z 1A4
Tél. : 514 931-8731
Téléc. : 514 931-1602
www.dawsoncollege.qc.ca

140.B0 Technologie d'analyses
         biomédicales (DEC)
142.A0 Technologie de
         radiodiagnostic (DEC)
142.C0 Techniques de radio-
         oncologie (DEC)
180.A0 Soins infirmiers (DEC)
221.B0 Technologie du génie civil
         (DEC)
241.A0 Techniques de génie
         mécanique (DEC)
243.BA Technologie de l'électro-
         nique, spécialisation
         Télécommunications (DEC)
243.BB Technologie de
         l'électronique, spécialisation
         Ordinateurs et réseaux (DEC)
388.A0 Techniques de travail social
         (DEC)
410.B0 Techniques de comptabilité
         et de gestion (DEC)
410.D0 Gestion de commerces (DEC)
412.AB Techniques de bureautique,
         spécialisation Micro-édition
         et hypermédia (DEC)
420.AC Techniques de
         l'informatique, spécialisation
         Gestion de réseaux
         informatiques (DEC)
570.A0 Graphisme (DEC)
570.C0 Techniques de design
         industriel (DEC)
574.B0 Techniques d'animation 3D
         et de synthèse d'images
         (DEC)

420.AC Techniques de
         l'informatique, spécialisation
         Gestion de réseaux
         informatiques (DEC)

131. Institut Grasset
220, rue Fairmont Ouest
Montréal (Québec) H2T 2M7
Tél. : 514 277-6053
Sans frais : 1 866 345-6053
Téléc. : 514 277-4027
institut@grasset.qc.ca
www.institut-grasset.qc.ca

221.DB Technologie de l'estimation
         et de l'évaluation du
         bâtiment, spécialisation
         Évaluation immobilière (DEC)
420.AA Techniques de l'informa-
         tique, spécialisation
         Informatique de gestion
         (DEC)
574.B0 Techniques d'animation 3D
         et de synthèse d'images
         (DEC)

132. Institut Teccart
Le collège technologique
3030, rue Hochelaga
Montréal (Québec) H1W 1G2
Tél. : 514 526-2501
Sans frais : 1 866 TECCART
(832-2278)
Téléc. : 514 526-9192
info@teccart.qc.ca
www.teccart.qc.ca

243.BA Technologie de l'électro-
         nique, spécialisation
         Télécommunications (DEC)
243.C0 Technologie de l'électronique
         industrielle (DEC)
420.AA Techniques de l'informa-
         tique, spécialisation
         Informatique de gestion
         (DEC)
420.AC Techniques de
         l'informatique, spécialisation
         Gestion de réseaux
         informatiques (DEC)

133. John Abbott College
21275, chemin Lakeshore
Sainte-Anne-de-Bellevue (Québec)
H9X 3L9
Tél. : 514 457-6610
Téléc. : 514 457-4730
www.johnabbott.qc.ca

111.A0 Techniques d'hygiène
         dentaire (DEC)
180.A0 Soins infirmiers (DEC)
181.A0 Soins préhospitaliers
         d'urgence (DEC)
244.A0 Technologie physique (DEC)
310.A0 Techniques policières (DEC)
410.B0 Techniques de comptabilité
         et de gestion (DEC)
412.AB Techniques de bureautique,
         spécialisation Micro-édition
         et hypermédia (DEC)
420.AA Techniques de l'informa-
         tique, spécialisation
         Informatique de gestion
         (DEC)

134. **Vanier College**
821, av. Sainte-Croix
Saint-Laurent (Québec) H4L 3X9
Tél.: 514 744-7500, poste 7543
Téléc.: 514 744-7952
registrars@vaniercollege.qc.ca
www.vaniercollege.qc.ca

141.A0 Techniques d'inhalothérapie
(DEC)
145.A0 Techniques de santé animale
(DEC)
180.A0 Soins infirmiers (DEC)
221.A0 Technologie de l'architecture
(DEC)
221.C0 Technologie de la mécanique
du bâtiment (DEC)
243.C0 Technologie de l'électronique
industrielle (DEC)
322.A0 Techniques d'éducation à
l'enfance (DEC)
351.A0 Techniques d'éducation
spécialisée (DEC)
410.B0 Techniques de comptabilité
et de gestion (DEC)
410.D0 Gestion de commerces (DEC)
412.AB Techniques de bureautique,
spécialisation Micro-édition
et hypermédia (DEC)
420.AA Techniques de l'informatique, spécialisation
Informatique de gestion
(DEC)

135. **École de technologie**
supérieure (ÉTS)
1100, rue Notre-Dame Ouest
Montréal (Québec) H3C 1K3
Tél.: 514 396-8888 Bureau du registraire
Sans frais: 1 888 394-7888
Téléc.: 514 396-8831
admission@etsmtl.ca
www.etsmtl.ca

15340 Génie logiciel (BAC)
15358 Génie de la construction
(BAC)
15359 Génie électrique (BAC)
15360 Génie mécanique (BAC)
15363 Génie de la production
automatisée (BAC)

136. **École Polytechnique de**
Montréal
C.P. 6079, succ. Centre-Ville
Montréal (Québec) H3C 3A7
Tél.: 514 340-4711, poste 4928
Recrutement étudiant
514 340-4711 Renseignements généraux
Téléc.: 514 340-3213
monavenir@polymtl.ca
www.monavenir.polymtl.ca

15340 Génie logiciel (BAC)
15356 Génie chimique (BAC)
15358 Génie civil (BAC)
15359 Génie électrique (BAC)

15360 Génie mécanique (BAC)
15363 Génie industriel (BAC)
15373 Génie informatique (BAC)

137. **HEC Montréal**
3000, ch. de la Côte-Sainte-
Catherine
Montréal (Québec) H3T 2A7
Tél.: 514 340-6151 Bureau du registraire
Téléc.: 514 340-6411
registraire.info@hec.ca
www.hec.ca

15800 Administration (BAC)
15802 Comptabilité et sciences
comptables (BAC)
15804 Administration des affaires,
concentration finance (BAC)
15809 Marketing et relations
publiques (BAC)
15815 Administration : Gestion des
ressources humaines (BAC)

138. **Université Concordia**
1455, boul. de Maisonneuve Ouest
Montréal (Québec) H3G 1M8
Tél.: 514 848-2424 Renseignements généraux
514 848-2668 Bureau des admissions
Téléc.: 514 848-2621
www.concordia.ca

15121 Physiothérapie (BAC)
15234 Actuariat (BAC)
15340 Génie logiciel (BAC)
15340 Informatique (BAC)
15340 Informatique de gestion
(BAC)
15340 Sciences de l'image et des
médias numériques (BAC)
15358 Génie civil (BAC)
15359 Génie électrique (BAC)
15360 Génie mécanique (BAC)
15363 Génie industriel (BAC)
15373 Génie informatique (BAC)
15410 Communication (BAC)
15420 Psychologie (BAC)
15571 Traduction (BAC)
15705 Enseignement des arts
plastiques (BAC)
15800 Administration (BAC)
15802 Comptabilité et sciences
comptables (BAC)
15804 Administration des affaires,
concentration finance (BAC)
15809 Marketing et relations
publiques (BAC)
15815 Administration : Gestion des
ressources humaines (BAC)
15971 Design graphique (BAC)

139. **Université de Montréal**
Service de l'admission et du
recrutement
Bureau des futurs étudiants
3744, rue Jean-Brillant, bur. 6426
Montréal (Québec) H3T 1P1
Tél.: 514 343-7076 Bureau des
admissions
Téléc.: 514 343-5788
admissions@regis.umontreal.ca
www.umontreal.ca

15104 Sciences infirmières (BAC)
15106 Médecine (Doctorat 1er cycle)
15110 Médecine dentaire
(Doctorat 1er cycle)
15111 Optométrie
(Doctorat 1er cycle)
15112 Pharmacie et sciences
pharmaceutiques (BAC)
15115 Diététique et nutrition (BAC)
15120 Ergothérapie (BAC)
15121 Physiothérapie (BAC)
15180 Médecine vétérinaire
(Doctorat 1er cycle)
15211 Microbiologie (BAC)
15234 Actuariat (BAC)
15340 Informatique (BAC)
15380 Éducation physique (BAC)
15380 Kinésiologie (BAC)
15410 Communication (BAC)
15420 Psychologie (BAC)
15439 Criminologie (BAC)
15477 Service social (BAC)
15571 Traduction (BAC)
15600 Droit (BAC)
15706 Adaptation scolaire et sociale
(BAC)
15708 Enseignement au secondaire
(BAC)
15816 Relations industrielles (BAC)
18000 Mathématiques et
informatique (BAC)
25473 Psychoéducation (Maîtrise)

140. **Université du Québec**
à Montréal (UQAM)
Registrariat
C.P. 6190, succ. Centre-ville
Montréal (Québec) H3C 4N6
Tél.: 514 987-3132
Téléc.: 514 987-8932
admission@uqam.ca
www.etudier.uqam.ca/1ercycle/
programmes

Voir couverture intérieure avant

15234 Actuariat (BAC)
15340 Génie logiciel (BAC)
15380 Éducation physique (BAC)
15380 Kinésiologie (BAC)
15410 Communication (BAC)
15420 Psychologie (BAC)
15477 Service social (BAC)
15600 Droit (BAC)
15705 Enseignement des arts
plastiques (BAC)
15706 Adaptation scolaire et sociale
(BAC)

15708 Enseignement au secondaire (BAC)
15800 Administration (BAC)
15802 Comptabilité et sciences comptables (BAC)
15804 Administration des affaires, concentration finance (BAC)
15809 Marketing et relations publiques (BAC)
15815 Administration : Gestion des ressources humaines (BAC)
15971 Design graphique (BAC)
18000 Mathématiques et informatique (BAC)

141. Université McGill
Point de service
3415, rue McTavish
Montréal (Québec) H3A 1Y1
Tél. : 514 398-7878
admissions@mcgill.ca
www.mcgIll.ca

15104 Sciences infirmières (BAC)
15106 Médecine (Doctorat 1er cycle)
15110 Médecine dentaire (Doctorat 1er cycle)
15115 Diététique et nutrition (BAC)
15120 Ergothérapie (BAC)
15121 Physiothérapie (BAC)
15211 Microbiologie (BAC)
15340 Génie logiciel (BAC)
15340 Informatique (BAC)
15340 Informatique de gestion (BAC)
15356 Génie chimique (BAC)
15358 Génie civil (BAC)
15359 Génie électrique (BAC)
15360 Génie mécanique (BAC)
15364 Génie des matériaux et de la métallurgie (BAC)
15373 Génie informatique (BAC)
15420 Psychologie (BAC)
15477 Service social (BAC)
15571 Traduction (BAC)
15600 Droit (BAC)
15708 Enseignement au secondaire (BAC)
15800 Administration (BAC)
15802 Comptabilité et sciences comptables (BAC)
15804 Administration des affaires, concentration finance (BAC)
15809 Marketing et relations publiques (BAC)
15815 Administration : Gestion des ressources humaines (BAC)
15816 Relations industrielles (BAC)
18000 Mathématiques et informatique (BAC)

RÉGION 07
OUTAOUAIS

CS AU CŒUR-DES-VALLÉES

142. C.F.P. Relais de la Lièvre-Seigneurie
Pavillon Relais de la Lièvre
584, rue Maclaren Est
Gatineau (Québec) J8L 2W2
Tél. : 819 986-8514, poste 4000
Sans frais : 1 800 958-9966, poste 4000
Téléc. : 819 986-6983
eco040@cscv.qc.ca
www.cscv.qc.ca/040

5231 Comptabilité (DEP)
5260 Mécanique industrielle de construction et d'entretien (DEP)
5268 Boucherie de détail (DEP)
5311 Cuisine (DEP)

143. C.F.P. Relais de la Lièvre-Seigneurie
Pavillon Seigneurie
378-B, rue Papineau
Papineauville (Québec) J0V 1R0
Tél. : 819 427-6258, poste 4500
Sans frais : 1 800 958-9966, poste 4500
Téléc. : 819 427-5891
eco050@cscv.qc.ca
www.cscv.qc.ca/040

5231 Comptabilité (DEP)
5298 Mécanique automobile (DEP)

CS DES DRAVEURS

144. Centre Administration, commerce et secrétariat de Gatineau (A.C.S.)
183, rue Broadway Ouest
Gatineau (Québec) J8P 3T6
Tél. : 819 643-4640
Téléc. : 819 643-5204
cacs@csdraveurs.qc.ca
www.csdraveurs.qc.ca/cacs

5227 Secrétariat médical (ASP)
5229 Soutien informatique (DEP)
5231 Comptabilité (DEP)
5321 Vente-conseil (DEP)
5323 Représentation (ASP)

145. C.F.P. Compétences Outaouais
361, boul. Maloney Ouest
Gatineau (Québec) J8P 7E9
Tél. : 819 643-2000
Téléc. : 819 643-1001
cco@csdraveurs.qc.ca
www.csdraveurs.qc.ca/cco

5302 Assistance technique en pharmacie (DEP)
5327 Décoration intérieure et présentation visuelle (DEP)
5250 Dessin de bâtiment (DEP)

CS DES HAUTS-BOIS-DE-L'OUTAOUAIS

146. C.F.P. Pontiac
250, chemin de la Chute
Mansfield (Québec) J0X 1R0
Tél. : 819 683-1419
Téléc. : 819 683-2251
nicole.marion@cshbo.qc.ca
http://cfpp.cshbo.qc.ca

5231 Comptabilité (DEP)

147. C.F.P. Vallée-de-la-Gatineau
211, rue Henri-Bourassa
Maniwaki (Québec) J9E 1E4
Tél. : 819 449-7922
Téléc. : 819 449-7235
jennifer.richard@cshbo.qc.ca
http://cfpvg.cshbo.qc.ca

5231 Comptabilité (DEP)
5298 Mécanique automobile (DEP)

CS DES PORTAGES-DE-L'OUTAOUAIS

148. C.F.P. de l'Outaouais
249, boul. Cité des Jeunes
Gatineau (Québec) J8Y 6L2
Tél. : 819 771-0863, poste 862703
Téléc. : 819 771-2609
cfp.outaouais@cspo.qc.ca
www.cspo.qc.ca/ecole/cfpo

5195 Soudage-montage (DEP)
5223 Techniques d'usinage (DEP)
5224 Usinage sur machines-outils à commande numérique (ASP)
5234 Soudage haute pression (ASP)
5298 Mécanique automobile (DEP)
5303 Briquetage-maçonnerie (DEP)
5319 Charpenterie-menuiserie (DEP)
5330 Mécanique de véhicules lourds routiers (DEP)

149. **C.F.P. Vision-Avenir**
30, boul. Saint-Raymond
Gatineau (Québec) J8Y 1R6
Tél. : 819 771-7620, poste 860710
Téléc. : 819 771-1635
centre.vision-avenir@cspo.qc.ca
www.cspo.qc.ca/ecole/vision

5231 Comptabilité (DEP)
5316 Assistance à la personne en
      établissement de santé (DEP)
5317 Assistance à la personne à
      domicile (DEP)
5325 Santé, assistance et soins
      infirmiers (DEP)

CS WESTERN QUEBEC

150. **Maniwaki Adult Education
      and Vocational Training
      Centre**
265, rue Hill
Maniwaki (Québec) J9E 2G8
Tél. : 819 449-1731
Téléc. : 819 449-4171
aemaniwaki@wqsb.qc.ca
www.wqsb.qc.ca

5231 Comptabilité (DEP)

151. **Pontiac Continuing
      Education Centre**
455, rue Maple, C. P. 4600
Shawville (Québec) J0X 2Y0
Tél. : 819 647-5605
Téléc. : 819 647-5265
aepontiac@wqsb.qc.ca
www.wqsb.qc.ca

5231 Comptabilité (DEP)
5316 Assistance à la personne en
      établissement de santé (DEP)
5317 Assistance à la personne à
      domicile (DEP)
5325 Santé, assistance et soins
      infirmiers (DEP)

152. **Western Québec Career
      Centre**
100, rue Frank Robinson
Aylmer (Québec) J9H 4A6
Tél. : 819 684-1770
Téléc. : 819 684-5350
wqcc@wqsb.qc.ca
www.wqsb.qc.ca

5195 Soudage-montage (DEP)
5225 Dessin industriel (DEP)
5231 Comptabilité (DEP)
5250 Dessin de bâtiment (DEP)
5298 Mécanique automobile (DEP)
5316 Assistance à la personne en
      établissement de santé (DEP)
5317 Assistance à la personne à
      domicile (DEP)
5321 Vente-conseil (DEP)
5325 Santé, assistance et soins
      infirmiers (DEP)

153. **Cégep de l'Outaouais
Siège social
Campus Gabrielle-Roy**
333, boul. Cité-des-Jeunes
Gatineau (Québec) J8Y 6M4
Tél. : 819 770-4012
Sans frais : 1 866 770-4012
Téléc. : 819 770-8167
www.cegepoutaouais.qc.ca

—   Éducation à l'enfance (AEC)
111.A0 Techniques d'hygiène
       dentaire (DEC)
141.A0 Techniques d'inhalothérapie
       (DEC)
180.A0 Soins infirmiers (DEC)
181.A0 Soins préhospitaliers
       d'urgence (DEC)
210.AA Techniques de laboratoire,
       spécialisation
       Biotechnologies (DEC)
221.B0 Technologie du génie civil
       (DEC)
221.C0 Technologie de la mécanique
       du bâtiment (DEC)
241.A0 Techniques de génie
       mécanique (DEC)
243.BA Technologie de l'électro-
       nique, spécialisation
       Télécommunications (DEC)
310.A0 Techniques policières (DEC)
322.A0 Techniques d'éducation à
       l'enfance (DEC)
351.A0 Techniques d'éducation
       spécialisée (DEC)
410.B0 Techniques de comptabilité
       et de gestion (DEC)
410.D0 Gestion de commerces (DEC)
412.AA Techniques de bureautique,
       spécialisation Coordination
       du travail de bureau (DEC)
420.AA Techniques de l'informa-
       tique, spécialisation
       Informatique de gestion
       (DEC)
420.AC Techniques de
       l'informatique, spécialisation
       Gestion de réseaux
       informatiques (DEC)
582.A1 Techniques d'intégration
       multimédia (DEC)
LCA.6A Assurance de dommages
       (AEC)

154. **Heritage College**
325, boul. Cité-des-Jeunes
Gatineau (Québec) J8Y 6T3
Tél. : 819 778-2270
Téléc. : 819 778-7364
sservices@cegep-heritage.qc.ca
www.cegep-heritage.qc.ca

180.A0 Soins infirmiers (DEC)
243.BB Technologie de
       l'électronique, spécialisation
       Ordinateurs et réseaux (DEC)
322.A0 Techniques d'éducation à
       l'enfance (DEC)
410.B0 Techniques de comptabilité
       et de gestion (DEC)

412.AB Techniques de bureautique,
       spécialisation Micro-édition
       et hypermédia (DEC)
420.AA Techniques de l'informa-
       tique, spécialisation
       Informatique de gestion
       (DEC)

155. **Université du Québec en
      Outaouais (UQO)**
101, rue Saint-Jean-Bosco
C.P. 1250, succ. Hull
Gatineau (Québec) J8X 3X7
Tél. : 819 595-3900 Numéro général ou
819 773-1850 Bureau du registraire
Sans frais : 1 800 567-1283
Téléc. : 819 773-1835
questions@uqo.ca
www.uqo.ca/futurs-etudiants

15104 Sciences infirmières (BAC)
15340 Informatique (BAC)
15373 Génie informatique (BAC)
15410 Communication (BAC)
15420 Psychologie (BAC)
15477 Service social (BAC)
15571 Traduction (BAC)
15705 Enseignement des arts
       plastiques (BAC)
15706 Adaptation scolaire et sociale
       (BAC)
15708 Enseignement au secondaire
       (BAC)
15800 Administration (BAC)
15802 Comptabilité et sciences
       comptables (BAC)
15804 Administration des affaires,
       concentration finance (BAC)
15809 Marketing et relations
       publiques (BAC)
15815 Administration : Gestion des
       ressources humaines (BAC)
15816 Relations industrielles (BAC)
15971 Design graphique (BAC)
25473 Psychoéducation (Maîtrise)

RÉGION 08
ABITIBI-
TÉMISCAMINGUE

CS DE L'OR-ET-DES-BOIS

156. **C.F.P. Val-d'Or**
125, rue Self
Val-d'Or (Québec) J9P 3N2
Tél. : 819 825-6366, poste 2405
Téléc. : 819 825-9890
cloutier.line@csob.qc.ca
www.cfpvaldor.qc.ca

Voir page 112

5225 Dessin industriel (DEP)
5227 Secrétariat médical (ASP)
5250 Dessin de bâtiment (DEP)

5298 Mécanique automobile (DEP)
5321 Vente-conseil (DEP)
5323 Représentation (ASP)

CS DE ROUYN-NORANDA

157. Centre Polymétier
15, 10e Rue
Rouyn-Noranda (Québec) J9X 5C9
Tél. : 819 764-9523
Téléc. : 819 762-7174
dureta@csrn.qc.ca
www.cpcsrn.qc.ca

5231 Comptabilité (DEP)
5319 Charpenterie-menuiserie
(DEP)

CS DU LAC-ABITIBI

158. C.F.P. Lac-Abitibi
500, rue Principale
La Sarre (Québec) J9Z 2A2
Tél. : 819 333-2387, poste 2157
Téléc. : 819 333-3603
cfpla@csdla.qc.ca
www.csdla.qc.ca/cfpla

5195 Soudage-montage (DEP)
5234 Soudage haute pression
(ASP)
5258 Service-conseil à la clientèle
en équipement motorisé
(DEP)
5268 Boucherie de détail (DEP)
5311 Cuisine (DEP)
5330 Mécanique de véhicules
lourds routiers (DEP)
5331 Mécanique d'engins de
chantier (DEP)

CS HARRICANA

159. C.F. Harricana
850, 1re Rue Est
Amos (Québec) J9T 2H8
Tél. : 819 732-3223
Téléc. : 819 732-7701
royr@csharricana.qc.ca
www.csharricana.qc.ca/
professionnelle

5006 Mécanique d'entretien en
commandes industrielles
(ASP)
5223 Techniques d'usinage (DEP)
5224 Usinage sur machines-outils
à commande numérique
(ASP)
5260 Mécanique industrielle de
construction et d'entretien
(DEP)
5316 Assistance à la personne en
établissement de santé (DEP)
5317 Assistance à la personne à
domicile (DEP)

5325 Santé, assistance et soins
infirmiers (DEP)

**160. Cégep de l'Abitibi-
Témiscamingue**
425, boul. du Collège
Rouyn-Noranda (Québec) J9X 5E5
Tél. : 819 762-0931
Sans frais : 1 866 234-3728
Téléc. : 819 762-3815
www.cegepat.qc.ca

180.A0 Soins infirmiers (DEC)
221.B0 Technologie du génie civil
(DEC)
241.D0 Technologie de maintenance
industrielle (DEC)
243.C0 Technologie de l'électronique
industrielle (DEC)
388.A0 Techniques de travail social
(DEC)
322.A0 Techniques d'éducation à
l'enfance (DEC)
410.B0 Techniques de comptabilité
et de gestion (DEC)
420.AA Techniques de l'informatique, spécialisation
Informatique de gestion
(DEC)
420.AC Techniques de
l'informatique, spécialisation
Gestion de réseaux
informatiques (DEC)

**161. Cégep de l'Abitibi-
Témiscamingue**
Campus d'Amos
341, rue Principale Nord
Amos (Québec) J9T 2L8
Tél. : 819 732-5218
Téléc. : 819 732-3819
www.cegepat.qc.ca/accueil/cegep/
campus-damos

351.A0 Techniques d'éducation
spécialisée (DEC)
410.B0 Techniques de comptabilité
et de gestion (DEC)

**162. Cégep de l'Abitibi-
Témiscamingue**
Campus de Val-d'Or
675, 1re Avenue
Val-d'Or (Québec) J9P 1Y3
Tél. : 819 874-3837
Téléc. : 819 825-4340
www.cegepat.qc.ca/accueil/cegep/
campus-de-val-dor

180.A0 Soins infirmiers (DEC)
181.A0 Soins préhospitaliers
d'urgence (DEC)
410.B0 Techniques de comptabilité
et de gestion (DEC)

**163. Université du Québec en
Abitibi-Témiscamingue
(UQAT)**
445, boul. de l'Université
Rouyn-Noranda (Québec) J9X 5E4
Tél. : 819 762-0971, poste 2210
Bureau du registraire
Sans frais : 1 877 870-8728
Téléc. : 819 797-4727
registraire@uqat.ca
www.uqat.ca

15104 Sciences infirmières (BAC)
15340 Sciences de l'image et des
médias numériques (BAC)
15360 Génie mécanique (BAC)
15477 Service social (BAC)
15708 Enseignement au secondaire
(BAC)
15800 Administration (BAC)
15802 Comptabilité et sciences
comptables (BAC)
15804 Administration des affaires,
concentration finance (BAC)
15809 Marketing et relations
publiques (BAC)
15815 Administration : Gestion des
ressources humaines (BAC)
15971 Design graphique (BAC)
25473 Psychoéducation (Maîtrise)

RÉGION 09
CÔTE-NORD

CS DE L'ESTUAIRE

164. C.F.P. de Forestville
34, 11e Rue
Forestville (Québec) G0T 1E0
Tél. : 418 587-4735
Sans frais : 1 800 463-2238
Téléc. : 418 587-4016
cfchcn@csestuaire.qc.ca
www.csestuaire.qc.ca/cfp/fo/index.
htm

5231 Comptabilité (DEP)
5317 Assistance à la personne à
domicile (DEP)

165. C.F.P.G. Manicouagan
600, rue Jalbert
Baie-Comeau (Québec) G5C 1Z9
Tél. : 418 589-0867
Téléc. : 418 589-1358
cfpgmanic@csestuaire.qc.ca
www.csestuaire.qc.ca/cfp/bc/index.
htm

5223 Techniques d'usinage (DEP)
5227 Secrétariat médical (ASP)
5231 Comptabilité (DEP)
5260 Mécanique industrielle de
construction et d'entretien
(DEP)

5298   Mécanique automobile (DEP)
5311   Cuisine (DEP)
5325   Santé, assistance et soins infirmiers (DEP)

CS DU FER

166.   C.F.P. A. W. Gagné
9, rue de La Vérendrye
Sept-Îles (Québec) G4R 5E3
Tél. : 418 964-2702
Téléc. : 418 968-6536
awgagne@csdufer.qc.ca
www.csdufer.qc.ca/formation-professionnelle-des-adultes

5195   Soudage-montage (DEP)
5225   Dessin industriel (DEP)
5231   Comptabilité (DEP)
5260   Mécanique industrielle de construction et d'entretien (DEP)
5316   Assistance à la personne en établissement de santé (DEP)
5319   Charpenterie-menuiserie (DEP)
5325   Santé, assistance et soins infirmiers (DEP)
5331   Mécanique d'engins de chantier (DEP)

167.   Cégep de Baie-Comeau
537, boul. Blanche
Baie-Comeau (Québec) G5C 2B2
Tél. : 418 589-5707, poste 231
Sans frais : 1 800 463-2030
Téléc. : 418 589-9842
infoscolaire@cegep-baie-comeau.qc.ca
www.cegep-baie-comeau.qc.ca

—   Éducation à l'enfance (AEC)
180.A0 Soins infirmiers (DEC)
221.B0 Technologie du génie civil (DEC)
243.C0 Technologie de l'électronique industrielle (DEC)
351.A0 Techniques d'éducation spécialisée (DEC)
410.B0 Techniques de comptabilité et de gestion (DEC)

168.   Cégep de Sept-Îles
175, rue de La Vérendrye
Sept-Îles (Québec) G4R 5B7
Tél. : 418 962-9848
Téléc. : 418 962-2458
info@cegep-sept-iles.qc.ca
www.cegep-sept-iles.qc.ca

—   Éducation à l'enfance (AEC)
180.A0 Soins infirmiers (DEC)
241.D0 Technologie de maintenance industrielle (DEC)
243.C0 Technologie de l'électronique industrielle (DEC)

322.A0 Techniques d'éducation à l'enfance (DEC)
410.B0 Techniques de comptabilité et de gestion (DEC)
412.AA Techniques de bureautique, spécialisation Coordination du travail de bureau (DEC)
420.AA Techniques de l'informatique, spécialisation Informatique de gestion (DEC)

RÉGION 10
NORD-DU-QUÉBEC

CS CRIE

169.   CS Crie
282, rue Principale
Mistissini (Québec) G0W 1C0
Tél. : 819 855-2230
Téléc. : 819 855-2944
www.cscree.qc.ca

5229   Soutien informatique (DEP)
5231   Comptabilité (DEP)
5319   Charpenterie-menuiserie (DEP)
5325   Santé, assistance et soins infirmiers (DEP)

CS DE LA BAIE-JAMES

170.   Centre de formation professionnelle de la Jamésie
265, rue Lanctôt
Chibougamau (Québec) G8P 1C1
Tél. : 418 748-7621, option 2
Téléc. : 418 748-2735

5195   Soudage-montage (DEP)
5231   Comptabilité (DEP)
5260   Mécanique industrielle de construction et d'entretien (DEP)
5316   Assistance à la personne en établissement de santé (DEP)
5319   Charpenterie-menuiserie (DEP)
5325   Santé, assistance et soins infirmiers (DEP)
5331   Mécanique d'engins de chantier (DEP)

171.   Centre de formation professionnelle de la Jamésie
Pavillon Lebel-sur-Quévillon
140, Principale Nord, C.P. 70
Lebel-sur-Quévillon (Québec)
J0Y 1X0
Tél. : 819 755-3317
Téléc. : 819 755-3328

5231   Comptabilité (DEP)
5260   Mécanique industrielle de construction et d'entretien (DEP)
5331   Mécanique d'engins de chantier (DEP)

172.   Centre de formation professionnelle de la Jamésie
Pavillon Matagami
7, Petite Allée, C.P. 190
Matagami (Québec) J0Y 2A0
Tél. : 819 739-4361
Téléc. : 819 739-4524

5231   Comptabilité (DEP)

CS KATIVIK

173.   Centre Kajusivik
C. P. 309
Kuujjuaq (Québec) J0M 1M0
Tél. : 819 964-2750
Téléc. : 819 964-2745
info@piguirsavik.qc.ca

5298   Mécanique automobile (DEP)

174.   Centre Nunavik Pigiursavik

Inukjuak (Québec) J0M 1M0
Tél. : 819 254-8686
Téléc. : 819 254-8595
info@pigiursavik.qc.ca

5229   Soutien informatique (DEP)
5331   Mécanique d'engins de chantier (DEP)

175.   Centre d'études collégiales à Chibougamau
110, rue Obalski
Chibougamau (Québec) G8P 2E9
Tél. : 418 748-7637
Téléc. : 418 748-7238
infocecc@cstfelicien.qc.ca
www.cec-chibougamau.qc.ca

180.A0 Soins infirmiers (DEC)
410.B0 Techniques de comptabilité et de gestion (DEC)

RÉGION 11
GASPÉSIE – ÎLES-DE-LA-MADELEINE

176. École des pêches et de l'aquaculture du Québec
167, Grande-Allée Est, C. P. 220
Grande-Rivière (Québec) G0C 1V0
Tél. : 418 368-2201, poste 1626
Sans frais : 1 888 368-2201, poste 1626
Téléc. : 418 385-2888
servicesauxclienteles@cgaspesie.qc.ca
www.epaq.qc.ca

— Éducation à l'enfance (AEC)
231.B0 Technologie de la transformation des produits aquatiques (DEC)

CS DES CHIC-CHOCS

177. Centre de formation C.-E.-Pouliot de Gaspé
85, boul. de Gaspé
Gaspé (Québec) G4X 2T8
Tél. : 418 368-6117
Téléc. : 418 368-5544
cfcep@cschic-chocs.qc.ca
www.cfcep.ca

5195 Soudage-montage (DEP)
5223 Techniques d'usinage (DEP)
5231 Comptabilité (DEP)
5234 Soudage haute pression (ASP)
5311 Cuisine (DEP)
5314 Sommellerie (ASP)
5316 Assistance à la personne en établissement de santé (DEP)
5317 Assistance à la personne à domicile (DEP)
5319 Charpenterie-menuiserie (DEP)
5325 Santé, assistance et soins infirmiers (DEP)

178. C.F.P. de La Haute-Gaspésie et Centre Champagnat
27, route du Parc
Sainte-Anne-des-Monts (Québec) G4V 2B9
Tél. : 418 763-5323
Téléc. : 418 763-7307
ceafp-hg@cschic-chocs.qc.ca
www.cschic-chocs.net/champagnat

5231 Comptabilité (DEP)
5268 Boucherie de détail (DEP)
5316 Assistance à la personne en établissement de santé (DEP)
5325 Santé, assistance et soins infirmiers (DEP)

CS DES ÎLES

179. C.F.P. des Îles
50, chemin de La Martinique
L'Étang-du-Nord, Îles-de-la-Madeleine (Québec) G4T 3R7
Tél. : 418 986-5511, poste 2101
Téléc. : 418 986-3603

5268 Boucherie de détail (DEP)

CS EASTERN SHORES

180. C.E.A.F.P. de Hope Town
224, rte 132
Hope Town (Québec) G0C 2K0
Tél. : 418 752-3848
Sans frais : 1 866 752-3848
Téléc. : 418 752-2434
hopeadm@globetrotter.net

5325 Santé, assistance et soins infirmiers (DEP)

181. C.E.A.F.P. de Wakeham
584, rue Wakeham, C. P. 6164
Gaspé (Québec) G4X 2R7
Tél. : 418 368-3376, poste 221 ou 222
Téléc. : 418 368-2101
debbie.adams@essb.qc.ca

5223 Techniques d'usinage (DEP)
5231 Comptabilité (DEP)
5316 Assistance à la personne en établissement de santé (DEP)

182. C.E.A.F.P. Listuguj
78, boul. Interprovincial
Pointe-à-la-Croix (Québec) G0C 1L0
Tél. : 418 788-5668
Sans frais : 1 866 988-5668
Téléc. : 418 788-5602
owen.mailloux@essb.qc.ca

5316 Assistance à la personne en établissement de santé (DEP)
5325 Santé, assistance et soins infirmiers (DEP)

CS RENÉ-LÉVESQUE

183. C.F.P. Bonaventure-Paspébiac
143, av. Louisbourg, C.P. 820
Bonaventure (Québec) G0C 1E0
Tél. : 418 534-4677, poste 7503
Téléc. : 418 534-4190
centre.fpbonaventure@csrl.net
www.cfpbonaventure.qc.ca/cfppaspebiac

5227 Secrétariat médical (ASP)
5231 Comptabilité (DEP)

5319 Charpenterie-menuiserie (DEP)

184. C.F.P. L'envol
15, rue Comeau, C. P. 350
Carleton (Québec) G0C 1J0
Tél. : 418 364-7510, poste 7700
Téléc. : 418 364-7530
centre.envol@csrl.net
www.cfpenvol.qc.ca/carleton

5231 Comptabilité (DEP)
5298 Mécanique automobile (DEP)
5316 Assistance à la personne en établissement de santé (DEP)
5317 Assistance à la personne à domicile (DEP)
5321 Vente-conseil (DEP)
5323 Représentation (ASP)
5325 Santé, assistance et soins infirmiers (DEP)
5331 Mécanique d'engins de chantier (DEP)

185. C.F.P. La Relance
115, rue Mgr-Ross Ouest, C. P. 1268
Chandler (Québec) G0C 1K0
Tél. : 418 689-3911, poste 7100
Téléc. : 418 689-4260
centre.chandler@csrl.net
www.cfplarelance.com/cfpchandler

5229 Soutien informatique (DEP)

186. Cégep de la Gaspésie et des Îles
Campus de Carleton-sur-Baie-des-Chaleurs
776, boul. Perron, C.P. 1000
Carleton-sur-Mer (Québec) G0C 1J0
Tél. : 418 368-2201, poste 1626
Sans frais : 1 888 368-2201, poste 1626
Téléc. : 418 364-7938
servicesauxclienteles@cegepgim.ca
www.cegepgim.ca

180.A0 Soins infirmiers (DEC)
410.B0 Techniques de comptabilité et de gestion (DEC)
412.AA Techniques de bureautique, spécialisation Coordination du travail de bureau (DEC)

187. Cégep de la Gaspésie et des Îles
Campus de Gaspé
96, rue Jacques-Cartier
Gaspé (Québec) G4X 2S8
Tél. : 418 368-2201, poste 1626
Sans frais : 1 888 368-2201, poste 1626
Téléc. : 418 368-7069
servicesauxclienteles@cegepgim.ca
www.cegepgim.ca

180.A0 Soins infirmiers (DEC)

241.D0 Technologie de maintenance industrielle (DEC)
243.C0 Technologie de l'électronique industrielle (DEC)
322.A0 Techniques d'éducation à l'enfance (DEC)
351.A0 Techniques d'éducation spécialisée (DEC)
388.A0 Techniques de travail social (DEC)
410.B0 Techniques de comptabilité et de gestion (DEC)
412.AA Techniques de bureautique, spécialisation Coordination du travail de bureau (DEC)
420.AA Techniques de l'informatique, spécialisation Informatique de gestion (DEC)

188. Cégep de la Gaspésie et des Îles

Campus des Îles-de-la-Madeleine
15, ch. de la Piscine
L'Étang-du-Nord (Québec) G4T 3X4
Tél. : 418 368-2201, poste 1626
Sans frais : 1 888 368-2201, poste 1626
Téléc. : 418 986-6788
servicesauxclienteles@cegepgim.ca
www.cegepgim.ca

180.A0 Soins infirmiers (DEC)
410.B0 Techniques de comptabilité et de gestion (DEC)
412.AA Techniques de bureautique, spécialisation Coordination du travail de bureau (DEC)

RÉGION 12
CHAUDIÈRE-APPALACHES

CS DE LA BEAUCE-ETCHEMIN

189. Centre intégré de mécanique industrielle de la Chaudière (CIMIC)
11700, 25e Avenue
Saint-Georges (Québec) G5Y 8B8
Tél. : 418 228-1993
Téléc. : 418 228-1739
fpcimic@csbe.qc.ca
www.laFPpourMoi.com

5006 Mécanique d'entretien en commandes industrielles (ASP)
5195 Soudage-montage (DEP)
5223 Techniques d'usinage (DEP)
5224 Usinage sur machines-outils à commande numérique (ASP)
5225 Dessin industriel (DEP)

5260 Mécanique industrielle de construction et d'entretien (DEP)
5298 Mécanique automobile (DEP)

190. C.F. des Bâtisseurs Saint-Joseph
170, rue du Parc, C. P. 538
Saint-Joseph-de-Beauce (Québec) G0S 2V0
Tél. : 418 397-6514
Téléc. : 418 397-6457
cfp.st-joseph@csbe.qc.ca
www.laFPpourMoi.com

5311 Cuisine (DEP)

191. C.F. des Bâtisseurs Sainte-Marie
925, rte Saint-Martin
Sainte-Marie (Québec) G6E 1E6
Tél. : 418 387-8214
Téléc. : 418 386-1907
cfp.mariverain@csbe.qc.ca
www.laFPpourMoi.com

5231 Comptabilité (DEP)

192. C.F.P. Pozer
425, 16e Rue
Saint-Georges (Québec) G5Y 4W2
Tél. : 418 226-2685
Téléc. : 418 226-2637
fppozer@csbe.qc.ca
www.laFPpourMoi.com

5227 Secrétariat médical (ASP)
5231 Comptabilité (DEP)
5316 Assistance à la personne en établissement de santé (DEP)
5317 Assistance à la personne à domicile (DEP)
5319 Charpenterie-menuiserie (DEP)
5321 Vente-conseil (DEP)
5323 Représentation (ASP)
5325 Santé, assistance et soins infirmiers (DEP)

CS DE LA CÔTE-DU-SUD

193. C.F. agricole de Saint-Anselme
819, route Bégin
Saint-Anselme (Québec) G0R 2N0
Tél. : 418 885-4517
Téléc. : 418 885-4603
cfa@cscotesud.qc.ca
www.cfast-anselme.com

5070 Mécanique agricole (DEP)

194. C.F.P. L'Envolée
141, boul. Taché Est
Montmagny (Québec) G5V 1B9
Tél. : 418 248-2370
Téléc. : 418 248-2376
centrefpenvolee@cscotesud.qc.ca
www.cfpenvolee.com

5223 Techniques d'usinage (DEP)
5224 Usinage sur machines-outils à commande numérique (ASP)
5231 Comptabilité (DEP)
5268 Boucherie de détail (DEP)
5298 Mécanique automobile (DEP)
5311 Cuisine (DEP)
5316 Assistance à la personne en établissement de santé (DEP)
5325 Santé, assistance et soins infirmiers (DEP)

195. C.F.P. Le Tremplin
578, rue Monfette Est
Thetford Mines (Québec) G6G 7G9
Tél. : 418 335-2921
Téléc. : 418 335-5775
tremplincsa@csappalaches.qc.ca
www.cfpletremplin.com

5195 Soudage-montage (DEP)
5223 Techniques d'usinage (DEP)
5224 Usinage sur machines-outils à commande numérique (ASP)
5231 Comptabilité (DEP)
5234 Soudage haute pression (ASP)
5250 Dessin de bâtiment (DEP)
5260 Mécanique industrielle de construction et d'entretien (DEP)
5298 Mécanique automobile (DEP)
5316 Assistance à la personne en établissement de santé (DEP)
5317 Assistance à la personne à domicile (DEP)
5325 Santé, assistance et soins infirmiers (DEP)

CS DES NAVIGATEURS

196. C.F. en mécanique de véhicules lourds
2775, rue de l'Etchemin
Saint-Romuald (Québec) G6W 7X5
Tél. : 418 838-8542
Sans frais : 1 866 366-6661
Téléc. : 418 838-8489
cfmvl.st-romuald@csnavigateurs.qc.ca
www.cfmvl.qc.ca

5259 Mécanique de moteurs diesels et de contrôles électroniques (ASP)
5330 Mécanique de véhicules lourds routiers (DEP)
5331 Mécanique d'engins de chantier (DEP)

197. C.F. en montage de lignes
42, route Kennedy
Saint-Henri (Québec) G0R 3E0
Tél. : 418 834-2463
Sans frais : 1 866 366-6661
Téléc. : 418 882-0494
cfml.st-henri@csnavigateurs.qc.ca
www.cfmle.qc.ca

5185 Montage de lignes
      électriques (DEP)

198. C.F.P. de Lévis
30, rue Vincent-Chagnon
Lévis (Québec) G6V 4V6
Tél. : 418 838-8400
Sans frais : 1 866 366-6661
Téléc. : 418 838-8396
cfplevis@csnavigateurs.qc.ca
www.cfplevis.qc.ca

5195 Soudage-montage (DEP)
5234 Soudage haute pression
      (ASP)
5298 Mécanique automobile (DEP)
5316 Assistance à la personne en
      établissement de santé (DEP)
5317 Assistance à la personne à
      domicile (DEP)
5325 Santé, assistance et soins
      infirmiers (DEP)

199. C.F.P. Gabriel-Rousseau
1155, boul. de la Rive-Sud
Saint-Romuald (Québec) G6W 5M6
Tél. : 418 839-0508
Sans frais : 1 866 366-6661
Téléc. : 418 839-0504
cfpgr@csnavigateurs.qc.ca
www.cfpgabriel-rousseau.qc.ca

5231 Comptabilité (DEP)
5309 Gestion d'une entreprise de
      la construction (ASP)
5321 Vente-conseil (DEP)
5323 Représentation (ASP)

200. Cégep Beauce-
**   Appalaches**
1055, 116e Rue
Saint-Georges (Québec) G5Y 3G1
Tél. : 418 228-8896, poste 248
Sans frais : 1 800 893-5111,
poste 248
Téléc. : 418 228-0562
info@cegepba.qc.ca
www.cegepba.qc.ca

—   Éducation à l'enfance (AEC)
180.A0 Soins infirmiers (DEC)
221.B0 Technologie du génie civil
        (DEC)
235.B0 Technologie du génie
        industriel (DEC)
322.A0 Techniques d'éducation à
        l'enfance (DEC)
351.A0 Techniques d'éducation
        spécialisée (DEC)

410.B0 Techniques de comptabilité
        et de gestion (DEC)
420.AA Techniques de l'informa-
        tique, spécialisation
        Informatique de gestion
        (DEC)

201. Cégep de Lévis-Lauzon
205, Mgr-Bourget
Lévis (Québec) G6V 6Z9
Tél. : 418 833-5110, poste 3330
Téléc. : 418 833-8502
www.clevislauzon.qc.ca

Voir page 138

152.AA Gestion et exploitation
        d'entreprise agricole,
        spécialisation Productions
        animales (DEC)
180.A0 Soins infirmiers (DEC)
210.AA Techniques de laboratoire,
        spécialisation Biotechno-
        logies (DEC)
210.C0 Techniques de génie
        chimique (DEC)
221.A0 Technologie de l'architecture
        (DEC)
241.A0 Techniques de génie
        mécanique (DEC)
241.D0 Technologie de maintenance
        industrielle (DEC)
243.C0 Technologie de l'électronique
        industrielle (DEC)
388.A0 Techniques de travail social
        (DEC)
410.B0 Techniques de comptabilité
        et de gestion (DEC)
410.C0 Conseil en assurances et en
        services financiers (DEC)
412.AA Techniques de bureautique,
        spécialisation Coordination
        du travail de bureau (DEC)
420.AA Techniques de l'informa-
        tique, spécialisation
        Informatique de gestion
        (DEC)
420.AC Techniques de l'informa-
        tique, spécialisation Gestion
        de réseaux informatiques
        (DEC)
LCA.6A Assurance de dommages
        (AEC)

202. Cégep de Thetford
671, boul. Frontenac Ouest
Thetford Mines (Québec) G6G 1N1
Tél. : 418 338-8591, poste 227
Téléc. : 418 338-6691
ghuppe@cegepth.qc.ca
www.cegepth.qc.ca

—   Éducation à l'enfance (AEC)
180.A0 Soins infirmiers (DEC)
241.A0 Techniques de génie
        mécanique (DEC)
243.C0 Technologie de l'électronique
        industrielle (DEC)
351.A0 Techniques d'éducation
        spécialisée (DEC)

410.B0 Techniques de comptabilité
        et de gestion (DEC)
410.D0 Gestion de commerces (DEC)
412.AA Techniques de bureautique,
        spécialisation Coordination
        du travail de bureau (DEC)
420.AA Techniques de l'informa-
        tique, spécialisation
        Informatique de gestion
        (DEC)

203. Centre d'études
**   collégiales de**
**   Lac-Mégantic**
Cégep Beauce-Appalaches
3800, rue Cousineau
Lac-Mégantic (Québec) G6B 2A3
Tél. : 819 583-5432
Téléc. : 819 583-3588
ceclm@cegepba.qc.ca
www.cec.lacmegantic.qc.ca

180.A0 Soins infirmiers (DEC)
322.A0 Techniques d'éducation à
        l'enfance (DEC)
351.A0 Techniques d'éducation
        spécialisée (DEC)
410.B0 Techniques de comptabilité
        et de gestion (DEC)

204. Centre d'études
**   collégiales de Montmagny**
115, boul. Taché Est
Montmagny (Québec) G5V 1B9
Tél. : 418 248-7164, poste 103
Téléc. : 418 248-9484
information@cec.montmagny.qc.ca
www.cec.montmagny.qc.ca

—   Éducation à l'enfance (AEC)

RÉGION 13
LAVAL

205. Collège CDI
Campus de Laval
3, Place Laval, bur. 400
Laval (Québec) H7N 1A2
Tél. : 450 662-9090
Téléc. : 450 662-0741
www.cdicollege.com

5316 Assistance à la personne en
      établissement de santé (DEP)
5325 Santé, assistance et soins
      infirmiers (DEP)

CS DE LAVAL

206. C.F. Compétences-2000
777, avenue de Bois-de-Boulogne
Laval (Québec) H7N 4G1
Tél. : 450 662-7000, poste 2000
Téléc. : 450 662-5747
cfc2000@cslaval.qc.ca
www.cslaval.qc.ca/competences2000

5227	Secrétariat médical (ASP)
5225	Dessin industriel (DEP)
5231	Comptabilité (DEP)
5298	Mécanique automobile (DEP)
5316	Assistance à la personne en établissement de santé (DEP)
5317	Assistance à la personne à domicile (DEP)
5325	Santé, assistance et soins infirmiers (DEP)
5327	Décoration intérieure et présentation visuelle (DEP)

207. C.F. en métallurgie de Laval
155, boul. Sainte-Rose Est
Laval (Québec) H7H 1P2
Tél. : 450 662-7000, poste 2100
Téléc. : 450 963-9413
metallurgie@cslaval.qc.ca
www.cslaval.qc.ca/metallurgie

5195	Soudage-montage (DEP)
5234	Soudage haute pression (ASP)

208. C.F. Le Chantier
2875, boul. Industriel
Laval (Québec) H7L 3V8
Tél. : 450 662-7000, poste 2300
Téléc. : 450 662-7087
lechantier@cslaval.qc.ca
www.cslaval.qc.ca/lechantier

5303	Briquetage-maçonnerie (DEP)
5309	Gestion d'une entreprise de la construction (ASP)
5319	Charpenterie-menuiserie (DEP)

209. C.F.P. Paul-Émile-Dufresne
2525, boul. de la Renaissance
Laval (Québec) H7L 3Y2
Tél. : 450 662-7000, poste 2599
Téléc. : 450 628-7028
www.cslaval.qc.ca/paulemiledufresne

5229	Soutien informatique (DEP)
5321	Vente-conseil (DEP)
5323	Représentation (ASP)

210. École hôtelière de Laval
190, rue Roseval
Laval (Québec) H7L 2V6
Tél. : 450 662-7000, poste 2400
Téléc. : 450 963-3203
www.cslaval.qc.ca/ecolehoteliere

5311	Cuisine (DEP)
5314	Sommellerie (ASP)

211. École polymécanique de Laval
4095, boul. Lévesque Est
Laval (Québec) H7E 2R3
Tél. : 450 662-7000, poste 2600
Téléc. : 450 661-8159
polymecanique@cslaval.qc.ca
www.cslaval.qc.ca/polymecanique

5006	Mécanique d'entretien en commandes industrielles (ASP)
5260	Mécanique industrielle de construction et d'entretien (DEP)
5315	Réfrigération (DEP)

212. Institut de protection contre les incendies du Québec (IPIQ)
1750, montée Masson
Laval (Québec) H7E 4P2
Tél. : 450 686-6161, poste 2700
Sans frais : 1 877 626-6161
Téléc. : 450 686-6176
www.cslaval.qc.ca/ipiq

5322	Intervention en sécurité incendie (DEP)

CS SIR-WILFRID-LAURIER

213. CDC Laurier – Pont Viau
60, rue Lahaie
Laval (Québec) H7G 3A8
Tél. : 450 680-3032
Sans frais : 1 855 680-3032
Téléc. : 450 662-0870
infopontviau@swlauriersb.qc.ca
www.laformationbilingue.ca

5227	Secrétariat médical (ASP)
5229	Soutien informatique (DEP)
5231	Comptabilité (DEP)
5316	Assistance à la personne en établissement de santé (DEP)
5317	Assistance à la personne à domicile (DEP)
5321	Vente-conseil (DEP)
5325	Santé, assistance et soins infirmiers (DEP)

214. Collège Montmorency
475, boul. de l'Avenir
Laval (Québec) H7N 5H9
Tél. : 450 975-6100, poste 6309
Téléc. : 450 975-6306
info.programmes@cmontmorency.qc.ca
www.cmontmorency.qc.ca

—	Éducation à l'enfance (AEC)
120.A0	Techniques de diététique (DEC)
144.B0	Techniques d'orthèses et de prothèses orthopédiques (DEC)
180.A0	Soins infirmiers (DEC)
221.A0	Technologie de l'architecture (DEC)
221.B0	Technologie du génie civil (DEC)
221.DA	Technologie de l'estimation et de l'évaluation du bâtiment, spécialisation Estimation en construction (DEC)
221.DB	Technologie de l'estimation et de l'évaluation du bâtiment, spécialisation Évaluation immobilière (DEC)
243.BB	Technologie de l'électronique, spécialisation Ordinateurs et réseaux (DEC)
243.C0	Technologie de l'électronique industrielle (DEC)
322.A0	Techniques d'éducation à l'enfance (DEC)
410.B0	Techniques de comptabilité et de gestion (DEC)
410.C0	Conseil en assurances et en services financiers (DEC)
410.D0	Gestion de commerces (DEC)
412.AB	Techniques de bureautique, spécialisation Micro-édition et hypermédia (DEC)
420.AA	Techniques de l'informatique, spécialisation Informatique de gestion (DEC)
420.AC	Techniques de l'informatique, spécialisation Gestion de réseaux informatiques (DEC)
LCA.6A	Assurance de dommages (AEC)

RÉGION 14
LANAUDIÈRE

CS DES AFFLUENTS

215. C.F.P. des Moulins
2525, boul. des Entreprises
Terrebonne (Québec) J6X 4J9
Tél. : 450 492-3551, poste 2536
Téléc. : 450 968-2267
cfp-Des-Moulins@csaffluents.qc.ca
www.cfpmoulins.qc.ca

5223 Techniques d'usinage (DEP)
5224 Usinage sur machines-outils
à commande numérique
(ASP)
5231 Comptabilité (DEP)
5260 Mécanique industrielle de
construction et d'entretien
(DEP)

216. C.F.P. des Riverains
120, rue Valmont
Repentigny (Québec) J5Y 1N9
Tél. : 450 492-3538, poste 6200
Téléc. : 450 581-3026
cfp-Des-Riverains@csaffluents.qc.ca
www.cfpriverains.qc.ca

5229 Soutien informatique (DEP)
5231 Comptabilité (DEP)
5321 Vente-conseil (DEP)
5323 Représentation (ASP)
5250 Dessin de bâtiment (DEP)

CS DES SAMARES

217. Académie d'hôtellerie et
de tourisme Lanaudière
355, Sir-Mathias-Tellier
Joliette (Québec) J6E 6E6
Tél. : 450 758-3616 Inscription
Téléc. : 450 755-7347
formation.professionnelle@
cssamares.qc.ca

5268 Boucherie de détail (DEP)
5311 Cuisine (DEP)

218. Centre multiservice des
Samares
Pavillon de l'Argile
918, rue Ladouceur
Joliette (Québec) J6E 3W7
Tél. : 450 758-3616
Téléc. : 450 755-7347
formation.professionnelle@
cssamares.qc.ca
www.centremultiservice.ca

5070 Mécanique agricole (DEP)
5195 Soudage-montage (DEP)
5223 Techniques d'usinage (DEP)

5224 Usinage sur machines-outils
à commande numérique
(ASP)
5227 Secrétariat médical (ASP)
5231 Comptabilité (DEP)
5298 Mécanique automobile (DEP)

219. Centre multiservice des
Samares
Pavillon de la santé
455, Base de Roc
Joliette (Québec) J6E 5P3
Tél. : 450 758-3616 Inscription
Téléc. : 450 755-7347
formation.professionnelle@
cssamares.qc.ca
www.centremultiservice.ca

5302 Assistance technique en
pharmacie (DEP)
5316 Assistance à la personne en
établissement de santé (DEP)
5317 Assistance à la personne à
domicile (DEP)
5325 Santé, assistance et soins
infirmiers (DEP)

220. Centre multiservice
des Samares
Pavillon Montcalm
570, Côte Jeanne
Saint-Lin-Laurentides (Québec)
J0R 1C0
Tél. : 450 439-5777
Téléc. : 450 439-8017
PavillonMontcalm@cssamares.qc.ca
www.centremultiservice.ca

5195 Soudage-montage (DEP)
5231 Comptabilité (DEP)

221. Centre multiservice
des Samares
Pavillon St-Esprit
40, rue des Écoles
Saint-Esprit (Québec) J0K 2L0
Tél. : 450 758-3639 ou
450 758-3616 Inscription
Téléc. : 450 755-7347
formation.professionnelle@
cssamares.qc.ca
www.centremultiservice.ca

5316 Assistance à la personne en
établissement de santé (DEP)
5317 Assistance à la personne à
domicile (DEP)
5325 Santé, assistance et soins
infirmiers (DEP)

222. Cégep régional de
Lanaudière (Joliette)
20, rue Saint-Charles Sud
Joliette (Québec) J6E 4T1
Tél. : 450 759-1661
Téléc. : 450 759-4468
joliette@collanaud.qc.ca
www.cegep-lanaudiere.qc.ca/
college-joliette

152.AA Gestion et exploitation
d'entreprise agricole,
spécialisation Productions
animales (DEC)
154.A0 Technologie de la
transformation des aliments
(DEC)
180.A0 Soins infirmiers (DEC)
221.B0 Technologie du génie civil
(DEC)
243.BB Technologie de
l'électronique, spécialisation
Ordinateurs et réseaux (DEC)
351.A0 Techniques d'éducation
spécialisée (DEC)
410.B0 Techniques de comptabilité
et de gestion (DEC)
410.D0 Gestion de commerces (DEC)
412.AA Techniques de bureautique,
spécialisation Coordination
du travail de bureau (DEC)
420.AA Techniques de l'informatique, spécialisation
Informatique de gestion
(DEC)
LCA.6A Assurance de dommages
(AEC)

223. Cégep régional de
Lanaudière
(L'Assomption)
180, rue Dorval
L'Assomption (Québec) J5W 6C1
Tél. : 450 470-0922
Téléc. : 450 589-8926
lassomption@collanaud.qc.ca
www.cegep-lanaudiere.qc.ca/
college-l-assomption

— Éducation à l'enfance (AEC)
310.C0 Techniques juridiques (DEC)
322.A0 Techniques d'éducation à
l'enfance (DEC)
410.B0 Techniques de comptabilité
et de gestion (DEC)
410.C0 Conseil en assurances et en
services financiers (DEC)
LCA.6A Assurance de dommages
(AEC)

224. **Cégep régional de Lanaudière (Terrebonne)**
2505, boul. des Entreprises
Terrebonne (Québec) J6X 5S5
Tél. : 450 470-0933
Téléc. : 450 477-6933
terrebonne@collanaud.qc.ca
www.cegep-lanaudiere.qc.ca/
college-terrebonne

— Éducation à l'enfance (AEC)
243.C0 Technologie de l'électronique
industrielle (DEC)
388.A0 Techniques de travail social
(DEC)
410.B0 Techniques de comptabilité
et de gestion (DEC)
570.C0 Techniques de design
industriel (DEC)
LCA.6A Assurance de dommages
(AEC)

RÉGION 15
LAURENTIDES

225. **Académie des pompiers**
9401, Côte-des-Saints
Mirabel (Québec) J7N 2X4
Tél. : 450 258-4460
Téléc. : 450 258-4558
http://academiedespompiers.ca

5322 Intervention en sécurité
incendie (DEP)

CS DE LA RIVIÈRE-DU-NORD

226. **Centre d'études professionnelles Saint-Jérôme**
917, montée Saint-Nicolas
Saint-Jérôme (Québec) J5L 2P4
Tél. : 450 565-0006
Téléc. : 450 565-8422
www.csrdn.qc.ca/cep

5195 Soudage-montage (DEP)
5223 Techniques d'usinage (DEP)
5225 Dessin industriel (DEP)
5231 Comptabilité (DEP)
5298 Mécanique automobile (DEP)
5321 Vente-conseil (DEP)
5330 Mécanique de véhicules
lourds routiers (DEP)

227. **C.F.P. Performance Plus**
462, av. Argenteuil
Lachute (Québec) J8H 1W9
Tél. : 450 566-7587
Téléc. : 450 562-7722
www.csrdn.qc.ca/pplus

5231 Comptabilité (DEP)

5260 Mécanique industrielle de
construction et d'entretien
(DEP)
5302 Assistance technique en
pharmacie (DEP)
5316 Assistance à la personne en
établissement de santé (DEP)
5317 Assistance à la personne à
domicile (DEP)
5325 Santé, assistance et soins
infirmiers (DEP)

CS DE LA SEIGNEURIE-DES-MILLE-ÎLES

228. **C.F. agricole de Mirabel**
9850, rue Belle-Rivière
Mirabel (Québec) J7N 2X8
Tél. : 450 434-8150, poste 5741
Téléc. : 450 258-4197
info.cfam@cssmi.qc.ca
www.cfam.qc.ca

5070 Mécanique agricole (DEP)
152.AA Gestion et exploitation
d'entreprise agricole,
spécialisation Productions
animales (DEC)

229. **C.F. des Nouvelles-Technologies**
75, rue Duquet
Sainte-Thérèse (Québec) J7E 5R8
Tél. : 450 433-5480, poste 5861
Téléc. : 450 433-5485
infocfnt@cssmi.qc.ca
www.cfnt.qc.ca

5229 Soutien informatique (DEP)
5231 Comptabilité (DEP)
5250 Dessin de bâtiment (DEP)
5321 Vente-conseil (DEP)
5323 Représentation (ASP)
5327 Décoration intérieure et
présentation visuelle (DEP)

230. **C.F.P. de l'automobile de Sainte-Thérèse**
301, boul. Du Domaine
Sainte-Thérèse (Québec) J7E 4S4
Tél. : 450 433-5435, poste 5891
Téléc. : 450 433-8606
info.cfpa@cssmi.qc.ca
www.cfpauto.com

5258 Service-conseil à la clientèle
en équipement motorisé
(DEP)
5298 Mécanique automobile (DEP)

231. **C.F.P. L'Émergence**
1415, chemin de l'Avenir
Deux-Montagnes (Québec) J7R 7B4
Tél. : 450 623-3079, poste 5901
Téléc. : 450 623-4608
emergence@cssmi.qc.ca
www.lemergence.qc.ca

5223 Techniques d'usinage (DEP)
5224 Usinage sur machines-outils
à commande numérique
(ASP)
5231 Comptabilité (DEP)
5311 Cuisine (DEP)
5316 Assistance à la personne en
établissement de santé (DEP)
5317 Assistance à la personne à
domicile (DEP)
5321 Vente-conseil (DEP)
5325 Santé, assistance et soins
infirmiers (DEP)

CS DES LAURENTIDES

232. **C.F.P. des Sommets**
36, rue Brissette
Sainte-Agathe-des-Monts (Québec)
J8C 1T4
Tél. : 819 326-8911
Téléc. : 819 326-5515
dessommets@cslaurentides.qc.ca
www.formationprofessionnelle.qc.ca

5231 Comptabilité (DEP)
5238 Arpentage et topographie
(DEP)
5316 Assistance à la personne en
établissement de santé (DEP)
5317 Assistance à la personne à
domicile (DEP)
5321 Vente-conseil (DEP)
5325 Santé, assistance et soins
infirmiers (DEP)

233. **C.F.P. L'Horizon**
617, boul. Docteur-Gervais
Mont-Tremblant (Québec) J8E 2T3
Tél. : 819 429-4100
Téléc. : 819 425-5293
lhorizon@cslaurentides.qc.ca
www.formationprofessionnelle.qc.ca

5319 Charpenterie-menuiserie
(DEP)

234. **École hôtelière Des Laurentides**
150, rue Lesage
Sainte-Adèle (Québec) J8B 2R4
Tél. : 450 240-6222, poste 3202
Téléc. : 450 229-5771
hoteliere@cslaurentides.qc.ca
www.ecolehotelierelaurentides.com

5268 Boucherie de détail (DEP)
5311 Cuisine (DEP)
5314 Sommellerie (ASP)

CS PIERRE-NEVEU

235. C.F.P. Mont-Laurier
850, rue Taché
Mont-Laurier (Québec) J9L 2K2
Tél. : 819 623-4111
Sans frais : 1 866 314-4111
Téléc. : 819 623-3049
www.cfpml.qc.ca

5231 Comptabilité (DEP)
5316 Assistance à la personne en établissement de santé (DEP)
5317 Assistance à la personne à domicile (DEP)
5325 Santé, assistance et soins infirmiers (DEP)
5331 Mécanique d'engins de chantier (DEP)

CS SIR-WILFRID-LAURIER

236. CDC Laurier – Lachute
171, rue Mary
Lachute (Québec) J8H 2C1
Tél. : 450 562-3721
Sans frais : 1 877 688-2933, poste 3315
Téléc. : 450 562-5738
infolachute@swlauriersb.qc.ca
www.laformationbilingue.ca

5260 Mécanique industrielle de construction et d'entretien (DEP)

237. CDC Laurier – Saint-Eustache
670, boul. Industriel
Saint-Eustache (Québec) J7R 5V3
Tél. : 450 680-3032
Sans frais : 1 855 680-3032
Téléc. : 450 662-0870
infopontviau@swlauriersb.qc.ca
www.laformationbilingue.ca

5319 Charpenterie-menuiserie (DEP)

238. Cégep de Saint-Jérôme
455, rue Fournier
Saint-Jérôme (Québec) J7Z 4V2
Tél. : 450 436-1580, poste 111
Sans frais : 1 877 450-2785
Téléc. : 450 565-6626
communications-et-promotion@cstj.qc.ca
www.cstj.qc.ca

— Éducation à l'enfance (AEC)
140.B0 Technologie d'analyses biomédicales (DEC)
180.A0 Soins infirmiers (DEC)
241.A0 Techniques de génie mécanique (DEC)
322.A0 Techniques d'éducation à l'enfance (DEC)

351.A0 Techniques d'éducation spécialisée (DEC)
388.A0 Techniques de travail social (DEC)
410.B0 Techniques de comptabilité et de gestion (DEC)
410.D0 Gestion de commerces (DEC)
420.AA Techniques de l'informatique, spécialisation Informatique de gestion (DEC)
582.A1 Techniques d'intégration multimédia (DEC)
LCA.6A Assurance de dommages (AEC)

239. Centre collégial de Mont-Laurier
700, rue Parent
Mont-Laurier (Québec) J9L 2K1
Tél. : 819 623-1525
Sans frais : 1 877 450-2785
Téléc. : 819 623-4749
www.cstj.qc.ca

180.A0 Soins infirmiers (DEC)
351.A0 Techniques d'éducation spécialisée (DEC)
410.B0 Techniques de comptabilité et de gestion (DEC)
410.D0 Gestion de commerces (DEC)

240. Collège Lionel-Groulx
100, rue Duquet
Sainte-Thérèse (Québec) J7E 3G6
Tél. : 450 430-3120
Téléc. : 450 971-7883
www.clg.qc.ca

— Éducation à l'enfance (AEC)
145.A0 Techniques de santé animale (DEC)
152.AA Gestion et exploitation d'entreprise agricole, spécialisation Productions animales (DEC)
235.B0 Technologie du génie industriel (DEC)
243.BA Technologie de l'électronique, spécialisation Télécommunications (DEC)
243.BB Technologie de l'électronique, spécialisation Ordinateurs et réseaux (DEC)
410.B0 Techniques de comptabilité et de gestion (DEC)
410.D0 Gestion de commerces (DEC)
412.AA Techniques de bureautique, spécialisation Coordination du travail de bureau (DEC)
420.AA Techniques de l'informatique, spécialisation Informatique de gestion (DEC)

RÉGION 16 MONTÉRÉGIE

241. Collège de comptabilité et de secrétariat du Québec Campus de Longueuil inc.
910, boul. Curé-Poirier Ouest
Longueuil (Québec) J4K 2C7
Tél. : 450 670-5060
Sans frais : 1 877 670-5060
Téléc. : 450 670-5066
longueuil@ccsq.ca
www.ccsq.ca

5227 Secrétariat médical (ASP)
5231 Comptabilité (DEP)
5321 Vente-conseil (DEP)

CS DE LA VALLÉE-DES-TISSERANDS

242. C.F.P. de la Pointe-du-Lac
455, rue Jacques-Cartier
Salaberry-de-Valleyfield (Québec) J6T 6L9
Tél. : 450 371-2009
Téléc. : 450 371-1157
cfppdulac@csvt.qc.ca
www.csvt.qc.ca/cfp/pte_lac

5195 Soudage-montage (DEP)
5231 Comptabilité (DEP)
5260 Mécanique industrielle de construction et d'entretien (DEP)
5268 Boucherie de détail (DEP)
5316 Assistance à la personne en établissement de santé (DEP)
5321 Vente-conseil (DEP)
5325 Santé, assistance et soins infirmiers (DEP)

CS DE SAINT-HYACINTHE

243. École professionnelle de Saint-Hyacinthe
1455, boul. Casavant Est
Saint-Hyacinthe (Québec) J2S 8S8
Tél. : 450 773-8400, poste 6601
Téléc. : 450 771-0277
info@epsh.qc.ca
www.epsh.qc.ca

5070 Mécanique agricole (DEP)
5223 Techniques d'usinage (DEP)
5224 Usinage sur machines-outils à commande numérique (ASP)
5231 Comptabilité (DEP)
5250 Dessin de bâtiment (DEP)
5286 Plâtrage (DEP)
5298 Mécanique automobile (DEP)
5303 Briquetage-maçonnerie (DEP)

5316   Assistance à la personne en
      établissement de santé (DEP)
5317   Assistance à la personne à
      domicile (DEP)
5319   Charpenterie-menuiserie
      (DEP)
5321   Vente-conseil (DEP)
5323   Représentation (ASP)
5325   Santé, assistance et soins
      infirmiers (DEP)
5327   Décoration intérieure et
      présentation visuelle (DEP)

CS DE SOREL-TRACY

244.   Centre Bernard-Gariépy
5105, boul. des Étudiants
Sorel-Tracy (Québec) J3R 4K7
Tél. : 450 743-1284
Téléc. : 450 743-1872
www.formationsorel-tracy.qc.ca

5006   Mécanique d'entretien en
      commandes industrielles
      (ASP)
5223   Techniques d'usinage (DEP)
5224   Usinage sur machines-outils
      à commande numérique
      (ASP)
5225   Dessin industriel (DEP)
5260   Mécanique industrielle de
      construction et d'entretien
      (DEP)
5316   Assistance à la personne en
      établissement de santé (DEP)
5325   Santé, assistance et soins
      infirmiers (DEP)

245.   C.F.P. de Sorel-Tracy
2725, boul. de Tracy
Sorel-Tracy (Québec) J3R 1C2
Tél. : 450 743-1285
Téléc. : 450 743-2307
www.formationsorel-tracy.qc.ca

5195   Soudage-montage (DEP)
5231   Comptabilité (DEP)
5234   Soudage haute pression
      (ASP)

CS DES GRANDES-SEIGNEURIES

**246.   C.F. Compétence de
        la Rive-Sud**
399, rue Conrad-Pelletier
La Prairie (Québec) J5R 4V1
Tél. : 514 380-8899, poste 4851
Téléc. : 450 659-2315
competencers@csdgs.qc.ca
www.competence-rs.com

5231   Comptabilité (DEP)
5258   Service-conseil à la clientèle
      en équipement motorisé
      (DEP)
5298   Mécanique automobile (DEP)

5321   Vente-conseil (DEP)
5323   Représentation (ASP)

**247.   École de formation
        professionnelle de
        Châteauguay**
225, boul. Brisebois
Châteauguay (Québec) J6K 3X4
Tél. : 514 380-8899, poste 4881
Téléc. : 450 692-0970
efpc@csdgs.qc.ca
www.efpc.qc.ca

5227   Secrétariat médical (ASP)
5229   Soutien informatique (DEP)
5231   Comptabilité (DEP)
5302   Assistance technique en
      pharmacie (DEP)
5316   Assistance à la personne en
      établissement de santé (DEP)
5317   Assistance à la personne à
      domicile (DEP)
5319   Charpenterie-menuiserie
      (DEP)

CS DES HAUTES-RIVIÈRES

**248.   C.F.P. Chanoine-Armand-
        Racicot**
940, boul. de Normandie
Saint-Jean-sur-Richelieu (Québec)
J3A 1A7
Tél. : 450 348-6134
Téléc. : 450 348-0417
http://fpracicot.e.csdhr.qc.ca

5231   Comptabilité (DEP)
5311   Cuisine (DEP)
5316   Assistance à la personne en
      établissement de santé (DEP)
5317   Assistance à la personne à
      domicile (DEP)
5325   Santé, assistance et soins
      infirmiers (DEP)

**249.   École professionnelle
        de métiers**
100, rue Laurier
Saint-Jean-sur-Richelieu (Québec)
J3B 2Y5
Tél. : 450 347-3797
Téléc. : 450 347-8632
epm@csdhr.qc.ca
www.csdhr.qc.ca/epm

5195   Soudage-montage (DEP)
5223   Techniques d'usinage (DEP)
5225   Dessin industriel (DEP)
5238   Arpentage et topographie
      (DEP)
5298   Mécanique automobile (DEP)

CS DES PATRIOTES

250.   C.F.P. des Patriotes
2121, rue Darwin
Sainte-Julie (Québec) J3E 0C9
Tél. : 450 645-2370
Sans frais : 1 877 449-2919
Téléc. : 450 649-8880
cfp@csp.qc.ca
http://cfpp.ca

Voir page 79

5229   Soutien informatique (DEP)
5231   Comptabilité (DEP)
5268   Boucherie de détail (DEP)
5302   Assistance technique en
      pharmacie (DEP)
5316   Assistance à la personne en
      établissement de santé (DEP)
5321   Vente-conseil (DEP)
5323   Représentation (ASP)
5325   Santé, assistance et soins
      infirmiers (DEP)

CS DES TROIS-LACS

251.   Atelier-École Les Cèdres
1587, ch. Saint-Dominique
Les Cèdres (Québec) J7T 1K8
Tél. : 450 477-7020
Sans frais : 1 888 452-4316
Téléc. : 450 452-4556
atelierlescedres@cstrois-lacs.qc.ca
www.aelc.cstrois-lacs.qc.ca

5248   Conduite de grues (DEP)

252.   C.F.P. Paul-Gérin-Lajoie
400, av. Saint-Charles
Vaudreuil-Dorion (Québec) J7V 6B1
Tél. : 514 477-7020, poste 5325
Téléc. : 450 455-2211
p.g.l@cstrois-lacs.qc.ca
www.pgl.cstrois-lacs.qc.ca

Voir page 8

5223   Techniques d'usinage (DEP)
5224   Usinage sur machines-outils
      à commande numérique
      (ASP)
5231   Comptabilité (DEP)
5259   Mécanique de moteurs
      diesels et de contrôles
      électroniques (ASP)
5330   Mécanique de véhicules
      lourds routiers (DEP)
5331   Mécanique d'engins de
      chantier (DEP)

CS DU VAL-DES-CERFS

253. Centre de formation professionnelle Campus de Brome-Missisquoi
180, rue Adélard-Godbout
Cowansville (Québec) J2K 3X9
Tél. : 450 263-7901
Téléc. : 450 263-0985

5195 Soudage-montage (DEP)
5223 Techniques d'usinage (DEP)
5231 Comptabilité (DEP)
5260 Mécanique industrielle de construction et d'entretien (DEP)
5311 Cuisine (DEP)

254. Centre régional intégré de formation (C.R.I.F.)
700, rue Denison Ouest
Granby (Québec) J2G 4G3
Tél. : 450 378-8544
Téléc. : 450 378-9585
a070@csvdc.qc.ca
www.crif.csvdc.qc.ca

5223 Techniques d'usinage (DEP)
5224 Usinage sur machines-outils à commande numérique (ASP)
5231 Comptabilité (DEP)
5298 Mécanique automobile (DEP)
5316 Assistance à la personne en établissement de santé (DEP)
5325 Santé, assistance et soins infirmiers (DEP)

CS EASTERN TOWNSHIPS

255. Vocational Education Centre – Cowansville Campus
200, rue Adélard-Godbout
Cowansville (Québec) J2K 3X9
Tél. : 450 263-3726
Téléc. : 450 266-1015
www.etsb.qc.ca/vocationalcowansville/default.htm

5195 Soudage-montage (DEP)
5223 Techniques d'usinage (DEP)
5231 Comptabilité (DEP)
5260 Mécanique industrielle de construction et d'entretien (DEP)
5311 Cuisine (DEP)

CS MARIE-VICTORIN

256. C.F.P. Charlotte-Tassé
2101, rue Lavallée
Longueuil (Québec) J4J 4E7
Tél. : 450 550-8007
Téléc. : 450 468-3252
centre_charlotte_tasse@csmv.qc.ca

5316 Assistance à la personne en établissement de santé (DEP)
5325 Santé, assistance et soins infirmiers (DEP)

257. C.F.P. Jacques-Rousseau
444, boul. Gentilly Est
Longueuil (Québec) J4H 3X7
Tél. : 450 651-6800
Téléc. : 450 651-3321
http://centrejacquesrousseau.csmv.qc.ca

5268 Boucherie de détail (DEP)
5311 Cuisine (DEP)

258. C.F.P. Pierre-Dupuy
1150, ch. du Tremblay
Longueuil (Québec) J4N 1A2
Tél. : 450 468-4000
Téléc. : 450 468-1327
www.pierredupuy.qc.ca

5195 Soudage-montage (DEP)
5223 Techniques d'usinage (DEP)
5224 Usinage sur machines-outils à commande numérique (ASP)
5227 Secrétariat médical (ASP)
5231 Comptabilité (DEP)
5250 Dessin de bâtiment (DEP)
5303 Briquetage-maçonnerle (DEP)
5309 Gestion d'une entreprise de la construction (ASP)
5315 Réfrigération (DEP)
5319 Charpenterie-menuiserie (DEP)
5321 Vente-conseil (DEP)
5323 Représentation (ASP)
5327 Décoration intérieure et présentation visuelle (DEP)

CS NEW FRONTIERS

259. C.F.P. Chateauguay-Valley
46, rue Roy
Ormstown (Québec) J0S 1K0
Tél. : 450 829-2396
Téléc. : 450 829-2398
cvcec@csnewfrontiers.qc.ca
www.valleycareer.net

5231 Comptabilité (DEP)
5317 Assistance à la personne à domicile (DEP)

5319 Charpenterie-menuiserie (DEP)

260. Nova Career Centre
70, Maple
Châteauguay (Québec) J6J 3P8
Tél. : 450 691-2540
Téléc. : 450 699-0734
info@novacareer.com
www.novacareer.com

5195 Soudage-montage (DEP)
5231 Comptabilité (DEP)
5234 Soudage haute pression (ASP)
5250 Dessin de bâtiment (DEP)
5298 Mécanique automobile (DEP)
5327 Décoration intérieure et présentation visuelle (DEP)

CS RIVERSIDE

261. Centre ACCESS
163, rue Cleghorn
Saint-Lambert (Québec) J4R 2J4
Tél. : 450 676-1843
Téléc. : 450 676-1350
cvachon@rsb.qc.ca
www.access.rsb.qc.ca

5231 Comptabilité (DEP)
5302 Assistance technique en pharmacie (DEP)
5303 Briquetage-maçonnerie (DEP)
5316 Assistance à la personne en établissement de santé (DEP)
5317 Assistance à la personne à domicile (DEP)
5321 Vente-conseil (DEP)
5323 Représentation (ASP)
5325 Santé, assistance et soins infirmiers (DEP)

262. Institut de formation Santérégie
3649, chemin de Chambly
Longueuil (Québec) J4L 1N9
Tél. : 450 674-4774
Téléc. : 450 674-2073
admission@ifsanteregie.ca
www.ifsanteregie.ca

5316 Assistance à la personne en établissement de santé (DEP)
5325 Santé, assistance et soins infirmiers (DEP)

263. Cégep de Granby – Haute-Yamaska
235, rue Saint-Jacques, C.P. 7000
Granby (Québec) J2G 3N1
Tél. : 450 372-6614, poste 1304
Téléc. : 450 372-6565
www.cegepgranby.qc.ca

— Éducation à l'enfance (AEC)

180.A0 Soins infirmiers (DEC)
235.B0 Technologie du génie
industriel (DEC)
243.C0 Technologie de l'électronique
industrielle (DEC)
351.A0 Techniques d'éducation
spécialisée (DEC)
410.B0 Techniques de comptabilité
et de gestion (DEC)
410.D0 Gestion de commerces (DEC)
414.AB Techniques de tourisme,
spécialisation Mise en valeur
de produits touristiques
(DEC)
420.AA Techniques de l'informatique, spécialisation
Informatique de gestion
(DEC)

264.   Cégep de Saint-Hyacinthe
3000, av. Boullé
Saint-Hyacinthe (Québec) J2S 1H9
Tél. : 450 773-6800
Téléc. : 450 773-9971
info@cegepsth.qc.ca
www.cegepsth.qc.ca

—   Éducation à l'enfance (AEC)
111.A0 Techniques d'hygiène
dentaire (DEC)
120.A0 Techniques de diététique
(DEC)
140.B0 Technologie d'analyses
biomédicales (DEC)
145.A0 Techniques de santé animale
(DEC)
180.A0 Soins infirmiers (DEC)
181.A0 Soins préhospitaliers
d'urgence (DEC)
210.AA Techniques de laboratoire,
spécialisation
Biotechnologies (DEC)
221.C0 Technologie de la mécanique
du bâtiment (DEC)
322.A0 Techniques d'éducation à
l'enfance (DEC)
410.B0 Techniques de comptabilité
et de gestion (DEC)
410.D0 Gestion de commerces (DEC)
420.AA Techniques de l'informatique, spécialisation
Informatique de gestion
(DEC)
420.AC Techniques de
l'informatique, spécialisation
Gestion de réseaux
informatiques (DEC)

265.   Cégep de Sorel-Tracy
3000, boul. de Tracy
Sorel-Tracy (Québec) J3R 5B9
Tél. : 450 742-6651, poste 2605
Téléc. : 450 742-1878
info@cegepst.qc.ca
www.cegepst.qc.ca

—   Éducation à l'enfance (AEC)
180.A0 Soins infirmiers (DEC)
241.A0 Techniques de génie
mécanique (DEC)

243.C0 Technologie de l'électronique
industrielle (DEC)
260.B0 Environnement, hygiène et
sécurité au travail (DEC)
351.A0 Techniques d'éducation
spécialisée (DEC)
410.B0 Techniques de comptabilité
et de gestion (DEC)
412.AA Techniques de bureautique,
spécialisation Coordination
du travail de bureau (DEC)
420.AA Techniques de l'informatique, spécialisation
Informatique de gestion
(DEC)
LCA.6A Assurance de dommages
(AEC)

**266.   Cégep Saint-Jean-sur-
Richelieu**
30, boul. du Séminaire Nord
Saint-Jean-sur-Richelieu (Québec)
J3B 5J4
Tél. : 450 347-5301
Téléc. : 450 358-9350
communications@cstjean.qc.ca
www.cstjean.qc.ca

140.B0 Technologie d'analyses
biomédicales (DEC)
152.AA Gestion et exploitation
d'entreprise agricole,
spécialisation Productions
animales (DEC)
180.A0 Soins infirmiers (DEC)
241.A0 Techniques de génie
mécanique (DEC)
243.BB Technologie de
l'électronique, spécialisation
Ordinateurs et réseaux (DEC)
388.A0 Techniques de travail social
(DEC)
410.B0 Techniques de comptabilité
et de gestion (DEC)
410.D0 Gestion de commerces (DEC)
420.AA Techniques de l'informatique, spécialisation
Informatique de gestion
(DEC)

**267.   Champlain Regional
College**
Campus Saint-Lambert
900, rue Riverside
Saint-Lambert (Québec) J4P 3P2
Tél. : 450 672-7360
Téléc. : 450 672-9299
www.champlainonline.com

180.A0 Soins infirmiers (DEC)
410.B0 Techniques de comptabilité
et de gestion (DEC)
412.AB Techniques de bureautique,
spécialisation Micro-édition
et hypermédia (DEC)
420.AA Techniques de l'informatique, spécialisation
Informatique de gestion
(DEC)

420.AC Techniques de l'informatique, spécialisation Gestion
de réseaux informatiques
(DEC)

268.   Collège de Valleyfield
169, rue Champlain
Salaberry-de-Valleyfield (Québec)
J6T 1X6
Tél. : 450 373-9441, poste 253
Téléc. : 450 373-7719
communication@colval.qc.ca
www.colval.qc.ca

Voir page 189

141.A0 Techniques d'inhalothérapie
(DEC)
180.A0 Soins infirmiers (DEC)
241.A0 Techniques de génie
mécanique (DEC)
243.C0 Technologie de l'électronique
industrielle (DEC)
310.C0 Techniques juridiques (DEC)
322.A0 Techniques d'éducation à
l'enfance (DEC)
351.A0 Techniques d'éducation
spécialisée (DEC)
410.B0 Techniques de comptabilité
et de gestion (DEC)
410.D0 Gestion de commerces (DEC)
412.AA Techniques de bureautique,
spécialisation Coordination
du travail de bureau (DEC)
420.AA Techniques de l'informatique, spécialisation
Informatique de gestion
(DEC)

**269.   Collège Édouard-
Montpetit**
Campus de Longueuil
945, ch. de Chambly
Longueuil (Québec) J4H 3M6
Tél. : 450 679-2631, poste 2407
Téléc. : 450 679-4863
api@college-em.qc.ca
www.college-em.qc.ca

—   Éducation à l'enfance (AEC)
110.B0 Techniques de denturologie
(DEC)
111.A0 Techniques d'hygiène
dentaire (DEC)
142.A0 Technologie de
radiodiagnostic (DEC)
160.A0 Techniques d'orthèses
visuelles (DEC)
180.A0 Soins infirmiers (DEC)
243.BA Technologie de l'électronique, spécialisation
Télécommunications (DEC)
322.A0 Techniques d'éducation à
l'enfance (DEC)
410.B0 Techniques de comptabilité
et de gestion (DEC)
410.D0 Gestion de commerces (DEC)
412.AB Techniques de bureautique,
spécialisation Micro-édition
et hypermédia (DEC)

420.AA Techniques de l'informatique, spécialisation
Informatique de gestion
(DEC)
420.AC Techniques de
l'informatique, spécialisation
Gestion de réseaux
informatiques (DEC)
582.A1 Techniques d'intégration
multimédia (DEC)

**270.   École nationale
d'aérotechnique**
Collège Édouard-Montpetit
5555, place de la Savane
Saint-Hubert (Québec) J3Y 8Y9
Tél. : 450 678-3561, poste 4215
Sans frais : 1 800 897-4687
Téléc. : 450 678-2169
ena.api@college-em.qc.ca
www.college-em.qc.ca/ena

280.B0 Techniques de construction
aéronautique (DEC)

**271.   Institut de technologie
agroalimentaire (ITA)**
Campus de Saint-Hyacinthe
3230, rue Sicotte, C.P. 70
Saint-Hyacinthe (Québec) J2S 7B3
Tél. : 450 778-6504, poste 6235
Téléc. : 450 778-6536
ita.st.hyacinthe@mapaq.gouv.qc.ca
www.ita.qc.ca

152.AA Gestion et exploitation
d'entreprise agricole,
spécialisation Productions
animales (DEC)
154.A0 Technologie de la
transformation des aliments
(DEC)

RÉGION 17
CENTRE-DU-QUÉBEC

272.   CDE Collège
Campus de Drummondville
455, boul. Saint-Joseph
Drummondville (Québec) J2C 7B5
Tél. : 819 478-8877
Téléc. : 819 478-0398
infodrummond@cde-college.com
www.cde-college.com

5227   Secrétariat médical (ASP)
5229   Soutien informatique (DEP)
5231   Comptabilité (DEP)

273.   Collège Ellis
Campus de Drummondville
235, rue Moisan
Drummondville (Québec) J2C 1W9
Tél. : 819 477-3113
Sans frais : 1 800 869-3113
Téléc. : 819 477-4556
info@ellis.qc.ca
www.ellis.qc.ca

310.A0 Techniques policières (DEC)
310.C0 Techniques juridiques (DEC)
351.A0 Techniques d'éducation
spécialisée (DEC)
410.D0 Gestion de commerces (DEC)

CS DE LA RIVERAINE

**274.   École commerciale de
la Riveraine**
4920, avenue Fardel
Bécancour (Québec) G9H 1V7
Tél. : 819 293-5821, poste 4404
Téléc. : 819 233-9369
de.commerciale@csriveraine.qc.ca
www.ecolecommerciale.qc.ca

5231   Comptabilité (DEP)
5309   Gestion d'une entreprise de
la construction (ASP)

**275.   École d'agriculture de
Nicolet**
575, rue de Monseigneur-Brunault
Nicolet (Québec) J3T 1H8
Tél. : 819 293-5821, poste 2364
Téléc. : 819 293-4524
ecoagri@csriveraine.qc.ca
www.ean.csriveraine.qc.ca

5070   Mécanique agricole (DEP)

**276.   École de mécanique de
machines fixes**
401, rue Germain
Saint-Léonard-d'Aston (Québec)
J0C 1M0
Tél. : 819 293-5821, poste 2389
Téléc. : 819 293-4524
mmf@csriveraine.qc.ca
www.csriveraine.qc.ca/sae

5146   Mécanique de machines
fixes (DEP)

277.   Formation à distance
4920, avenue Fardel
Bécancour (Québec) G9H 1V7
Tél. : 819 293-5821, poste 4403
Sans frais : 1 800 295-5442
Téléc. : 819 233-9369
formation.distance@csriveraine.qc.ca
www.coursalamaison.com

5227   Secrétariat médical (ASP)
5231   Comptabilité (DEP)

CS DES BOIS-FRANCS

**278.   Centre intégré de
formation et d'innovation
technologique (CIFIT)**
59, boul. Labbé Sud
Victoriaville (Québec) G6P 0B6
Tél. : 819 759-8080
Téléc. : 819 758-9229
www.cifit.qc.ca

5260   Mécanique industrielle de
construction et d'entretien
(DEP)

**279.   C.F.P. André-Morissette
(CS des Bois-Francs)**
1650, av. Vallée
Plessisville (Québec) G6L 2W5
Tél. : 819 362-7348
Téléc. : 819 362-6644
www.cfpam.qc.ca

5195   Soudage-montage (DEP)
5223   Techniques d'usinage (DEP)
5224   Usinage sur machines-outils
à commande numérique
(ASP)
5311   Cuisine (DEP)

280.   C.F.P. Vision 2020
595, rue Notre-Dame Est
Victoriaville (Québec) G6P 4B2
Tél. : 819 751-2020, poste 39912
Téléc. : 819 758-9910
vision2020@csbf.qc.ca
www.vision-2020.qc.ca

5231   Comptabilité (DEP)
5298   Mécanique automobile (DEP)
5315   Réfrigération (DEP)
5316   Assistance à la personne en
établissement de santé (DEP)
5317   Assistance à la personne à
domicile (DEP)
5321   Vente-conseil (DEP)
5323   Représentation (ASP)
5325   Santé, assistance et soins
infirmiers (DEP)

CS DES CHÊNES

281.   Centre André-Morissette
1650, av. Vallée
Plessisville (Québec) G6L 2W5
Tél. : 819 362-7348
Téléc. : 819 362-6644

5195   Soudage-montage (DEP)
5223   Techniques d'usinage (DEP)
5224   Usinage sur machines-outils
à commande numérique
(ASP)
5311   Cuisine (DEP)

282. C.F.P. Marie-Rivier
265, rue Saint-Félix, C. P. 786
Drummondville (Québec) J2C 5M1
Tél. : 819 478-6608
Téléc. : 819 478-6655
www.centremarie-rivier.qc.ca

5311   Cuisine (DEP)
5314   Sommellerie (ASP)

283. C.F.P. Paul-Rousseau
125, rue Ringuet, C. P. 694
Drummondville (Québec) J2B 6W6
Tél. : 819 474-0751, poste 6972
Téléc. : 819 474-0770
web051@csdeschenes.qc.ca
www.paul-rousseau.qc.ca

5195   Soudage-montage (DEP)
5223   Techniques d'usinage (DEP)
5224   Usinage sur machines-outils
         à commande numérique
         (ASP)
5225   Dessin industriel (DEP)
5231   Comptabilité (DEP)
5298   Mécanique automobile (DEP)
5302   Assistance technique en
         pharmacie (DEP)
5319   Charpenterie-menuiserie
         (DEP)

284. Cégep de Drummondville
960, rue Saint-Georges
Drummondville (Québec) J2C 6A2
Tél. : 819 478-4671, poste 4246
Téléc. : 819 474-6859
infoprog@cdrummond.qc.ca
www.cdrummond.qc.ca

180.A0 Soins infirmiers (DEC)
221.DA Technologie de l'estimation
         et de l'évaluation du
         bâtiment, spécialisation
         Estimation en construction
         (DEC)
221.DB Technologie de l'estimation
         et de l'évaluation du
         bâtiment, spécialisation
         Évaluation immobilière (DEC)
241.A0 Techniques de génie
         mécanique (DEC)
243.BB Technologie de
         l'électronique, spécialisation
         Ordinateurs et réseaux (DEC)
322.A0 Techniques d'éducation à
         l'enfance (DEC)
410.B0 Techniques de comptabilité
         et de gestion (DEC)
410.D0 Gestion de commerces (DEC)
412.AA Techniques de bureautique,
         spécialisation Coordination
         du travail de bureau (DEC)
420.AA Techniques de l'informa-
         tique, spécialisation
         Informatique de gestion
         (DEC)

285. Cégep de Victoriaville
475, rue Notre-Dame Est
Victoriaville (Québec) G6P 4B3
Tél. : 819 758-6401, poste 2478
Sans frais : 1 888 284-9476
Téléc. : 819 758-6026
information@cgpvicto.qc.ca
www.cgpvicto.qc.ca

—   Éducation à l'enfance (AEC)
152.AA Gestion et exploitation
         d'entreprise agricole,
         spécialisation Productions
         animales (DEC)
180.A0 Soins infirmiers (DEC)
243.C0 Technologie de l'électronique
         industrielle (DEC)
351.A0 Techniques d'éducation
         spécialisée (DEC)
410.B0 Techniques de comptabilité
         et de gestion (DEC)
420.AA Techniques de l'informa-
         tique, spécialisation
         Informatique de gestion
         (DEC)
570.C0 Techniques de design
         industriel (DEC)